Marzena Kowalska

An intensive course
in basic Polish

Polish in 4 weeks

Język polski w 4 tygodnie

Tłumaczenie: **Simon Andrews i Marzena Kowalska**
Redakcja: **Piotr Sosnowski**
Projekt okładki: **Adam Olchowik**
Ilustracje: **Adam Olchowik**

ISBN 83-7141-531-1

Skład i łamanie: ANTER Warszawa
Druk i oprawa

Druk i oprawa: Wojskowe Zakłady Graficzne,
Warszawa ul. Grzybowska 77

INTRODUCTION

"Polish in four weeks" represents a new style of course book for teaching Polish to foreigners.
Its advantages include:

- the natural contemporary language of the dialogues
- typical situations from everyday life
- an interesting story
- an easily accessible course in grammar

"Polish in four weeks" is for everybody taking their first steps in learning Polish – it can be used by students teaching themselves (thanks to the cassette recording) or by those working with a teacher. It can also successfully be used as a revision book by those who already know some Polish, but who would like to repeat the basics.

The course book consists of 28 lessons, each lesson containing between 1½ and 2½ hours work.
By doing one lesson every day, the material in the course can be mastered in four weeks.
The student can of course decide to follow the course at a slower (or even faster) pace. We simply encourage you to set aside a certain period of time every day – the successful learning of a foreign language depends to a great extent on being systematic.

Each of the 28 lessons consists of five sections:

1. DIALOGUE (DIALOG)
Written in natural and lively language the dialogues present everyday situations. Each dialogue is accompanied by a translation, which attempts to express the Polish in real English, rather than be a word for word translation.

2. WORDS AND PHRASES (SŁOWNICTWO)
New words and phrases appearing in the lesson are given in alphabetical order with their translation. This section also includes some groups of thematically linked vocabulary, expanding on those appearing in the dialogues.

3. GRAMMAR (GRAMATYKA)
This section present new grammar points appearing in the dialogues, and expands on material met earlier. Cross-references make it easy to refer back to previous lessons. The grammatical commentary is written in an easily understood and approachable language, a practical approach taking precedence over linguistic jargon.

4. CONVERSATIONS (ROZMAWIAMY)
This section deals with phrases and expressions used in particular situations, e.g.: talking on the phone, booking a hotel room, etc. The majority of these phrases are taken from the dialogues, but sometimes new ones are added.

5. EXERCISES (ĆWICZENIA)
At the end of each lesson there are 7 or 8 exercises to help you practise the material you have just learned. The key to the exercises can be found at the end of the book.

The book is completed with notes about certain Polish traditions and customs. We hope that these will help the learner discover and understand aspects of life in Poland that they didn't already know about.

We suggest that each lesson is followed in the following stages:

1. Listen to the dialogue without looking at the text. Getting a feel for Polish pronunciation and intonation will help avoid many errors. While you are listening, try to work out who is speaking, and where they are.
2. Listen to the dialogue again, this time following the Polish text, (but covering up the English translation). Try to work out what they are talking about, guessing the meaning of any new words or phrases from the context.
3. Now compare the text with the English translation, checking new vocabulary in the "Words and phrases" section which is found after each dialogue. Make sure you fully understand the Polish text before listening again while following the Polish text.
4. Read the text out loud, along with the tape. Play each character in turn, so that you actually take part in the conversation. Repeating this activity a few times will improve your pronunciation, and help you to remember new vocabulary.

5. Read the explanations in the grammar section, making sure you understand new structures and constructions. Try to learn by heart any new material, such as verb endings and pronouns. Look in the dialogue for examples illustrating the grammatical points given.
6. Familiarize yourself with the expressions and phrases in the conversations section. Check to see if any of them occur in the dialogue (some do, but not all). Try to learn them by heart.
7. Finally, do the written exercises at the end of the lesson, checking your answers with the key at the end of the book.

We believe that this book will help the learner to master basic polish grammar and to absorb the vocabulary most used in everyday situations. We hope that studying this book will be your first successful step in learning Polish. We encourage you to study the course regularly and systematically, by following the steps suggested above, and we wish you good luck with your studies.

The author thanks the following people for all their inspiration and help, without which this book would not have been possible: E. Janiszek, M. Jasnos, M. Suska, A. Tokarska, A. Wesołowska, A. Wiśniewska, my mother and my brother Waldek.
Special thanks to Dr E. Masłowska for her extensive review of the book, and to my editor P. Sosnowski.

SYMBOLS AND ABBREVIATIONS

Here are symbols and abbreviations used in the grammar section and Słownictwo:

adj adjective
adv adverb
f feminine
imperf imperfective verb
lit literally
m masculine
n neuter
perf perfective verb
pl plural
sg singular

THE PRONUNCIATION OF POLISH

Due to its many combinations of consonants, Polish can at first look as though it would be impossible to pronounce. But as its pronunciation is much more consistently related to its spelling than for example English, and as none of its sounds are particularly difficult, once you have learned the basic sounds of the alphabet the pronunciation of Polish is relatively easy.

ALFABET the alphabet

A (a)	adres, alarm, aktor
Ą (ą)	mądry, wąsy, są
B (be)	Barbara, bank, baza
C (ce)	centrala, centymetr, cukier
Ć (cie)	ćma, ćwierć, robić
D (de)	dobry, dyrektor, demokracja
E (e)	eksport, ekran, ekonomia
Ę (ę)	ręka, robię, węże
F (ef)	fortepian, formalny, farba
G (gie)	golf, gotować, grypa
H (ha)	honor, herbata, hotel
I (i)	idiota, idealista, imigrant
J (jot)	jeden, język, emigracja
K (ka)	kuzyn, kolor, kultura
L (el)	lampa, lokalny, literatura
Ł (eł)	łopata, Paweł, łysy
M (em)	muzyka, minuta, mleko
N (en)	numer, nowy, normalny
Ń (eń)	koński, koń, dłoń
O (o)	organizacja, opozycja, optymizm
P (pe)	Polska, policja, papieros
R (er)	radio, rewolucja, rasa
S (es)	system, sytuacja, skandal
Ś (eś)	środa, Śląsk, wieś
T (te)	termometr, tajny, tani
U (u)	uniwersytet, ulica, unia
Ó (u kreskowane)	który, mój, dwór
W (wu)	Warszawa, wykręt, wanna
Y (y/igrek)	lampy, teatry, kobiety
Z (zet)	zero, zupa, zarobić
Ź (ziet)	wyraźny, późno, mroźny
Ż (żet)	żona, żart, żywy

For historical reasons, a few sounds in Polish have two different forms of spelling for the same sound:

ó and u	góra, kura
rz and ż	rzeka, żaba
h and ch	hala, chyba

Some sounds in Polish are written using a double consonant (cz, ch, sz, dz).

cz	czas	dż	dżokej
sz	szkoła	rz	rzeka
dz	dzwonek	ch	chory
dź/dzi	dźwięk, dziwny		

The pronunciation of a word in Polish is very closely related to its spelling (in a much more consistent way then in English). Sometimes however, consonants undergo a small sound change causes by neighbouring letters. Here for example, **rz** is pronounced like **sz** in **szkoła**.

krzak
przedmowa

It is worth noting that voiced consonants appearing at the end of a word (b, d, etc.), adopt the sound of their unvoiced pairs (p, t, etc.).

chleb	b:p	pilaw	w:f
sad	d:t	raz	z:s
ksiądz	dz:c	weź	ź:ś
miedź	dź:ć	nóż	ż:sz
róg	g:k		

In Polish, consonants can be defined as being hard or soft. The accent (ʹ) on the letters ć, ń, ś, ź shows us that those consonants are soft. Consonants followed by the vowel (**i**) undergo “softening”, which changes their sound, but they are not marked by additional accents.

bank : bieda
cały : ciało
matka : miasto
sala : siano

Here is a (simplified) table of hard and soft consonants:

hard consonant	**soft consonant**	**hard consonant**	**soft consonant**
b	bi		
c	ć/ci	ł	
cz	–	m	mi
d	–	n	ń/ni
dz	dź/dzi	p	pi
dż	–	r	–
f	fi	s	ś/si
g	gi	t	–
h/ch	hi/chi	z	ź/zi
k	ki	ż/rz	

l and **j** also behave gramatically like soft consonants.

Polish has a regular stress pattern, the stress usually falling on the second last syllable of the word, for example: **a**dres, Bar**ba**ra, eko**no**mia, War**sza**wa.

To make this course even more versatile, we have included a CD-Rom with all the course material and exercises.

CONTENTS

pronouns • the prepositions **nad** and **w** • prepositions **za, przed, między** with the instrumental
ROZMAWIAMY • "which way are we going?"

27. **MOŻE POPŁYWAMY?** 372

SŁOWNICTWO
GRAMATYKA • **może popływamy?** "shall we swim for a bit?" • **umieć** and **znać** • the locative case in the plural • time and place clauses
ROZMAWIAMY • talking about past events

28. **KOMPROMIS** 384

SŁOWNICTWO • cooking
GRAMATYKA • the compound future tense (2) • **wyjeżdżać** and **przyjeżdżać** • **warto...** – it's worth... • **jak to się robi?** – saying how to do something • talking about quantities • **inaczej, inny – tak samo, taki sam** – summary
ROZMAWIAMY • instructions and giving advice
National holidays and feast-days

KLUCZ DO ĆWICZEŃ 400

SŁOWNICZEK 413

I. SKLEP „KARTA"

Alice:	O! Bardzo ładny kalendarz!
Andrzej:	Tak, ładny, ale drogi.
Alice:	A to? Co to jest?
Andrzej:	Nie wiem, może notes...
Alice:	Proszę pani, czy to jest notes?
Sprzedawczyni:	Nie, to nie jest notes, to jest album.
Alice:	Ile kosztuje?
Sprzedawczyni:	10 złotych.
Alice:	Poproszę.
Monika:	Andrzej?! Cześć!
Andrzej:	Cześć, Monika! Co słychać?
Monika:	Dziękuję, dobrze, a u ciebie?
Andrzej:	W porządku.
Monika:	No to do jutra.
Andrzej:	Do jutra.
Alice:	Kto to jest?
Andrzej:	Koleżanka z pracy.
Alice:	Z pracy, aha...

1. IN A STATIONERY SHOP

Alice:	Oh! What a pretty diary!
Andrzej:	Yes, pretty, but expensive.
Alice:	And this? What's this?
Andrzej:	I don't know, maybe it's a notebook.
Alice:	Excuse me please, is this a notebook?
Shop assistant:	No, it's not a notebook, it's a photo album.
Alice:	How much does it cost?
Shop assistant:	10 zloty.
Alice:	I'll take it, please.

Monika:	Hello, Andrzej.
Andrzej:	Hello, Monika. How are you?
Monika:	Well, thank you, and you?
Andrzej:	O.K.
Monika:	Till tomorrow, then.
Andrzej:	Till tomorrow.

Alice:	Who's that?
Andrzej:	A friend from work.
Alice:	From work, ah…!

SŁOWNICTWO

a and
  a u ciebie? and with you
aha oh! (I see)
album *m* album (e.g.: photo album)
ale but
bardzo *adv* very
bilet *m* ticket
biuro *n* office
co what
  co słychać? how's it going
cześć hello, goodbye
czy introduces a question
dobrze *adv* well
drogi *adj* expensive, dear
dyktafon *m* dictaphone
dziękuję thank you
ile how much/how many
  ile kosztuje...? how much does... cost?
jest is
kalendarz *m* calendar
kalkulator *m* calculator
kolega *m* friend (*male*)

koleżanka *f* friend (*female*)
koleżanka z pracy colleague
koniak *m* brandy, cognac
kto who
lampa *f* lamp
ładny *adj* pretty, nice
może maybe, perhaps
nie no, not
no to do jutra until tomorrow then
notes *m* notebook
O! Oh!
piwo *n* beer
poproszę please
proszę pani excuse me (to a woman)
sklep *m* shop
spotkanie *n* meeting
szef *m* boss
szkoła *f* school
tak yes
tani *adj* cheap
telefon *m* telephone
to it, this (*sometimes* that)
ty you (sg.)
wiem, nie wiem I know, I don't know
wino *n* wine
w porządku O.K. (*lit.* in order)
złoty zloty*
10 złotych 10 zloties

*See commentary in lesson 7 about Polish money.

ROZRYWKA places of entertainment

dyskoteka *f* disco
filharmonia *f* concert hall
galeria *f* gallery
kino *n* cinema
pub *m* "pub"
kawiarnia *f* cafe
muzeum *n* museum
restauracja *f* restaurant
opera *f* opera (house)
teatr *m* theatre

GRAMATYKA

NUMBERS 1–10

1. jeden
2. dwa
3. trzy
4. cztery
5. pięć
6. sześć
7. siedem
8. osiem
9. dziewięć
10. dziesięć

THE GENDER OF NOUNS

All nouns in Polish have one of three genders: masculine, feminine or neuter. Gender is not connected to the meaning of a word, but affects the way in which nouns change. (More about this in lesson no. 2). We can usually tell the gender of a noun from its ending.
So:

1. Nouns which in the singular end in a **consonant** (e.g.: hotel, dom) are usually masculine
2. Nouns which in the singular end in the vowels **-a** or **-i** (e.g.: lampa, pani) are usually feminine.
3. Nouns which in the singular end in the vowels **-o** or **-e** (e.g.: okno, morze) are neuter.

Attention!
There is a small group of nouns, which although ending in the vowel **-a**, are masculine, e.g.: kolega, mężczyzna, poeta, dentysta, specjalista. Similary a few words ending in a consonant are feminine e.g.: noc, sól.

TO JEST ALBUM – demonstrative pronouns (1)

In this construction **to** functions as the demonstrative pronoun – **this**.

To jest album.	This is an album.
To jest Adam.	This is Adam.
To jest opera.	This is the opera house.
To nie jest album.	This isn't an album.
To nie jest Adam.	This isn't Adam.
To nie jest opera.	This isn't the opera house.

THE QUESTIONS **CO TO JEST? KTO TO JEST?**

Co to jest? asks about things, objects.
  Co to jest? To jest kalendarz.
  Co to jest? To jest telefon.
Kto to jest? asks about people.
  Kto to jest? To jest Tomek Kubiak.
  Kto to jest? To jest Beata.

THE QUESTION **CZY TO JEST...?**

We use the question form **"czy...?"** when we expect an answer beginning with "yes" or "no".
Czy to jest notes?
Tak, to jest notes.
Nie, to nie jest notes.
Czy to jest Tomek Kubiak?
Tak, to jest Tomek Kubiak.
Nie, to nie jest Tomek Kubiak.

Affirmative sentence: To jest notes.
Question: Czy to jest notes?
When we ask a question, we don't change the order of the sentence, we use the same construction as the affirmative sentence: **to jest notes**, adding the word **czy**, at the beginning. In more colloquial Polish the word **czy** is often omitted. Intonation is used instead to indicate that a question is being asked.
To jest Tomek?

THE QUESTION **ILE KOSZTUJE?**

The question **Ile kosztuje...?** asks the price of something specified in the sentence.
Ile kosztuje notes? – 4 złote.
Ile kosztuje kawa? – 8 złotych.

Ile to kosztuje? asks the price of something that we indicate, but do not name (e.g.: when we don't know what it is called). Here **to** represents the unnamed object.
Ile **to** kosztuje? – 10 złotych.

THE CONJUNCTION **ALE**

We use **ale** when we want to draw attention to the contrast between two facts.
To jest ładny, **ale** drogi kalendarz.
To jest tani, **ale** dobry pub.

THE ADVERB **BARDZO**

We use the word **bardzo** to increase the intensity of on adjective or an adverb. It is invariable and is usually placed before the adjective or an adverb.
To jest **bardzo** ładny kalendarz.
To jest **bardzo** tani notes.
– Jak się masz? – **Bardzo** dobrze.

CO TO JEST? – NIE WIEM, MOŻE NOTES?
– expressions of supposition

When we are wondering about the identity of an object or a person, we can use the word: **może**.
– Co to jest? – Nie wiem, **może** kalendarz?
– Kto to jest? – Nie wiem, **może** barman?
– Ile to kosztuje? – Nie wiem, **może** 5, **może** 8 złotych.

ROZMAWIAMY

GREETINGS AND FAREWELLS

informal:		**formal:**	
greetings		**greetings**	
– Cześć	Hello	– Dzień dobry	Good morning /Good afternoon
		– Dobry wieczór	Good evening
		– Witam	Welcome, hello
farewells		**farewells**	
– Cześć	Bye	– Do widzenia	Goodbye
– Do jutra	Till tomorrow	– Dobranoc	Good night
– Do zobaczenia	See you		
– Na razie	See you later		

When answering, we usually use the same word, e.g.: – Cześć! – Cześć!

GREETINGS (1)

Here are some informal greetings. These are used between friends, close colleagues and younger people, for example:
Co słychać?
Jak się masz?
Jak leci?

Possible answers:

☺	(Wszystko) Dobrze	well, fine
☺	(Wszystko) W porządku	O.K.
☺☺	Bardzo dobrze	very well
☺☺☺	Świetnie	excellent
☺☹	Tak sobie	so-so/all right
☹☹☹	Fatalnie	terrible

When replying to a greeting, we usually return the question like this:
– Jak się masz? – Dziękuję, dobrze, **a ty?**
– Co słychać? – Dziękuję, dobrze, **a u ciebie?**

Formal greetings will be introduced in lesson 2.

ĆWICZENIA

1

Write the following nouns in the three columns according to their gender: bilet, lampa, koleżanka, spotkanie, pub, biuro, szkoła, kino, restauracja, wino, szef, piwo, opera, teatr.

masculine	feminine	neuter
....	....	....
....	....	....
....	....	....
....	....	....
....	....	....
....	....	....

2

Choose the appropriate question: **Kto to jest?** or **Co to jest?** for the following answers:

1. ....? To jest dyktafon.
2. ....? To jest Wisława Szymborska.
3. ....? To jest Anna Seniuk.
4. ....? To jest kalkulator.
5. ....? To jest Andrzej Wajda.

3

Complete the sentences: Example: To jest ładny, **ale drogi** kalendarz.

1. To jest dobry, ale .... album.
2. To jest drogi, ale .... telefon.
3. To jest tani, ale .... pub.

4

Answer the questions:

1. Czy to jest pub?

   Tak, ...

   Nie, ...

2. Czy to jest kalendarz?

   Tak, ...

   Nie, ...

3. Czy to jest kino?

   Tak, ...

   Nie, ...

4. Czy to jest tani notes?

   Tak, ...

   Nie, ...

5. Czy to jest drogi koniak?

   Tak, ...

   Nie, ...

Using the words you have learned in this lesson ask questions, e.g.:
(k.......) **Czy to jest kino?**

5

1. (sz.....)..?
2. (k.......) ....?
3. (t........)..?
4. (o......) ....?
5. (n.......)..?

Write questions asking the prices of these articles and then say the prices out loud.

6

1. – .... bilet? – 2 złote.
2. – .... notes? – 4 złote.
3. – .... kalendarz? – 8 złotych.
4. – .... piwo? – 5 złotych.
5. – Ile to kosztuje? – 3 złote.
6. – Ile to kosztuje? – 6 złotych.
7. – Ile to kosztuje? – 1 złoty.

Reply to these greetings, using expressions appropriate to the faces shown.

7

1. – Co słychać? ☺ – ....
2. – Co słychać? ☺ – ....
3. – Co słychać? ☺☺☺ – ....
4. – Co słychać? ☹☹☹ – ....
5. – Co słychać? ☺/☹ – ....

Reply out loud to these greetings, by repeating them.

8

1. Do widzenia.
2. Dzień dobry.
3. Na razie.
4. Cześć.

5. Do zobaczenia.
6. Dobry wieczór.
7. Do jutra.
8. Dobranoc.

Co słychać?

When asked "co słychać?" Polish people do not always simply answer with one word – "świetnie", "dobrze" etc. They will often tell you about recent events or decisions in their lives – they have just changed jobs, they have doubts about such and such a decision, they are thinking of buying a new car and so on. So "co słychać?" is not treated simply as a question about mood, but rather as a genuine expression of interest as to what is new in their lives.
That is why the answer to this question is not always positive. People share their bad news as well as their good news, but only with close friends. So when asking Poles this question you should be prepared for a bit of a chat. It is used mostly with friends rather than stangers.

NUMBERS (liczebniki)

CARDINAL NUMBERS		ORDINAL NUMBERS
1	jeden	pierwszy, pierwsza, pierwsze
2	dwa	drugi, druga, drugie
3	trzy	trzeci, trzecia, trzecie
4	cztery	czwarty, -a, -e
5	pięć	piąty, -a, -e
6	sześć	szósty, -a, -e
7	siedem	siódmy, -a, -e
8	osiem	ósmy, -a, -e
9	dziewięć	dziewiąty, -a, -e
10	dziesięć	dziesiąty, -a, -e
11	jedenaście	jedenasty, -a, -e
12	dwanaście	dwunasty, -a, -e
13	trzynaście	trzynasty, -a, -e
14	czternaście	czternasty, -a, -e
15	piętnaście	piętnasty, -a, -e
16	szesnaście	szesnasty, -a, -e
17	siedemnaście	siedemnasty, -a, -e
18	osiemnaście	osiemnasty, -a, -e
19	dziewiętnaście	dziewiętnasty, -a, -e
20	dwadzieścia	dwudziesty, -a, -e
21	dwadzieścia jeden	dwudziesty pierwszy, etc.
30	trzydzieści	trzydziesty, -a, -e
40	czterdzieści	czterdziesty, -a, -e
50	pięćdziesiąt	pięćdziesiąty, -a, -e
60	sześćdziesiąt	sześćdziesiąty, -a, -e
70	siedemdziesiąt	siedemdziesiąty, -a, -e
80	osiemdziesiąt	osiemdziesiąty, -a, -e
90	dziewięćdziesiąt	dziewięćdziesiąty, -a, -e
100	sto	setny, -a, -e
200	dwieście	dwusetny, -a, -e
300	trzysta	trzechsetny, -a, -e
400	czterysta	czterechsetny, -a, -e
500	pięćset	pięćsetny, -a, -e
600	sześćset	sześćsetny, -a, -e
700	siedemset	siedemsetny, -a, -e
800	osiemset	osiemsetny, -a, -e
900	dziewięćset	dziewięćsetny, -a, -e
1000	tysiąc	tysięczny, -a, -e
2000	dwa tysiące	dwutysięczny, -a, -e
3000	trzy tysiące	trzytysięczny, -a, -e
4000	cztery tysiące	czterotysięczny, -a, -e
5000	pięć tysięcy	pięciotysięczny, -a, -e
1000000	milion	milionowy, -a, -e

2. JESTEM AMERYKANKĄ

W dyskotece

Waldek:	Cześć.
Alice:	Cześć.
Waldek:	Jestem Waldek.
Alice:	Alice.
Waldek:	(Czy) jesteś Francuzką?
Alice:	Nie, jestem Amerykanką.
Waldek:	Fajna knajpa, prawda?
Alice:	Nie rozumiem. Co to jest knajpa?
Waldek:	Knajpa to jest lokal, to jest, no... pub, dyskoteka.
Alice:	Aha...Tak, fajna. O! Jest Andrzej.
Andrzej:	Już jestem.
Alice:	To jest Waldek, a to jest Andrzej.
Waldek:	Cześć.
Andrzej:	Cześć. To co, kochanie, zatańczymy?
Alice:	Chętnie.
Waldek:	No to na razie.
Alice:	Na razie.

Na przyjęciu

Brown:	Dzień dobry, jestem Brown, John Brown.
Kubiak:	Kubiak.
Brown:	Miło mi.
Kubiak:	Miło mi. Czy pan jest Amerykaninem?
Brown:	Nie, jestem Anglikiem.
Kubiak:	Ale mówi pan po polsku.
Brown:	Tak, ojciec był Polakiem.
Kubiak:	Aha, rozumiem! (*po chwili, do pani Strąk*) Dzień dobry pani!

2. I'M AMERICAN

At the disco

Waldek: Hello!
Alice: Hello!
Waldek: I'm Waldek.
Alice: Alice.
Waldek: Are you French?
Alice: No, I'm American.
Waldek: Great "knajpa", isn't it?
Alice: I don't understand. What's a "knajpa"?
Waldek: "Knajpa"... well, it's a pub, discoteque...

Alice: I see. Yes, great. Oh! here's Andrzej.
Andrzej: Here I am.
Alice: This is Waldek, and this is Andrzej.
Waldek: Hello!
Andrzej: Hello! Well, darling, shall we have a dance?
Alice: I'd love to.
Waldek: Well, bye for now.
Alice: Bye for now.

At the party

Brown: Good day! I'm John Brown.
Kubiak: Kubiak.
Brown: Nice to meet you.
Kubiak: Nice to meet you, too. Are you American?
Brown: No, I'm English.
Kubiak: But you speak Polish.
Brown: Yes, my father was Polish.
Kubiak: Ah! I understand. (*a moment later to Mrs. Strąk*) Oh! Good day.

Anna Strąk:	Dzień dobry.
Kubiak:	Co u pani słychać?
Anna Strąk:	Dziękuję, dobrze. A u pana?
Kubiak:	Też dobrze, dziękuję. To jest pan John Brown, a to jest pani Anna Strąk.
Anna Strąk:	Miło mi.
John Brown:	Miło mi.

Anna Strąk:	Good day!
Kubiak:	How are you?
Anna Strąk:	Well, thank you. And you?
Kubiak:	I'm well too, thank you. This is Mr Brown and this is Mrs Strąk.
Anna Strąk:	Nice to meet you.
John Brown:	Nice to meet you, too.

SŁOWNICTWO

a u pana? and with you? (to a man)
Amerykanin *m* American (man)
Amerykanka *f* American (woman)
Anglik *m* Englishman
być (jestem, jesteś) to be (I am, you-sg.-are, he/she/it is)
  ojciec był Polakiem (my) father was Polish
chętnie *adv* with pleasure
co u pani słychać? how are you (to a woman)
Francuzka *f* French woman
już now, already
kochanie *n* darling
knajpa *f* informal word for an eating and/or drinking place
  fajna knajpa, prawda? great place, isn't it?
łatwy *adj* easy
miło mi nice to meet you
mówić (mówię, mówisz) to speak (I speak, you speak)
ojciec *m* father
pan *m* you (formal), with names – Mr
pani *f* you (formal), with names – Miss, Mrs, Ms
polski *adj* Polish
  mówić po polsku to speak Polish
prawda *f* true (*here* isn't it?)
przyjęcie *n* party, reception
rozumiem, nie rozumiem I understand, I don't understand
też also, too
zatańczyć (*perfective verb*, these will be dealt with fully in lesson 12) to dance
  to co, kochanie, zatańczymy? well darling, shall we have a dance?
trudny *adj* difficult

KRAJE I NARODOWOŚCI countries and nationalities

kraj (country)	**mężczyzna** (man)	**kobieta** (woman)	
Chiny	Chińczyk	Chinka	China, Chinese (man), Chinese (woman, girl)
Czechy	Czech	Czeszka	Czech Republic, etc.
Francja	Francuz	Francuzka	France
Hiszpania	Hiszpan	Hiszpanka	Spain
Japonia	Japończyk	Japonka	Japan
Litwa	Litwin	Litwinka	Lithuania
Niemcy	Niemiec	Niemka	Germany
Polska	Polak	Polka	Poland
Rosja	Rosjanin	Rosjanka	Russia
Słowacja	Słowak	Słowaczka	Slovakia
Stany Zjednoczone	Amerykanin	Amerykanka	United States, American
Ukraina	Ukrainiec	Ukrainka	Ukraine
Wielka Brytania	Anglik	Angielka	Great Britain, Englishman, English woman
Włochy	Włoch	Włoszka	Italy

JĘZYKI languages

język angielski, mówię po angielsku	English, I speak English
język chiński, mówię po chińsku	Chinese, etc.
język czeski, mówię po czesku	Czech
język francuski, mówię po francusku	French
język hiszpański, mówię po hiszpańsku	Spanish
język japoński, mówię po japońsku	Japanese
język litewski, mówię po litewsku	Lithuanian
język niemiecki, mówię po niemiecku	German
język polski, mówię po polsku	Polish
język rosyjski, mówię po rosyjsku	Russian
język słowacki, mówię po słowacku	Slovak
język ukraiński, mówię po ukraińsku	Ukrainian
język włoski, mówię po włosku	Italian

GRAMATYKA

PERSONAL PRONOUNS

person	singular	plural
1.	**ja**	**my**
2.	**ty**	**wy**
3.	**on** (masculine)	**oni***
	ona (feminine)	**one****
	ono (neuter)	

* oni – used for men or groups including men
** one – used for groups which do not include any men

THE VERB **BYĆ** – the present tense

Verb endings in Polish change according to person. They must agree with the subject, e.g.: ja jestem (I am), on jest (he is).
As in many others languages the verb **to be** is irregular. Note that the personal forms have a different stem from the infinitive **być**, which is the form we find in the dictionary.
Here are its forms in the present tense:

singular		plural	
ja	**jestem**	my	**jesteśmy**
ty	**jesteś**	wy	**jesteście**
on ona ono	**jest**	oni one	**są**

As the endings of the verb tell us the person of the subject, we don't usually need to use the personal pronoun. So we say for example: **Jestem Amerykanką,** not: **Ja jestem Amerykanką.**
We use personal pronouns in the 3rd person when it is not obvious from the context who we are speaking about.

THE VERB **MÓWIĆ** – the present tense

Polish verbs belong to one of three groups, which are usually defined by the endings of the 1st and the 2nd persons singular. The verbs in each group follow a similar pattern of ending changes. These endings are added to the stem of the verb, which is invariable. **Mówić** belongs to the group **-ę, -isz** (or **-ę, -ysz**).

singular		plural	
ja	mówi**ę**	my	mów**imy**
ty	mów**isz**	wy	mów**icie**
on ona ono	mów**i**	oni one	mówi**ą**

THE QUESTION **CZY...?**

Question:	**Czy** Adam mówi po polsku?	Does Adam speak Polish?
Positive answer:	**Tak**, Adam mówi po polsku.	Yes, he speaks Polish.
Negative answer:	**Nie**, Adam nie mówi po polsku.	No, he desn't speak Polish.

JESTEM ANGLIKIEM – the instrumental case

Polish nouns have a system of endings called cases. There are 7 grammatical cases and they are usually presented in the following order. Here are all the singular cases for the noun **pan**, with the standard abbreviations for the case names (as used in the Słownictwo section) in brackets.

Nominative (nom) **pan**
Genitive (gen) **pana**
Dative (dat) **panu**
Accusative (acc) **pana**
Instrumental (instr) **panem**
Locative (loc) **panu**
Vocative (voc) **panie**

The case of the noun usually depends on its function in the sentence, so for example, the nominative case is used to define the subject, and the accusative case usually defines the direct object. The genitive case often suggests the idea of "of", the instrumental case the idea of "by", and the locative case, location in place. (The vocative case is sometimes used when addressing people).
However the choice of case sometimes depends on the verb used. Certain verbs "govern" specific cases for the object. Similarly when using prepositions, (e.g.: **po**, **z**, **w**, **nad**, **do**) with nouns, these usually dictate the case to be used.
Case endings are important as they are used instead of word order to structure sentences.
But don't worry, during this course, cases will be presented in context, gradually and in a logical order. We don't expect you to take it all in at once.

Like verbs, nouns have an invariable stem and only the endings change.
At first, the case system might appear somewhat complicated, as various factors such as gender must be taken into account when choosing the case ending. But taking it step by step, you will soon get to know the most typical and frequently used case endings.
Dictionaries give nouns in their nominative case (their basic form). Good dictionaries also give the genitive and nominative plural endings as these are the ones that can create the most problems.

Now let's look at the instrumental case. In the following construction, where the noun following the verb **być** refers to the subject, the instrumental case is used:
Jestem Anglikiem.
On jest aktorem.

However let's compare the following sentences:
To jest **Polak**. (nominative)
Piotr to jest **Polak**. (nominative)
Piotr jest **Polakiem**. (instrumental)

Notice that when we include the word **to** in this sort of construction, we use the nominative case. But if we omit the word **to**, we must use the instrumental.

When talking about nationality, we normally use this construction with the instrumental:

Jestem Polakiem.
Jestem Polką.

Polak, **Polka** are used here with their instrumental endings. Here are the endings for the instrumental case:

masculine **-em**	(Amerykanin, Hiszpan, Niemiec) Jestem Amerykani**nem**, Hiszpan**em**, Niemc**em**.
feminine **-ą**	(Amerykanka, Hiszpanka, Niemka) Jestem Amerykan**ką**, Hiszpank**ą**, Niemk**ą**.
neuter **-em**	(dziecko) Jestem dzieck**iem**.

CZY PAN JEST AMERYKANINEM? – pan, pani

When talking to an adult we don't know, or one we know but are not on first name terms with, we use the polite form of address **pan/pani**. When doing so, we use the verb in the 3rd person.

Czy **pani jest** Amerykanką?
Czy **pan mówi** po polsku?

MÓWIĘ PO POLSKU

We usually use this construction when talking about speaking a language.

"Mówię po polsku" literally means "I speak in the Polish way".

Mówię **po polsku**.
Czy mówisz **po angielsku**?
Czy pan mówi **po włosku**?
Czy pani mówi **po hiszpańsku**?
Adam mówi **po niemiecku**.
Ewa nie mówi **po francusku**.

ROZMAWIAMY

GREETINGS (2)

When greeting people who we would normally address as **pan/pani**, we use more formal forms of greeting:
Jak pan/pani się ma?
Jak pan/pani się miewa?

We usually answer formal greetings in a positive manner.
(Wszystko) Dobrze
Bardzo dobrze
Świetnie

When replying to a formal greeting, we usually return the question like this:
– Jak się pani ma? – Świetnie, **a pani?/a pan?**
– Co słychać? – Wszystko dobrze. **A u pana?/A u pani?**

INTRODUCING YOURSELF

There are several ways of introducing yourself. You can simply use your first name, your surname, or both first name and surname: "Adam", "Kunicki" or "Adam Kunicki". You can also say: "Jestem Adam". "Jestem Kunicki". "Jestem Adam Kunicki", depending on how formal you want to be.

Attention! We don't say: "Jestem pan Adam Kunicki."

When you want to introduce someone else you say:
To jest...
To jest Monika.
To jest Adam Kunicki.

When introducing adults to each other, especially in formal situations, we usually add the titles: **pan, pani**.
To jest **pan** John Brown, a to jest **pani** Anna Strąk.

Miło mi is the polite formula to use when someone is introduced to us.

To jest pani Ewa Adamek, a to jest pan Adam Nowak.
– Miło mi.
– Miło mi.

ĆWICZENIA

1

Complete the sentences, using the verb **"być"** in the appropriate form.

1. (Ja) .... Polką.
2. – To .... pani Katarzyna Nowak, a to pani Monika Augustyn. – Miło mi.
3. – (Czy) to ty .... Michał Adamski? – Tak, to ja.
4. – (Czy) to wy .... Patrycja i Tomek? – Tak, to my.

2

Write the verb **mówić** in the appropriate form.

1. Czy (ty) .... po angielsku?
2. Tak, (ja) .... po angielsku.
3. Czy Piotr .... po francusku?
4. Ola i Kasia .... po rosyjsku.
5. (My) .... po hiszpańsku.
6. Czy (wy) .... po japońsku?

3

Write the nouns in brackets in the instrumental, e.g.: Agata jest (Polka) Agata jest **Polką**.

1. Beatrice jest (Francuzka) ...., a Alice jest (Amerykanka).....................................
2. Jestem (Polak) ...., Maria jest (Polka) ....

3. – Czy John Brown jest (Anglik) ....? – Tak, John jest (Anglik) .... i Elizabeth jest (Angielka) ....

4. – Czy (ty) jesteś (Niemiec) ....? – Tak, jestem ....

5. Igor jest (Rosjanin) ...., Natasza jest (Rosjanka) ....

6. Wang jest (Chińczyk) ...., a Hidetoshi jest (Japończyk) ....

4

Enter the appropriate personal pronoun, e.g.: To jest Piotr. **On** jest Polakiem.

1. Marcin jest Polakiem. .... mówi po polsku.
2. Constance jest Francuzką. .... mówi po francusku.
3. To jest Beata i Monika. .... mówią po włosku.
4. To jest Darek i Czarek. .... mówią po angielsku.
5. – Czy to .... jesteś Paweł? – Tak, to ....
6. – Czy to .... jesteście Marta i Agata? – Tak, to ....

5

Write what language the following people are speaking about, e.g.: **po hiszpańsku**:

1. Język polski nie jest łatwy, ale Alice mówi ....
2. Język francuski jest bardzo ładny. Czy (ty) mówisz ....?
3. Język angielski nie jest trudny. Czy pan mówi ....?
4. Język niemiecki jest łatwy. Czy pani mówi ....?

6

Ask questions, using the polite form **pan/pani**, e.g.: Czy jesteś Polką? **– Czy pani jest Polką?**

1. Czy (ty) mówisz po polsku? ....?

2. Czy jesteś Anglikiem? ....?

3. Czy jesteś Angielką? ....?

4. Czy mówisz po francusku? ....?

5. Czy jesteś Niemcem? ....?

6. Czy jesteś Amerykanką? ....?

7

You have just been introduced to some people. Ask them what languages they speak, using the polite or informal form as appropriate: – To jest pani Monika Stenka. – **Czy pani mówi po francusku?**

1. – To jest Piotr. – Czy ....?

2. – To jest pan John Brown. – Czy ....?

3. – To jest pani Dorota Jaworska. – Czy ....?

4. – To jest Beatrice. – Czy ....?

8

First reply to these greeting questions, and then return the question in the short form, e.g.: Dobrze. A u ciebie?/a u pani?.

1. Beata: Co słychać? – ....

2. Paweł: Co słychać? – ....

3. Pani Alicja Tomasik: Co u pana słychać? – ....

4. Pan Michał Antosiak: Co u pani słychać? – ....

9

Introduce the following people to each other using the polite or informal form, as appropriate, e.g.: To jest Piotr, a to jest Magda.

1. (Beata, Maciek) ....

2. (Anna Tomasik, Monika Wypych) ....

3. (Jan Kołecki, Maria Safian) ....

4. (Edyta, Ryszard) ....

When to use pan/pani and when to use ty?

For Polish people it is natural to address adults as pan/pani. Calling everyone "ty" is felt to be unnatural, and can even be seen as offensive.
Pan/pani are used, both when meeting strangers in the street, in shops and institutions, and with people like neighbours, the boss, colleagues at work, who we know but with whom we have not "moved on to ty", in other words people who we are not on first name terms with. Using pan/pani does not in any way express a lack of warmth.
The second person singular form "ty" (ty masz czas?) is used by adults to children. If you have problems deciding whether a young person is over 18 or not, it is better to err on the side of caution and address them as pan/pani. A child will appreciate being treated as an adult, but not vice-versa.
Amongst themselves schoolchildren and students use "ty" regardless of age, And of course adults often decide to move to using "ty" with friends and colleagues. This is rather like an English speaker suggesting using first names. So if you want to be on friendlier terms with a colleague you know well (and of course like), you can propose moving to "ty". This often happens at informal gatherings such as meals out. There is also the custom of "bruderszaft" when the move to "ty" is celebrated with a drink, the kissing of cheeks, and the exchanging of first names, thus opening a new stage in the friendship. Sometimes people who are going to be working together suggest using first names, and so "ty", right from the start. This is done by saying "Jestem Marek", or simply "Marek" without using your surname. Note however that this suggestion is made according to certain "rules", by:
– older people to younger people
– women to men
– people in higher positions to people in lower positions.
There is also a friendly form for using with people you know well but do not use "ty" with – panie Marku, pani Krysiu, which is less formal than pan/pani used without first names (NB vocative case). This method of address suggests a certain level of friendship.

3. CZY TO JEST PANI KURTKA?

W szatni

Alice:	Masz numerek?
Andrzej:	Tak, mam. (Czy) masz drobne?
Alice:	Ile kosztuje szatnia?
Andrzej:	2 złote.
Szatniarz:	Poproszę numerek.
Andrzej:	Proszę.
Alice:	Ale to nie jest moja kurtka.
Szatniarz:	Nie?
Alice:	Nie! Moja jest brązowa i długa, a ta kurtka jest inna – czarna i krótka.
Szatniarz:	Zaraz, zaraz... brązowa, długa kurtka... Czy to jest pani kurtka?
Alice:	Tak.
	(*po chwili*)
Szatniarz:	Czyj to parasol? Przepraszam, czy to jest pana parasol?
Andrzej:	Nie, to nie jest mój parasol.
Szatniarz:	A czyj?
Andrzej:	Nie wiem.
Alice:	Trochę dziwny ten pan.
Andrzej:	Nie dziwny, tylko roztargniony. A ten Waldek to (jest) twój kolega z pracy?
Alice:	To nie jest mój kolega, to tylko nowy znajomy.

3. IS THIS YOUR COAT?

At the cloakroom

Alice:	Do you have your number?
Andrzej:	Yes, I have. Do you have any change?
Alice:	How much does the cloakroom cost?
Andrzej:	2 zloty.
Cloakroom attendant:	Can I have your number, please?
Andrzej:	Here you are.
Alice:	But this isn't my coat.
Cloakroom attendant:	No?
Alice:	No, mine is brown and long and this coat is different – black and short.
Cloakroom attendant:	Just a moment… a long brown coat... Is this your coat?
Alice:	Yes.
	(*a moment later*)
Cloakroom attendant:	Whose is this umbrella? Excuse me, is this your umbrella?
Andrzej:	No, it's not my umbrella.
Cloakroom attendant:	So whose is it?
Andrzej:	I don't know.
Alice:	A bit strange that man.
Andrzej:	Not strange, just absent-minded. And this Waldek is a friend of yours from work?
Alice:	He's not my friend, just a new acquaintance.

SŁOWNICTWO

brązowy, -a, -e *adj* brown
chłopak *m* boy
czarny, -a, -e *adj* black
czyj, czyja, czyje whose
dobry, -a, -e *adj* good
długi, -a, -e *adj* long
drobne *pl* small change
duży, -a, -e *adj* big
dziewczyna *f* girl
dziwny, -a, -e *adj* strange
i and
inny, -a, -e different

kolega *m* friend
krótki, -a, -e *adj* short
kurtka *f* short coat
mały, -a, -e *adj* small
mieć (mam, masz) + *acc* to have
mój, moja, moje my
nowy, -a, -e *adj* new
numerek *m* numbered ticket or disc (e.g.: in a cloakroom)
pan *m* you (formal), with names – Mr
pana (parasol) your, yours (formal – for a man)
pani *f* you (formal), with names – Miss, Mrs, Ms
pani (kurtka) your, yours (formal – for a woman)
parasol *m* umbrella
roztargniony, -a, -e *adj* absent-minded
stary, -a, -e *adj* old
szatnia *f* cloakroom
szatniarz *m* cloakroom-attendant
ten, ta, to this
trochę a little, a bit
twój, twoja, twoje your, yours
tylko just, only
zaraz just a moment
znajoma *f* acquaintance (*female*)
znajomy *m* acquaintance (*male*)

ZWROTY GRZECZNOŚCIOWE polite expressions

dziękuję thank you
poproszę please, I'd like
proszę please
przepraszam excuse me

RZECZY, KTÓRYCH ZAWSZE PILNUJEMY essentials

długopis *m* biro
dowód osobisty *m* personal identity document
karta kredytowa *f* credit card
klucz *m* (*pl* **klucze**) key
ołówek *m* pencil
parasol *m* umbrella (large)
parasolka *f* umbrella (small)
paszport *m* passport
portfel *m* wallet
prawo jazdy *n* driving licence
teczka *f* briefcase, folder
telefon komórkowy *m* (**komórka** *f*) mobile phone (mobile)
torebka *f* bag
walizka *f* suitcase

KOLORY colours

beżowy, -a, -e *adj* beige
biały, -a, -e *adj* white
brązowy, -a, -e *adj* brown
czarny, -a, -e *adj* black

czerwony, -a, -e *adj* red
niebieski, -a, -e *adj* blue
pomarańczowy, -a, -e *adj* orange
różowy, -a, -e *adj* pink
szary, -a, -e *adj* grey
zielony, -a, -e *adj* green
żółty, -a, -e *adj* yellow

GRAMATYKA

THE VERB **MIEĆ** – the present tense

Mieć belongs to the 3rd conjugation **-m**, **-sz**, which has the following pattern of endings:

singular		plural	
ja	ma**m**	my	ma**my**
ty	ma**sz**	wy	ma**cie**
on (pan) ona (pani) ono	ma	oni (panowie, państwo) one (panie)	maj**ą**

Note that the 3rd person singular consists simply of the stem (sometimes called the zero ending).
Notice also that **j** is added to the stem in the 3rd person plural. This addition is a characteristic of verbs of this conjugation.
The other two conjugations are on p. 42 and p. 52.

BRĄZOWA, DŁUGA KURTKA – adjectives with nouns

Adjectives always take their gender from the nouns they are describing, and so their endings also change, depending on the gender of the noun.
Adjective endings:

masculine	
-y or **-i**	dobr**y**, drog**i** komputer
feminine	
-a	dobr**a**, drog**a** lampa
neuter	
-e	dobr**e**, drogi**e** wino

Adjectives describing somebody or something, (e.g.: what they are like), usually go before the noun:
ładny album, **dobra** restauracja

Adjectives used to classify something or somebody (e.g.: what type they are), usually go after the noun.
muzyka **klasyczna**, zupa **pomidorowa**
woda **mineralna**, Bank **Handlowy**

MOJA KURTKA – possessive pronouns

Here are possessive pronouns in the singular with their corresponding personal pronouns:

personal pronouns	possessive pronouns
1. ja	**mój, moja, moje**
2. ty	**twój, twoja, twoje**
3. on	**jego**
ona	**jej**
ono	**jego**

In the 1st and 2nd persons possessive pronouns have three genders: masculine, feminine and neuter (just like adjectives). Gender is determined by the gender of the noun it goes before:
dom – is a masculine noun, and so: **mój** dom
kawa – is a feminine noun, and so: **moja** kawa
piwo – is a neuter noun, and so: **moje** piwo

(Note that the feminine and the neuter endings of possessive pronouns are the same as those for adjectives).

In the 3rd person we use the forms **jego** or **jej** with nouns of all three genders:
To jest Adam. To jest **jego** dom, **jego** kawa, **jego** piwo.
To jest Ewa. To jest **jej** dom, **jej** kawa, **jej** piwo.

When using the polite form **pan/pani**, instead of using the possessive pronouns **twój, twoja, twoje** we use the form **pana/pani**. This is the same for nouns of all three genders.

So for example we might say to a man:
Czy to jest **pana** walizka?

And to a woman:
Czy to jest **pani** paszport?

THE QUESTION **CZYJ TO (JEST) DOM?**

The question word **czyj?** also comes in three genders, depending on the gender of the noun being asked about.

Czyj to **dom**? (masculine) To jest **mój** dom.
Czyja to **kawa**? (feminine) To jest **twoja** kawa.
Czyje to **piwo**? (neuter) To jest **moje** piwo

TA KURTKA JEST INNA – demonstrative pronouns (2)

Demonstrative pronouns also come in three genders, also depending on their corresponding noun.

Ten dom jest nowy. (masculine)
Ta kawa jest moja. (feminine)
To piwo jest drogie. (neuter)

We can also use **ten**, **ta**, **to** without a noun to mean "this one".
Ten parasol jest mój, a **ten** jest twój.

WALDEK TO (JEST) TWÓJ KOLEGA?

In the following constructions the word **to** is essential. The verb **jest** however is usually omitted.

Ania to (jest) moja koleżanka.	Ania is my friend.
„Bristol" to (jest) drogi hotel.	The "Bristol" is an expensive hotel.
Czy Adam to (jest) twój szef?	Is Adam your boss?
Czy „Aro" to (jest) duża firma?	Is "Aro" a large company?

THE ADVERB **TROCHĘ** a bit, a little

The adverb **trochę** is invariable. It can be used both with adjectives and with verbs, as in these examples:

Trochę dziwny ten pan.
Trochę mówię po polsku.

THE CONJUNCTION **I**

Moja kurtka jest długa **i** czarna. A twoja?
To są Basia **i** Tomek.

i is used to link two adjectives or two nouns. We use it when we want to give two pieces of information, but not contrast them (when, as you remember, we use **ale**).

ROZMAWIAMY

POLITE EXPRESSIONS

– Poproszę klucz.
– Proszę.

– Proszę, (to jest) twoja kawa.
– Dziękuję.

– Przepraszam, czy to jest pana/pani walizka?
– Tak, to (jest) moja walizka.
– Nie, to nie (jest) moja walizka.

ĆWICZENIA

1 Write the verb **mieć** in the appropriate form.

1. (Ja) .... numerek. Czy (ty) .... numerek?
2. Monika .... drobne i my .... drobne.
4. Czy (wy) .... drobne?
4. Piotr i Kuba .... drobne.

2 Write the adjectives in the appropriate gender.

1. (ładny) To jest .... album, ... lampa, ... biuro.
2. (sympatyczny) To jest .... koleżanka, ... biuro, ... kolega.
3. (drogi) To jest .... restauracja, ... pub, ... kino.
4. (tani) To jest .... piwo, ... restauracja, ... pub.
5. (dobry) To jest .... kolega, ... koleżanka, ... piwo.

3 Answer these questions.

1. Czy to (jest) twój parasol? – Tak, ...
2. Czy to (jest) twoja znajoma? – Nie, ...
3. Czy to (jest) twoje piwo? – Tak, ...
4. Czy to (jest) pani torebka? – Nie, ...
5. Czy to (jest) pana teczka? – Tak, ...

4 Enter the appropriate possessive pronoun: **jego** or **jej**.

1. To jest Paweł, a to .... znajoma.
2. To jest Edyta, a to .... chłopak Artur.
3. To jest Maciek, a to .... koleżanka.

4. To jest Jacek Piotrowski, a to .... kolega.

5. To jest Monika, a to .... znajomy.

Ask the question **czyj?** using the appropriate gender.

5

1. .... to (jest) parasol?
2. .... to (jest) torebka?
3. .... to (jest) piwo?
4. .... to (jest) długopis?

Write the appropriate demonstrative pronoun: **ten**, **ta**, **to**.

6

1. .... kawa jest moja.
2. .... dom jest nowy.
3. .... piwo jest niedobre.
4. .... torebka jest czarna, a .... jest brązowa.
5. .... paszport jest mój, a .... jest twój.

Enter the appropriate conjunction: **i**, **ale** or **a**.

7

1. Ta torebka jest duża, ... ta jest mała.
2. Ta kurtka jest czarna .... długa.
3. Ta kawiarnia jest dobra, ... droga.
4. Moje piwo jest dobre, ... twoje?
5. Co słychać? – Dziękuję, dobrze, ... u pani?

Write the adverb **trochę** or **bardzo**.

8

1. Ta kurtka jest .... ładna.
2. .... mówię po polsku.
3. Ta twoja nowa koleżanka jest .... dziwna.

4. GDZIE JEST HOTEL „BRISTOL"?

Brown:	Przepraszam, gdzie jest hotel „Bristol"?
Pani X:	O tam, prosto i w lewo.
Brown:	Czy to jest daleko?
Pani X:	Nie, bardzo blisko.
Brown:	Przepraszam, czy pan wie, gdzie jest ulica Miła?
Pan Y:	Niestety, nie wiem.
Brown:	Przepraszam, czy państwo wiedzą, gdzie jest ulica Miła?
Państwo Z:	Tak, proszę iść prosto, potem w prawo i cały czas prosto.
Brown:	Dziękuję.
Państwo Z:	Nie ma za co.
Waldek:	Cześć, Alice! Co ty tu robisz?
Alice:	Ja tu mieszkam.
Waldek:	Ładne miejsce.
Alice:	To prawda. A co ty tu robisz?
Waldek:	Mam spotkanie. Ale to nic pilnego. (Czy) masz ochotę na kawę? Tutaj na rogu jest bardzo miła kawiarnia.
Alice:	Czemu nie...?
Waldek:	Zapraszam cię.

4. WHERE'S THE HOTEL "BRISTOL"?

Brown: Excuse me please, where's the hotel "Bristol"?
Woman in the street: That way, straight on and then to the left.
Brown: Is it far?
Woman in the street: No, it's very near.

Brown: Excuse me please. Do you know where Miła Street is?
Man in the street: I'm afraid I don't know.

Brown: Excuse me please. Do you know where Miła Street is?
Couple in the street: Yes, go straight ahead, then to the right and keep going straight on.
Brown: Thank you.
Couple in the street: Not at all.

Waldek: Hello, Alice! What are you doing here?
Alice: I live here.
Waldek: Pretty place.
Alice: Yes, it is. And what are you doing here?
Waldek: I'm meeting someone. But it's nothing urgent. Do you feel like a coffee. There's a really nice café here on the corner.
Alice: O.K. why not?
Waldek: It's on me, then.

SŁOWNICTWO

blisko *adv* near
czemu nie why not
daleko *adv* far
gdzie where
iść (idę, idziesz) to go
miejsce *n* place
mieszkać (mieszkam, mieszkasz) to live
miły, -a, -e *adj* nice, pleasant
nic nothing
nie ma za co not at all, you're welcome
niestety unfortunately
ochota *f* fancy
  mieć ochotę na kawę to fancy/feel like a coffee
państwo you (formal *pl*), with names – Mr. and Mrs
  czy państwo wiedzą...? do you know...?
pilny, -a, -e *adj* urgent
  nic pilnego nothing urgent
poczta *f* post office
prawda *f* truth
  to prawda yes, it is (*lit.* it's the truth)
prosto *adv* straight on
  cały czas prosto keep straight on
robić (robię, robisz) + *acc* **do**, make

róg *m* corner
na rogu on the corner
tam there
tu, tutaj here
ulica *f* street
w lewo to the left
w prawo to the right
wiedzieć (wiem, wiesz) to know
zapraszać (zapraszam, zapraszasz) + *acc* to invite
zapraszam cię (*lit.*) I invite you

W MIEŚCIE in town

aleja *f* avenue
apteka *f* chemist
bank *m* bank
basen *m* swimming pool
cmentarz *m* cemetery
dworzec autobusowy *m* bus station
dworzec kolejowy *m* railway station
hipermarket *m* hypermarket
kościół *m* church
muzeum *n* museum
opera *f* opera (house)
plac *m* place, square
poczta *f* post office
sklep *m* shop
stacja benzynowa *f* petrol/gas station
stadion *m* stadium
szpital *m* hospital
teatr *m* theatre
ulica *f* street

GRAMATYKA

NUMBERS 11-20

11 jedenaście
12 dwanaście
13 trzynaście
14 czternaście
15 piętnaście
16 szesnaście
17 siedemnaście
18 osiemnaście
19 dziewiętnaście
20 dwadzieścia

CZY PAŃSTWO WIEDZĄ...?

When addressing two or more people of mixed sex in the polite form we use the word **państwo**. This is used with the verb in the 3rd person plural.

Czy **państwo mówią** po polsku?
Czy **państwo mają** samochód?
Czy **państwo wiedzą**, gdzie jest szkoła?

Państwo is also used for married couples:
Państwo Nowakowie mówią po angielsku.
Państwo Grzybowscy mieszkają w Warszawie.

(For information about Polish names, see the commentary in lesson 17). When all member of the group are men, we use **panowie**, and when all of them are women, **panie**:

Czy **panowie** mówią po polsku?
Gdzie **panie** mieszkają?

THE VERBS **MIESZKAĆ, ROZUMIEĆ, WIEDZIEĆ** – the present tense

Like the verb **mieć**, the verb **mieszkać** belongs to the conjugation **-m**, **-sz**:

singular		plural	
ja	mieszka**m**	my	mieszka**my**
ty	mieszka**sz**	wy	mieszka**cie**
on (pan) ona (pani) ono	mieszka	oni (panowie, państwo) one (panie)	mieszkaj**ą**

The verb **rozumieć**, which we have already come across, also belongs to this conjugation.

singular		plural	
ja	rozumie**m**	my	rozumie**my**
ty	rozumie**sz**	wy	rozumie**cie**
on (pan) ona (pani) ono	rozumie	oni (panowie, państwo) one (panie)	rozumiej**ą**

The verb **wiedzieć** also belongs to the conjugation **-m**, **-sz**. (With some verbs in this conjugation the 3rd person plural takes the ending **-dzą**)

singular		plural	
ja	wie**m**	my	wie**my**
ty	wie**sz**	wy	wie**cie**
on (pan) ona (pani) ono	wie	oni (panowie, państwo) one (panie)	wiedz**ą**

THE VERB **ROBIĆ** – the present tense

Like the verb **mówić**, the verb **robić** belongs to the conjugation **-ę**, **-isz**.

singular		plural	
ja	robi**ę**	my	rob**imy**
ty	rob**isz**	wy	rob**icie**
on (pan) ona (pani) ono	rob**i**	oni (panowie, państwo) one (panie)	robi**ą**

PROSZĘ IŚĆ

Proszę iść prosto, potem w lewo.

Proszę + verb in the infinitive is used for suggesting that someone does something (Proszę iść prosto. – Go straight on) and for asking or telling someone to do something (Proszę mówić wolniej! – Please speak more slowly. Proszę to zrobić dzisiaj. – Please do this today). Its meaning is determined by context and intonation. We use this construction with people with whom we use the polite form **pan/pani**. With people we address as "ty" we use the imperative, which we will meet in lesson 22.

THE ADVERBS **DALEKO, BLISKO**

– Czy to (jest) **daleko**? – Nie, to nie jest **daleko**. To (jest) **blisko.**	– Is it far? – No, it's not far. It's near.
– Czy poczta jest **daleko**? – Tak, poczta jest **daleko**.	– Is the post office far? – Yes, the post office is far.
Szpital jest bardzo **blisko**.	The hospital is very near.
Dworzec jest bardzo **daleko**.	The station is very far.

THE PRONOUNS **TU, TUTAJ, TAM**

These pronouns can go before or after the verb.

Szpital jest **tutaj**.
Tutaj jest szpital.

Poczta jest **tu** na rogu.

Poczta jest **tam**.
Tam jest poczta.

TO NIC PILNEGO – negative pronouns

– Co nowego? – **Nic** nowego. To **nic** pilnego.	– What's new? – Nothing new. It's nothing urgent.

Unlike English, Polish uses a system of double negatives. After the pronouns **nic** and **nikt** we use the verb with the negation **nie**.

– Co robisz? – **Nic** nie robię.	– What are you doing? – I'm not doing anything.
Nic nie wiem.	I don't know anything.
Nikt nie mówi po polsku.	Nobody speaks Polish.
Nikt nie wie, gdzie jest poczta.	Nobody knows where the post office is.

Note that we can also use multiple negatives:

Nikt nic nie robi.	Nobody is doing anything.

THE QUESTION **GDZIE JEST SZKOŁA?**

Gdzie? has the same form for all three genders.
Gdzie jest szpital?
Gdzie jest szkoła?
Gdzie jest kino?

ROZMAWIAMY

PRZEPRASZAM, GDZIE JEST SZKOŁA?

Przepraszam is used in situations when in English we usually say "excuse me". For example, when asking for directions, when trying to get someone's attention, or when apologising for something.

REPLYING TO **DZIĘKUJĘ**

When someone thanks us for something, we can reply with: **"Nie ma za co"** or **"Proszę bardzo"**.

OFFERING DRINKS (1)

– Czy masz ochotę na kawę?
  – Tak, poproszę./Tak, chętnie.
  – Nie, dziękuję.

Czy pani ma ochotę na sok?
Czy masz ochotę na piwo?
Czy pan ma ochotę na herbatę?

You will have noticed that the final **-a** of **kawa** has changed to **-ę**. This is the accusative form, which will be dealt with fully in the next lesson.

ĆWICZENIA

1 Complete the sentences, using the verbs **mieszkać** and **robić** in their appropriate form.

mieszkać

1. (Ja) .... tutaj, a mój chłopak .... tam.
2. Gdzie (ty) ....?
3. Ja i moja dziewczyna .... tu na rogu. A gdzie państwo ....? – O tam.
4. Gdzie (wy) ....?

robić

5. – Co (ty) ....? – (Ja) Nic nie ....
6. – A Jacek? Co (on) ....? – (On) ma spotkanie.
7. – A wy? Co (wy) ....? – (My) nic nie ....?
8. – A one? Co one ....? – (One) mają spotkanie.
9. Co państwo .... w Warszawie?

2 Complete, using the verb **wiedzieć** in the appropriate form.

1. Czy pan ...., gdzie jest ulica Miła?
2. Czy (ty) ...., gdzie jest poczta?
3. (Ja) nie ...., gdzie jest poczta.
4. Czy (wy) ...., co to jest?
5. Czy państwo ...., gdzie jest szkoła?
6. Nie, (my) nie ....
7. Czy Ania i Beata ...., co to jest? Tak, (one) ....

3 Complete the questions and read the answers out loud.

1. – Przepraszam, ... jest bank? – Prosto i w prawo.

2. – Przepraszam, ... jest szpital? – W lewo i prosto.
3. – Przepraszam, ... jest stacja benzynowa? – Proszę iść prosto i w prawo.
4. – Przepraszam, ... jest dworzec kolejowy? – Proszę iść cały czas prosto.

4

Give instructions, e.g.: **Proszę iść prosto**.

1. – Gdzie jest plac Bankowy? – ....
2. – Gdzie jest szpital? – ....
3. – Gdzie jest ulica Miła? –..
4. – Gdzie jest dworzec? – ....

5

What do you say in Polish:

1. When you want to offer someone coffee.
2. When replying to "dziękuję".
3. When you stop someone in the street to ask for directions to the bank, post office, etc.
4. When you accidentally bump into someone in the street.

Polish hospitality

When Waldek, the hero of our dialogue, inviting Alice to café for coffee, finishes with the words "zapraszam cię", it's not simply a formula. It is the Polish way of saying "I'm paying", and is used when inviting people to cafes, restaurants, etc… If this expression is not used, it is understood that each person pays for themselves. Poles often invite to their homes for coffee or for a meal, not only their friends, but also new or distant acquaintances. We can say that there's a tradition of home socialising. It's normal that guests will take with them a bottle of wine, box of chocolates or some flowers for the hostess.

5. W KAWIARNI

Kelner:	Dzień dobry, co podać?
Alice:	Poproszę cappuccino.
Waldek:	A ja poproszę kawę i sok.
Kelner:	Jaki sok?
Waldek:	Pomarańczowy. (Czy) Masz ochotę na ciastko?
Alice:	Nie, dziękuję.
Kelner:	(Czy) To wszystko?
Waldek:	Tak, dziękuję.
Waldek:	Co robisz w Polsce?
Alice:	Studiuję dziennikarstwo, a teraz pracuję w „Warsaw Voice".
Waldek:	Jak długo masz zamiar tam pracować?
Alice:	Nie wiem, na razie jestem na stażu.
Waldek:	To pasjonujące. Polityka to moje hobby.
Alice:	Naprawdę? A (czy) ty pracujesz czy studiujesz?
Waldek:	Ja też jestem dziennikarzem, pracuję w radiu.
Alice:	To ciekawe.
Waldek:	Czy lubisz jazz?
Alice:	Tak, bardzo.
Waldek:	A (czy) znasz Wyntona Marsalisa?
Alice:	Nie, nie znam.
Waldek:	Marsalis to bardzo dobry muzyk jazzowy. Ma jutro koncert.
Alice:	Jutro jestem zajęta.
Waldek:	A kiedy masz czas?
Alice:	Jeszcze nie wiem...
Waldek:	A czy możesz podać mi swój numer telefonu?
Alice:	Tak, mój numer: 8356748, telefon komórkowy: 060145312. Dziękuję za kawę.
Waldek:	To ja dziękuję. I do zobaczenia! *(do kelnera)* Poproszę rachunek.

5. IN THE CAFÉ

Waiter: Good day. What can I get you?
Alice: A cappuccino please.
Waldek: And a coffee and a juice for me, please.
Waiter: What kind of juice?
Waldek: Orange. Do you fancy some cake?
Alice: No, thank you.
Waiter: Is that everything?
Waldek: Yes, thank you.

Waldek: What are you doing in Poland?
Alice: I'm studying journalism and at the moment I'm working at "Warsaw Voice".
Waldek: How long do you intend to work there?
Alice: I don't know, at the moment I'm on a training co-urse.
Waldek: That's fascinating. Politics is a hobby of mine.
Alice: Really? Do you work or are you studying?
Waldek: I'm a journalist too, I work in radio.
Alice: That's interesting.
Waldek: Do you like jazz?
Alice: Yes, very much.
Waldek: Do you know Wynton Marsalis?
Alice: No, I don't.
Waldek: Marsalis is a really good jazz musician. He's got a concert tomorrow.
Alice: Tomorrow, I'm busy.
Waldek: And when are you free?
Alice: I don't know yet.
Waldek: Can you give me your phone number?
Alice: Yes, my number is 8356748, mobile 0601453312. Thank you for the coffee.
Waldek: My pleasure. See you soon. *(to the waiter)* Could I have the bill, please.

SŁOWNICTWO

artykuł *m* article
ciastko *n* cake
ciekawy, -a, -e *adj* interesting
czas *m* time
długo *adv* long
  jak długo? how long
dziennikarstwo *n* journalism
dziennikarz *m* journalist
hobby *n* hobby, pastime
jaki, jaka, jakie what kind of
jazz *m* jazz
jazzowy *adj* jazz *adj*
jeszcze yet, still
koncert *m* concert
lubić (lubię, lubisz) + *acc* to like
muzyk *m* musician
na razie see you later, at the moment / for the time being
naprawdę really
pasjonujący, -a, -e *adj* fascinating
podać + *acc*; + *dat* to pass, to give (*perfective verb*, see lesson 12)
  co podać? what can I get you?

czy możesz podać mi swój numer telefonu? can you give me your phone number?
polityka *f* politics
Polska *f* Poland
w Polsce in Poland
pomarańczowy, -a, -e *adj* orange
pracować (pracuję, pracujesz) to work
rachunek *m* bill, check
radio *n* radio
w radiu on the radio
sok *m* juice
staż *m* training course
być na stażu to be on a training course
studiować (studiuję, studiujesz) + *acc* to study
świetny, -a, -e *adj* excellent
teraz now
w in
wszystko everything
zajęty, -a, -e *adj* busy, occupied
zamiar *m* intention
mieć zamiar to intend to
znać (znam, znasz) + *acc* to know

JEDZENIE food

chleb *m* bread
ciasto *n* cake
ciastko *n* small cake, piece of cake
cukier *m* sugar
czekolada *f* chocolate
jajko *n* egg
jogurt *m* yoghurt
kanapka *f* sandwich
kiełbasa *f* sausage
makaron *m* pasta (used generally for all types)
masło *n* butter
mięso *n* meat
mleko *n* milk
parówki *pl* frankfurter sausages
ryż *m* rice
ser *m* cheese
biały ser soft cheese
żółty ser hard cheese
słodycze *pl* sweets, biscuits, cakes, etc.
szynka *f* ham
wędliny *pl* cured and smoked meat products

NAPOJE drinks

herbata *f* tea
kawa *f* coffee
koniak *m* brandy, cognac
piwo *n* beer
sok *m* juice
szampan *m* sparkling wine, champagne
wino *n* wine
woda mineralna *f* mineral water
wódka *f* vodka

ZAWODY professions

aktor *m*, **aktorka** *f* actor, actress
architekt *m*, *f* architect
asystent *m*, **asystentka** *f* (personal) assistant
dentysta *m*, **dentystka** *f* dentist
dziennikarz *m*, **dziennikarka** *f* journalist
ekonomista *m*, **ekonomistka** *f* economist
informatyk *m*, *f* computer scientist
kelner *m*, **kelnerka** *f* waiter, waitress
księgowy *m*, **księgowa** *f* accountant
lekarz *m*, **lekarka** *f* doctor
nauczyciel *m*, **nauczycielka** *f* teacher
policjant *m*, **policjantka** *f* policeman, policewoman
prawnik *m*, **prawniczka** *f* lawyer

GRAMATYKA

THE VERBS **STUDIOWAĆ** AND **PRACOWAĆ** – the present tense

These two verbs belong to the conjugation **-ę**, **-esz**.

studiować

singular		plural	
ja	studiuj**ę**	my	studiuj**emy**
ty	studiuj**esz**	wy	studiuj**ecie**
on (pan) ona (pani) ono	studiuj**e**	oni (panowie, państwo) one (panie)	studiuj**ą**

pracować

singular		plural	
ja	pracuj**ę**	my	pracuj**emy**
ty	pracuj**esz**	wy	pracuj**ecie**
on (pan) ona (pani) ono	pracuj**e**	oni (panowie, państwo) one (panie)	pracuj**ą**

Verbs ending in **-ować** in the infinitive take the endings **-ę**, **-esz**, but change **-owa** to **-uj**, e.g:

inform**ować** – ja inform**uję**, ty inform**ujesz**	to inform
gratul**ować** – ja gratul**uję**, ty gratul**ujesz**	to congratulate
produk**ować** – ja produk**uję**, ty produk**ujesz**	to produce
inwest**ować** – ja inwest**uję**, ty inwest**ujesz**	to invest
dzięk**ować** – ja dzięk**uję**, ty dzięk**ujesz**	to thank

JESTEM INFORMATYKIEM – the instrumental

Jestem Polaki**em**, jestem aktor**em**.
Jestem Polk**ą**, jestem aktork**ą**.

Notice that when talking about professions and occupations with the verb **być**, we use the instrumental case, in the same way as when we are talking about nationality.

Jestem informatykiem.
Adam **jest dyrektorem.**
Kasia **jest asystentką.**
Czy Monika **jest studentką?**

We can also use the nominative case when using the word **to**. This construction is used more often when we add an adjective:
To jest **dyrektor**. (nominative)
Adam to świetny **dyrektor**. (nominative)
Ania to dobra **aktorka**. (nominative)

AKTOR, AKTORKA – names of professions and occupations

The feminine gender of professions is usually formed by adding **-ka** to the masculine:

aktor – aktor**ka**
policjant – policjant**ka**
nauczyciel – nauczyciel**ka**
lekarz – lekar**ka** (note the consonant change **rz:r**)

Some professions, which historically were only performed by men, do not have a separate feminine form:

inżynier engineer (man or woman)
architekt architect (man or woman)

Similarly, the words **minister**, **premier**, **prezydent** exist only in the masculine.
So for example, when talking about a woman minister we say: **Pani minister** ma spotkanie.

Note, that with these professions in the construction: Beata jest **inżynierem**. Moja żona jest **architektem**. Pani Beata Kubiak jest **prezesem** we use the masculine form of the instrumental.

MARSALIS **TO (JEST) DOBRY MUZYK**

In the following constructions the word **to**, is essential. The verb **jest** however, is usually omitted.

Zbigniew Zapasiewicz to (jest) dobry aktor.	Zbigniew Zapasiewicz is a good actor.
Wisława Szymborska to (jest) bardzo dobra poetka.	Wisława Szymborska is a very good poet.
Toyota to (jest) dobry samochód.	Toyota is a good car.
„Agape" to (jest) nowa firma.	"Agape" is a new firm.

ZNAM MARSALISA – the accusative case

Znam Adama.
Znam Marsalisa. Znam pub „Lolek".
Poproszę sok.
Mam ochotę na kawę.
Lubię piwo.

When a noun following the verb functions as the direct object, it usually takes the accusative case.
Masculine nouns can be animate (people and animals) or inanimate (things). However this only affects their endings in the accusative case.

Nouns in the accusative case have the following endings:

masculine animate	
-a	(Adam, Marsalis, szef, pies, kot) Znam Adam**a**, Marsalis**a**, szef**a**. Mam ps**a**, kot**a**.
masculine inanimate	
acc = nom	(the accusative form is the same as the nominative) (sok, jogurt, dom) Lubię sok, jogurt. Mam dom.
feminine	
-ę	(kawa, Ewa) Lubię kaw**ę**. Znam Ew**ę**.
neuter	
acc = nom	(the accusative form is the same as the nominative) (piwo, wino) Lubię piwo. Mam ochotę na wino.

It should be noted that the word **poproszę** is the 1st person singular form of the verb **poprosić**, which conjugates just like other verbs: ja poproszę, ty poprosisz, on poprosi etc. So nouns following it take the accusative.

Notice that names of people, like other nouns, have different case endings (Marsalis – Marsalisa).
(For information about Polish names, see the commentary in lesson 17).

„e" RUCHOME the moving "e"

In the stems of nouns there is often a vowel change. The stem form of the nominative singular of many masculine nouns is different from the stem form of the other cases. Very often the "moving e" disappears altogether, usually in nouns ending in **-ek**:

Mar**ek** – znam Mark**a**
Dar**ek** – znam Dark**a**

ZAPRASZAM CIĘ – personal pronouns in the accusative

Personal pronouns (ja, ty, on) also change according to case. When functioning as the direct object, after the verb they take the accusative, e.g.:

Rozumiem **cię**. I understand you.

Ewa jest bardzo sympatyczna. Lubię **ją**.	Ewa is really nice. I like her.
Czy macie czas? Zapraszam **was** na kawę.	Do you have some time? Come for a coffee (lit. I invite you for coffee)

singular		plural	
nominative	**accusative**	**nominative**	**accusative**
ja	**mnie**	my	**nas**
ty	**cię**	wy	**was**
on	**go**	oni	**ich**
ona	**ją**	one	**je**
ono	**je**		

The formal expressions **pan/pani** have the accusative forms **panią/pana**.
Zapraszam **panią** na kawę.
Zapraszam **pana** na kawę.

CO ROBISZ W POLSCE? – the locative case

Prepositions govern the case of nouns following them. The preposition **w** here takes the locative. The locative case often answers the question: "gdzie jest...?" (where is...?) suggesting the idea of location. Locative endings will be introduced gradually. For the moment you only need to learn a few of the most common forms:

(Polska) Mieszkam **w Polsce.**	I live in Poland.
(Warszawa) Mieszkam **w Warszawie.**	I live in Warsaw.
(firma) Pracuję **w firmie** „ABC".	I work for "ABC".
(biuro) Adam jest **w biurze**.	Adam is at the office.

Notice that all the examples above end in **-e**.

THE QUESTION **JAKI...?**

– Poproszę sok. – **Jaki** sok? – Sok pomarańczowy.
– **Jaka** to (jest) ulica? – To jest ulica Jana Pawła.
– **Jakie** to (jest) piwo? – Okocim.

Here the question **"Jaki sok?"** asks about the brand, type or name of something.
(We will meet a different meaning for this question in the next lesson).

THE QUESTION **PRACUJESZ CZY STUDIUJESZ?**

Up until now we have used questions starting with the word **czy...?** when expecting the answer to be "yes" or "no". However we can also use the expression **czy..., czy...?**, when asking someone to choose between two possibilities:
– **Czy** jesteś Polakiem, **czy** Francuzem? – Jestem Polakiem.
– **Czy** to jest ulica Dobra, **czy** Solec? – To jest ulica Dobra.
– **Czy** to jest twój kolega, **czy** chłopak? – To jest mój chłopak.
– **(Czy)** pracujesz, **czy** studiujesz? – Pracuję.

„Pracujesz czy studiujesz?"
We often ask young people this question when we want to find out whether they are a student or have a job.
„Co robisz?" – is another question about occupation.
– Co robisz? – Jestem inżynierem w firmie „Traco".

But be careful! The meaning can change depending on the context.
Co robisz? – Pracuję. (I am working at the moment).
Co robisz? – Pracuję w firmie „Logo". (I work in this company).

Note that the present tense in Polish covers the functions of current actions (Robię kawę – I'm making coffee), habitual actions (czytam gazetę codziennie – I read the newspaper everyday) and of general states (I live in Warsaw – mieszkam w Warszawie).

THE VERBS **WIEDZIEĆ, ZNAĆ**

Learners of Polish can sometimes have problems with the difference in meaning between: **wiedzieć** and **znać**, which both translate into English as "to know".
Wiedzieć is concerned with theoretical knowledge or information. It comes from the same root as the noun **wiedza** (knowledge).

Wiem, gdzie jest ten pub.	I know where this pub is (although I haven't necessarily been there myself).

Wiem, jak nazywa się ta kobieta.	I know what this woman is called (although I haven't necessarily met her myself).
Wiesz wszystko o teatrze.	You know everything about the theatre (eg. you've read a lot about it).

Znać is connected to the noun znajomość – acquaintance, and suggests practical knowledge through personal experience or contact.

Znam Adama	I know Adam (I've met him).
Znam ten pub	I know this pub (I've been there).
Znam ten film	I know this film (I've seen it).
Znam tę książkę	I know this book (I've read it).

You will notice from these examples that **wiedzieć** is often followed by a subordinate clause, whereas **znać** is usually followed by a noun:

Wiem, gdzie jest ten pub. Znam ten pub.
Wiem, jak nazywa się ta kobieta. Znam tę kobietę.

znać – kogo? co?
wiedzieć – co?

Znam Mozarta. I know Mozart's music.

Notice that when the verb **znać** is used with the names of artists, it doesn't mean that you know them personally, but that you are familiar with their work. Similarly „Lubię Chopina" means "I like Chopin's music".

TO (JEST) CIEKAWE

In this type of construction, after the pronouns **to** and **wszystko**, adjectives appear in the neuter gender:

To (jest) pasjonujące.
To (jest) fantastyczne.

Wszystko jest ciekawe.
Wszystko jest pasjonujące.

ROZMAWIAMY

ORDERING DRINKS IN A CAFÉ

– Poproszę cappuccino.
– Poproszę sok.
– To wszystko?
– Tak, dziękuję.

ĆWICZENIA

1

Write the verb **lubić** in the appropriate form.

1. – Czy (ty) .... koniak? – Tak, (ja) bardzo .... koniak.
2. – A wy? Czy (wy) .... koniak? – My też .... koniak.
3. – Czy pani .... piwo? – Tak, lubię piwo.
4. A Piotr i Darek? Czy oni też .... piwo?

2

Write the verb **znać** in the appropriate form.

1. – Czy pan .... kino „Femina"? – Tak, (ja) .... To jest bardzo dobre kino.
2. – Czy (ty) .... restaurację „Belvedere"? – Nie, nie ....
   – Czy to jest dobra restauracja? – To jest dobra, ale bardzo droga restauracja.
3. – Czy (wy) .... moje biuro? – Tak, (my) .... twoje biuro.
4. – A państwo? Czy państwo .... moje biuro?

3

Write the verbs: **pracować** and **studiować** in their appropriate forms.

1. Czy (ty) ...., czy ....?

2. (Ja) ....
3. Gdzie (ty) ....?
4. (Ja) .... w firmie „ABC".
5. A Piotr? Czy on ...., czy ....?
6. (On) ....
7. Co on ....?
8. (On) .... prawo.
9. Bożena i Marek też .... prawo.
10. My też .... prawo.
11. Czy wy ....? Co (wy) ....?

4 Put the nouns in brackets into the accusative.

1. – Poproszę (kawa) .... – A ja poproszę (sok) .... – Jaki? – Pomarańczowy.
2. – Czy znasz (Adam) .... i (Ewa) ....? – Tak, znam.
3. – Czy znacie (restauracja) .... „Foksal"? – Tak, znamy.
4. – Czy pani zna (pub) .... „Lolek"? – Nie, nie znam.
5. – Czy pan lubi (piwo) .... „Okocim"? – Tak, lubię.
6. Lubię (Marek) .... i (Edyta) ....
7.– Czy lubisz (piwo) ....? – Tak, lubię. – A (wino) ....? – Też lubię.

5 Put the nouns in brackets into the instrumental.

1. Adam jest (inżynier) ...., a jego dziewczyna jest (aktorka) ....
2. Jola jest (nauczycielka) ...., a jej chłopak jest (kelner) ....
3. Michał jest (ekonomista) ...., a jego znajoma jest (księgowa) ....

4. (Ja) jestem (architekt) ...., moja dziewczyna też jest (architekt) ....

Complete the sentences, following the example: Adam **jest** Polakiem. Ja **też jestem** Polakiem.

6

1. Piotr lubi wino. Ja .... wino.
2. Ewa zna restaurację „Aga". Marek .... restaurację „Aga".
3. Adam pracuje w firmie „Kos". Mój znajomy .... w firmie „Kos".
4. Magda mówi po hiszpańsku. Ja .... po hiszpańsku.

Ask questions of the type: **czy..., czy...?** e.g.: **Czy to jest kawa, czy herbata?**

7

1. (wino, piwo) ....?
2. (pracować, studiować) ....?
3. (Michał, Jacek) ....?
4. (twój kolega, twój chłopak) ....?

Write in **w** or **i**, as appropriate.

8

1. Mój chłopak pracuje ..... studiuje. On pracuje .... firmie „Global".
2. Monika studiuje ekonomię .... prawo. Jest bardzo inteligentna .... bardzo sympatyczna.
3. – Co robisz .... Polsce? – Studiuję informatykę .... pracuję w firmie „ABC".

Ask the questions with the appropriate gender of **jaki**?

9

1. – .... to (jest) sok? – Pomarańczowy.
2. – .... to (jest) kawa? – Jacobs.

3. – .... to (jest) ulica? – To jest ulica Warszawska.

4. – .... to (jest) wino? – To jest czerwone wino.

10 **Wiedzieć** or **znać** – choose the correct verb in the appropriate form.

1. Czy (ty) ...., gdzie jest restauracja „Kokos"?

2. Czy (ty) .... restaurację „Kokos"?

3. Janek .... Monikę.

4. Ania .... Piotra. Ania ...., kiedy Piotr ma spotkanie.

5 – Czy (ty) ...., kiedy jest koncert? – Nie, (ja) nie ....

11 Complete the dialogue, using the structures and words that you have learned in this lesson.

W kawiarni

Kelner: dzień dobry, co podać?

A: .... i ....

B: ....

Kelner: Jaki sok?

B: ....

Kelner: To wszystko?

A: ....

6. JAKI ON JEST?

Alice i Basia mieszkają razem

Basia:	Wiesz, mam nowego dyrektora. Jest Francuzem i nazywa się Pierre Duval.
Alice:	(Czy) Mówi po polsku?
Basia:	Tak i to nawet nieźle.
Alice:	A ja mam nowego znajomego.
Basia:	Jak ma na imię?
Alice:	Waldek.
Basia:	A co na to Andrzej?
Alice:	Nie wiem, co na to Andrzej. Ale Waldek to tylko znajomy.
Basia:	No dobrze, dobrze. Ile ma lat?
Alice:	Nie wiem, może 28, 30, nie pytam o wiek.
Basia:	Dlaczego? To jest ważna informacja. Co on robi?
Alice:	Jest dziennikarzem. Pracuje w radiu.
Basia:	To ma niezłą pracę. Na pewno dobrze zarabia. Jaki on jest?
Alice:	Ciekawy. Interesuje się muzyką i polityką.
Basia:	No dobrze, ciekawy, ale jak wygląda? Czy jest wysoki, niski, szczupły, tęgi, ma okulary?
Alice:	Wiesz, on jest taki... normalny.
Basia:	Ale co to znaczy „normalny"?
Alice:	Dość wysoki, szczupły, blondyn.
Basia:	Przystojny?
Alice:	Myślę, że tak.
Basia:	Jaki ma samochód?
Alice:	Nie wiem. Czy to ważne?
Basia:	Ma dobry samochód, to znaczy, że ma pieniądze. To ważne, jakie masz perspektywy.

6. WHAT'S HE LIKE?

Alice and Basia live together

Basia: I've got a new director. He's French and his name is Pierre Duval.
Alice: Does he speak Polish?
Basia: Yes, and not badly either.
Alice: And I've got a new friend.
Basia: What's his name?
Alice: Waldek.
Basia: And what has Andrzej to say about it?
Alice: I don't know what Andrzej has to say about it, but Waldek is just an acquaintance.
Basia: O.K., O.K. How old is he?
Alice: I don't know, maybe 28, 30. I don't ask people their ages.
Basia: Why not? It's important information. What does he do?
Alice: He's a journalist, he works in radio.
Basia: So he's got a pretty good job then. He'll certainly earn a bit. What's he like?
Alice: Interesting. He's interested in music and politics.
Basia: O.K., interesting, but what does he look like? Is he tall, short, slim, fat, does he have glasses?
Alice: Well, you know, he's… average.
Basia: But what do you mean "average"?
Alice: Quite tall, slim, fair haired.
Basia: Good looking?
Alice: I think so.
Basia: What kind of car does he have?
Alice: I don't know. Is it important?
Basia: Well, if he has a good car, it means that he's got money. It's important to have a perspective, isn't it?

Alice:	Daj spokój! Mam chłopaka i nie chcę nic zmieniać.
Basia:	(Czy) Na pewno nie chcesz?

Basia zamawia taksówkę

Basia:	Taksówkę proszę. Mój numer telefonu: 8356748
„Merkury" Taxi:	Pani adres?
Basia:	Ulica Spartańska 15, numer mieszkania 8.
„Merkury" Taxi:	Pani nazwisko?
Basia:	Strudel.
„Merkury" Taxi:	Słucham? Proszę powtórzyć.
Basia:	Strudel, es, te, er, u, de, e, el.
„Merkury" Taxi:	Na którą godzinę?
Basia:	Za 10 minut, proszę.

Alice:	Calm down! I've got a boyfriend and I'm not wanting to change anything.
Basia:	Are you sure you don't want to?

Basia orders a taxi

Basia:	I'd like a taxi, please. My telephone number is 620-40-48.
"Mercury" Taxis:	Your address?
Basia:	15 Spartańska Street, flat number 8.
"Mercury" Taxis:	Your surname?
Basia:	Strudel.
"Mercury" Taxis:	Sorry, could you repeat that.
Basia:	Strudel, S-T-R-U-D-E-L
"Mercury" Taxis:	What time for?
Basia:	In 10 minutes please.

SŁOWNICTWO

adres *m* address
blondyn *m* fair-haired man
chcieć (chcę, chcesz) to want
dlaczego why
dość quite
dyrektor *m* director
dziś, dzisiaj today
godzina *f* hour, time
  na którą godzinę? what time for?
imię *n* first name
  mam na imię my first name is...
informacja *f* information
interesować się (interesuję się, interesujesz się) + *instr* to be interested in
mieszkanie *n* flat
minuta *f* minute
  za 10 minut in 10 minutes
muzyka *f* music
myśleć (myślę, myślisz) + o + *loc* to think
na pewno *adv* certainly
nawet even
nazwisko *n* surname
nazywać się (nazywam się, nazywasz się) to be called
niezły, -a, -e *adj* not bad
nieźle *adv* not bad
niski, -a, -e *adj* low, short
normalny, -a, -e *adj* normal
numer *m* number

numer mieszkania flat number

numer telefonu telephone number

o about, concerning

okulary *pl* glasses, spectacles

perspektywa *f* (*pl* **perspektywy**) perspective

pieniądze *pl* money

powtórzyć (*perfective verb*, see lesson 12) to repeat

przystojny, -a, -e *adj* handsome, good-looking

pytać (pytam, pytasz) + **o** + *acc* to ask

razem together

samochód *m* car

słucham? sorry?

spokój *m* calmness, quiet

daj spokój calm down

szczupły, -a, -e *adj* slim

taksówka *f* taxi

tęgi, -a, -e *adj* fat

znaczyć (znaczę, znaczysz) to mean

to znaczy this/it means

ważny, -a, -e *adj* important

wiek *m* age

wyglądać (wyglądam, wyglądasz) to look (interesting, smart etc.)

wysoki, -a, -e *adj* tall, high

za in (when talking about time)

zamawiać (zamawiam, zamawiasz) + *acc* to order (e.g.: a taxi, a pizza)

zarabiać (zarabiam, zarabiasz) + *acc* to earn

zmieniać (zmieniam, zmieniasz) + *acc* to change

że that

WYGLĄD looks

blondyn *m*, **blondynka** *f* fair-haired man, fair-haired woman

broda *f* beard

brunet *m*, **brunetka** *f* dark-haired man, dark- haired woman

brzydki, -a, -e *adj* ugly

ładny, -a, -e *adj* pretty, nice

łysy *adj* bald

młody, -a, -e *adj* young

niski, -a, -e *adj* short, low

oczy *pl* (**jasne, ciemne, zielone**) eyes (light, dark, green)

okulary *pl* glasses, spectacles

stary, -a, -e *adj* old

szatyn *m*, **szatynka** *f* man, woman with chestnut hair

wąsy *pl* moustache

włosy *pl* (**jasne, ciemne, czarne, rude**) hair (light, dark, black, red)

wysoki, -a, -e *adj* tall, high

ZAINTERESOWANIA interests

ekologia *f* ecology
ekonomia *f* economics
historia *f* history
literatura *f* literature
muzyka *f* music
polityka *f* politics
socjologia *f* sociology
sport *m* sport
sztuka *f* art

DANE PERSONALNE personal data

imię *n* first name
nazwisko *n* surname
adres *m* address
  adres zamieszkania current address
  adres zameldowania permanent address
wiek *m* age
stan cywilny *m* marital status
obywatelstwo *n* citizenship, nationality (on a document)
narodowość *f* nationality

GRAMATYKA

CARDINAL NUMBERS 20–100

20 dwadzieścia
30 trzydzieści
40 czterdzieści
50 pięćdziesiąt
60 sześćdziesiąt
70 siedemdziesiąt
80 osiemdziesiąt
90 dziewięćdziesiąt
100 sto

THE VERB **CHCIEĆ** – the present tense

singular		**plural**	
ja	chc**ę**	my	chc**emy**
ty	chc**esz**	wy	chc**ecie**
on (pan) ona (pani) ono	chc**e**	oni (panowie, państwo) one (panie)	chc**ą**

The verb **chcieć** can be used on its own or with another verb in the infinitive.

Nie **chcesz** nic **zmieniać**?
Nie **chcę**.

MYŚLĘ, ŻE... – expressing your opinion

Starting a sentence with **myślę, że** is one way of expressing your opinion.

Czy Waldek jest przystojny?
Tak, **myślę, że** Waldek jest przystojny.

Czy Adam jest przystojny?
Myślę, że tak.
Myślę, że nie.

THE VERBS **INTERESOWAĆ SIĘ, NAZYWAĆ SIĘ** – the present tense

The verb **interesować się** governs the instrumental form in nouns following it.

Interesuję się polityką.
Piotr i Adam **interesują się** sportem.
My **interesujemy się** historią.

There is a group of verbs which appear with the pronoun **się**. This always has the same form **się**, whatever the person of the verb. The verb **nazywać się**, which is used when talking about first name and surname, or surname only, belongs to this group.

Nazywam się Marek Adamski.
Nazywam się Nowicka.
To moja szefowa. **Nazywa się** Monika Niwińska.

In questions, **się** is placed before the verb, as it shouldn't appear at the end of the sentence:
Jak **się nazywasz**?
Jak on **się nazywa**?
Jak państwo **się nazywają**?

Note that in questions with the verb **interesować się** we must also use the instrumental.

Kim? and **czym?** in the examples below, are the instrumental forms of **kto? co?**

– Czym **się interesujesz**? – Socjologią.
– Czym się **interesuje Piotr**? – Sportem.
– Kim **się interesuje** Paweł? – Agnieszką.

THE QUESTION **CO TO ZNACZY?**

This expression is used to ask what a word or sentence means. It can also take the form:

Co znaczy słowo „kochać"?

With the expression **to znaczy** we can make conclusions about something:

Adam ma dobry samochód, **to znaczy**, że ma pieniądze.

MAM NOWEGO DYREKTORA – adjectives in the accusative

As with nouns, adjectives have different case–endings, which are governed by the case of the noun they go with.

Here are adjective endings in the accusative:

masculine animate	
-ego	(**nowy** dyrektor, **miły** kot) Mam now**ego** dyrektora, mił**ego** kota.
masculine inanimate	
-y/-i	(**nowy** dom, **tani** pub) Mam now**y** dom. Znam tan**i** pub.
feminine	
-ą	(**nowa** studentka) Mam now**ą** studentkę.
neuter	
-e	(**nowe** biuro) Mam now**e** biuro.

All noun modifiers that can appear in three genders, (e.g.: ten, mój, nowy), must also agree with their noun in both gender and case.

(**ten mój nowy** dyrektor) Czy znasz t**ego** moj**ego** now**ego** dyrektora? (masculine animate)

(**ten mój nowy** samochód) Czy znasz ten mój nowy samochód? (masculine inanimate)
(**ta moja nowa** koleżanka) Czy znasz **tę/tą** moją nową koleżankę? (feminine)
(**to moje nowe** biuro) Czy znasz t**o** moj**e** now**e** biuro? (neuter)

In "correct" Polish, the feminine accusative of **ta** is **tę**. However, this form is increasingly losing out to the more often used form **tą**, which has the normal adjective ending.

Znajomy is one of a group of nouns which behave like adjectives (znajomy – masculine, znajoma – feminine) i.e. they have adjectival case endings.
Mam now**ego** znajom**ego**.
Mam now**ą** znajom**ą**.

THE QUESTION **JAKI ON JEST?**

– Jaki on jest? – On jest sympatyczny, wesoły.
– Jaka jest twoja dziewczyna? – Bardzo ładna, wysoka i szczupła.

The question **Jaki on jest?** asks what someone or something is like. We can use it when asking both about character, and about appearance. When we want to make it clear we are asking about appearance, we use this expression: **Jak on wygląda?**

Usually the verb **być** is used with adjectives.
Agata jest ładna.
Michał jest sympatyczny.

and the verb **mieć** with nouns.
On ma jasne oczy.
Piotr ma brodę.
Ania ma jasne włosy.

The verb **być** is also used with some nouns in the instrumental.
Piotr jest brunetem.
Agata jest blondynką.

(In Polish **blondyn**, **brunet** are nouns, not adjectives).

THE QUESTION **JAK ON MA NA IMIĘ?**

This question is used when we only want to know someone's first name (i.e. not first name and surname).

Jak ma na imię twój chłopak? – Marcin/Mój chłopak ma na imię Marcin.
Jak ma na imię twoja siostra? – Bożena.
To jest mój kolega. – Jak on ma na imię? – Artur.
To jest moja znajoma. – Jak ona ma na imię? – Beata.

Note that word order in this question depends on whether we use a pronoun (on, ona), or a noun with a modifier (twój chłopak).

THE QUESTION **ILE ON MA LAT?**

When asking how old someone is, the verb **mieć** is used.
Word order in this question again depends on whether we use a pronoun (on, ona), or a noun (Agata, siostra).

Ile on ma lat? – 5.
Ile ona ma lat? – Ona ma 14 lat.
Ile masz lat? – Mam 18 lat.
Ile lat ma Agata? Agata ma 25 lat.
Ile lat ma twoja siostra? – Moja siostra ma 3 lata.

ROK, LATA

1 **rok**
2, 3, 4 **lata**
5 and above **lat**

The Polish word for year is **rok**. However when talking about years in the plural, a different word **lata** is used with the numbers 2, 3, and 4. (The noun takes the nominative plural). However with numbers from 5 upwards the genitive plural **lat** is used. (Genitive plural endings will be dealt with in lesson 16).

Note that numbers above 20 ending in 2, 3, or 4 take the same nominative plural form as 2, 3 and 4.

NA PEWNO

Na pewno is used to express the certainty of something. It can go before or after the verb.
Na pewno nie chcesz nic zmieniać?
Czy rozumiesz to **na pewno**?

ROZMAWIAMY

ORDERING A TAXI

– Proszę taksówkę.
– Na jaki adres? – Mój adres: ulica Dobra 15, mieszkania 8.
– Jaki jest pana/pani numer telefonu? – Mój numer telefonu: 1234567.
– Na jakie nazwisko? – Moje nazwisko: Kubiak.
– Na którą godzinę? – Za 10 minut/jak najszybciej.

ĆWICZENIA

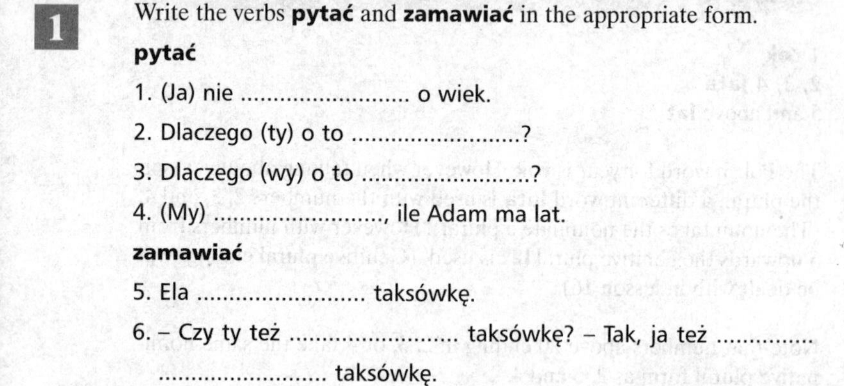

1 Write the verbs **pytać** and **zamawiać** in the appropriate form.

pytać

1. (Ja) nie .... o wiek.
2. Dlaczego (ty) o to ....?
3. Dlaczego (wy) o to ....?
4. (My) ...., ile Adam ma lat.

zamawiać

5. Ela .... taksówkę.
6. – Czy ty też .... taksówkę? – Tak, ja też .... taksówkę.

7. – Czy (wy) dzisiaj .... pizzę? – Tak, (my) dzisiaj ....
.... pizzę.

8. Edyta i jej chłopak też dzisiaj .... pizzę.

2

Write the adjectives in brackets in the appropriate gender.

1. Myślę, że ta kobieta jest (szczupły) ....
2. Myślę, że ten chłopak jest (wysoki) ....
3. Ta dziewczyna jest (niski) .... i (tęgi) ....
4. Ten mężczyzna jest (przystojny) ....
5. Myślę, że ta pani jest (wysoki) ....

3

Put the adjectives in brackets into the accusative, e.g.: Mamy dzisiaj (nowa) **nową** lekcję. Mamy **nowego** nauczyciela.

1. Mam (nowy) .... studenta.
2. Mam (czarna) .... walizkę.
3. Lubię (nowa) .... asystentkę.
4. Firma „Disko" ma (nowy) .... dyrektora.
5. Mamy (duże) .... biuro.

4

Put the words in brackets into the accusative, e.g.: Czy znasz (ten nowy) asystenta? Czy znasz **tego nowego** asystenta?

1. Czy znasz (ta wysoka) .... dziewczynę?
2. Czy znasz (ten wysoki) .... chłopaka?
3. Czy lubisz (nasza nowa) .... asystentkę?
4. Czy lubisz (mój starszy) .... brata?
5. Lubię (twój nowy) .... chłopaka.

5

Describe the appearance and character of a few people you know.

1. Mój kolega ....
2. Moja koleżanka ....

3. Mój szef ....

4. Moja asystentka ....

6

Put the words in brackets into the instrumental.

1. – Czym się interesujesz? – (Ja) interesuję się (historia) ...., a mój chłopak interesuje się (polityka) .... i (socjologia) ....
2. Czy (ty) interesujesz się (sport) ....?
3. – (My) interesujemy się (sztuka) .... A wy czym się interesujecie? – (My) interesujemy się (socjologia) .... i (ekologia)..........................
4. Piotr i Agata interesują się (muzyka) .... i (teatr) ....

7

Say how old these people are.

1. – Ile lat ma Agata? – (25)
2. – Ile lat ma twój szef? – (30)
3. – Ile lat ma twoja dziewczyna? – (22)
4. – Ile pan ma lat? – (36)
5. – Ile masz lat? – (16)
6. – Ile pani ma lat? – (44)

8

Ask questions: **Ile lat ma twoja dziewczyna?** or: **Ile ona ma lat? Jak nazywa się twoja dziewczyna?** or: **Jak ona się nazywa?**

1. – To jest mój szef. – ....?
2. – To jest moja asystentka. – ....?
3. – To jest mój chłopak. – ....?
4. – To jest moja koleżanka. – ....?
5. – To jest mój znajomy. – ....?

Answer these questions: **9**

1. – Jak masz na imię? – ....

2. – Jak ma na imię twój chłopak/twoja dziewczyna? – ....
....

3. – Jak nazywa się twój profesor/twoja pani profesor? – ....
....

4. – Jak nazywa się twój szef/twoja szefowa? – ....

Give information about yourself in answer to the questionnaire, for example: Nazywam się..., mam..., mieszkam..., mój... **10**

Imię:
Nazwisko:
Narodowość:
Adres:
Wiek:
Numer telefonu:

Complete the dialogue, using the structures and words that you have learned in this lesson. **11**

A: Mam nową koleżankę.

B: ....?

A: Edyta.

B: ....?

A: 24.

B: Co ona robi?

A: ....?

B: Jak ona wygląda?

A: ....
....

B: Czym się interesuje?

A: ....

7. ZWYKŁY DZIEŃ

John Brown teraz mieszka w Polsce, w Warszawie. Chce założyć tu firmę, chce też odwiedzić wujka Adama. John cały dzień jest bardzo zajęty: zwykle rano czyta gazety, potem załatwia interesy, w południe je obiad, a po południu znowu ma spotkania. Wieczorem pisze e-maile, a potem ogląda telewizję.
Waldek też mieszka w Warszawie. Teraz mieszka sam. Sam musi sprzątać mieszkanie i sam musi robić zakupy. Ale on nie narzeka, dobrze gotuje i świetnie sobie radzi. Właśnie robi zakupy.

Sprzedawczyni: Słucham?
Waldek: Poproszę wodę mineralną.
Sprzedawczyni: Jaką?
Waldek: Nałęczowiankę niegazowaną.
Sprzedawczyni: Co jeszcze?
Waldek: Chleb, masło, dwa piwa „EB", dwie cytryny i dwa dojrzałe banany.
Sprzedawczyni: Które?
Waldek: Te. Czy jest kawa Lavazza?
Sprzedawczyni: Nie, nie ma. Jest Jacobs i Tchibo.
Waldek: Nie dziękuję. Czy są pomarańcze?
Sprzedawczyni: Nie, nie ma.
Waldek: A jabłka?
Sprzedawczyni: Są.
Waldek: Poproszę kilogram.
Sprzedawczyni: Te?
Waldek: Nie, poproszę tamte.
Sprzedawczyni: Co jeszcze?
Waldek: To wszystko. Ile płacę?
Sprzedawczyni: 15 złotych.
Waldek: Poproszę torebkę.
Sprzedawczyni: Proszę.

7. A NORMAL DAY

Mr Brown is now living in Poland, in Warsaw. He wants to start a company here and he also wants to visit his uncle Adam. He's very busy all day; in the morning he usually reads the newspapers, and then he deals with his business tasks. At midday he eats lunch, and in the afternoon he has meetings again. In the evening he writes e-mails and then watches television.
Waldek also lives in Warsaw. At the moment he lives alone. He has to do everything in the flat himself and he has to do the shopping himself. But he's not complaining. He cooks well and looks after himself excellently. Right now he is doing the shopping.

Shop assistant:	Can I help you?
Waldek:	Some mineral water please.
Shop assistant:	What kind?
Waldek:	"Nałęczowianka" still.
Shop assistant:	Anything else?
Waldek:	Some bread, some butter, two "EB" beers, two lemons and two ripe bananas.
Shop assistant:	Which ones?
Waldek:	These ones. Is there any Lavazza coffee?
Shop assistant:	No, there isn't. There's Jacobs and Thibo.
Waldek:	No, thank you. Are there any oranges?
Shop assistant:	No, there aren't.
Waldek:	And apples?
Shop assistant:	Yes, there are.
Waldek:	I'll take a kilogram please.
Shop assistant:	These ones?
Waldek:	No, I'll take those ones.
Shop assistant:	Anything else?
Waldek:	That's everything. How much is that?
Shop assistant:	15 zloty.
Waldek:	Could I have a bag please?
Shop assistant:	Here you are.

Waldek (*do siebie*):	Ciekawe, czy Alice lubi „EB”? Jest Amerykanką, więc może woli Budweisera?

Waldek (*to himself*): I wonder if Alice likes "EB"? She's American, so perhaps she prefers Budweiser?

SŁOWNICTWO

banan *m* banana
cały, -a, -e *adj* whole
ciekawy, -a, -e *adj* interesting
codziennie *adv* every day, daily
cytryna *f* lemon
czytać (czytam, czytasz) + *acc* to read
dobrze *adv* well
dojrzały, -a, -e *adj* ripe, mature
dużo *adv* a lot of, much, many
firma *f* company
gazeta *f* newspaper
gotować (gotuję, gotujesz) + *acc* to cook
jabłko *n* apple
jeszcze yet, still
  co jeszcze? what else?
jeść (jem, jesz) + *acc* to eat
kilogram *m* kilogram
kot *m* cat
książka *f* book
który, -a, -e which
mieszkanie *n* flat
musieć (muszę, musisz) to have to
narzekać (narzekam, narzekasz) + na + *acc* to complain
niż than
odwiedzić + *acc* (*perfective verb*, see lesson 12) to visit (for people)
oglądać (oglądam, oglądasz) + *acc* to watch, to look at
pić (piję, pijesz) + *acc* to drink
pisać (piszę, piszesz) + *acc* to write
płacić (płacę, płacisz) + za + *acc* to pay
południe *n* midday, noon
  po południu in the afternoon
  w południe at midday
pomarańcza *f* orange
rachunek *m* bill, check (US)
radzić sobie (radzę sobie, radzisz sobie) + z + *instr* to look after oneself
rano *adv* in the morning
sam, sama, samo alone, by oneself
słucham (*here*) can I help you?
sprawa *f* business, affair
sprzątać (sprzątam, sprzątasz) + *acc* to do the cleaning
świetnie *adv* excellently
tamte those
te these

telewizja *f* television
torebka *f* bag, handbag
wieczór *m* evening
wieczorem *adv* in the evening
więc so, therefore
właśnie just
woleć (wolę, wolisz) + *acc* to prefer
wujek *m* uncle
zakupy *pl* shopping
robić zakupy go shopping, do the shopping
załatwiać (załatwiam, załatwiasz) + *acc* to deal with (one's business etc.)
założyć + *acc* (perfective verb, see lesson 12) establish, found
założyć firmę to start a company
znowu *adv* again
zwykle *adv* usually

POSIŁKI, DANIA meals

śniadanie *n* breakfast
obiad *m* lunch, dinner (midday meal)
kolacja *f* supper, dinner (evening meal)
danie *n* course, dish
pierwsze danie first course
drugie danie second course
główne danie main course
deser *m* dessert
przystawka *f* starter, hors d'oeuvre

WARZYWA, OWOCE vegetables, fruit

cebula *f* onion
czosnek *m* garlic
fasola *f* beans
groch *m* peas
grzyby *pl* mushrooms
kalafior *m* cauliflower
kapusta *f* cabbage
marchewka *f* carrot
ogórek *m* cucumber
pietruszka *f* parsley root
pomidor *m* tomato
por *m* leek
ziemniaki *pl* potatoes

ananas *m* pineapple
arbuz *m* watermelon
banan *m* banana
brzoskwinia *f* peach
czereśnie *pl* cherries
gruszka *f* pear
jabłko *n* apple
maliny *pl* raspberries
mandarynka *f* mandarine
pomarańcza *f* orange
porzeczki *pl* currants
czarne porzeczki blackcurrants
śliwka *f* plum
truskawki *pl* strawberries
winogrona *pl* grapes
wiśnie *pl* cherries (bitter)

GRAMATYKA

THE VERB **PISAĆ** – the present tense

Pisać belongs to the conjugation **-ę**, **-esz**, however note that there is also a consonant change in the stem **s:sz** (pi**s**ać – pi**sz**ę).

singular		plural	
ja	pisz**ę**	my	pisz**emy**
ty	pisz**esz**	wy	pisz**ecie**
on (pan) ona (pani) ono	pisz**e**	oni (panowie, państwo) one (panie)	pisz**ą**

THE VERB **MUSIEĆ** – the present tense

Musieć belongs to the conjugation **-ę**, **-isz**. Here there is also a consonant change in the stem **sz:si**.

singular		plural	
ja	musz**ę**	my	mus**imy**
ty	mus**isz**	wy	mus**icie**
on (pan) ona (pani) ono	mus**i**	oni (panowie, państwo) one (panie)	musz**ą**

The verb **musieć** is used to express obligation, either due to external circumstances, or to personal choice.

Muszę iść już na spotkanie.
Muszę studiować!

THE VERBS **JEŚĆ** AND **PIĆ** – the present tense

singular		plural	
ja	je**m**	my	je**my**
ty	je**sz**	wy	je**cie**
on (pan) ona (pani) ono	je	oni (panowie, państwo) one (panie)	jedz**ą**

singular		plural	
ja	pij**ę**	my	pij**emy**
ty	pij**esz**	wy	pij**ecie**
on (pan) ona (pani) ono	pij**e**	oni (panowie, państwo) one (panie)	pij**ą**

POPROSZĘ DWA BANANY – the plural of nouns

Both masculine and feminine nouns have the same endings in the plural. However, this only applies to masculine nouns which do not represent people, i.e. animals and things – (called non-virile nouns).

masculine and feminine	
-y	This ending is used with nouns when the stem ends in a hard consonant, for example: b, d, f, ł, m, n, p, s, t, w, z banan – banan**y**, kawa – kaw**y** dom – dom**y**, kobieta – kobiet**y**
-i	This ending is used after the consonants: k, g sok – sok**i**, asystentka – asystentk**i** bank – bank**i**, aktorka – aktork**i** droga – drog**i**
-e	This ending is used with nouns when the stem ends in the soft consonants or c, cz, sz, ż hotel – hotel**e**, galeria – galeri**e** koń – koni**e**, pani – pani**e** restauracja – restauracj**e**, kawiarnia – kawiarni**e**

noc – noc**e**, ulica – ulic**e**
mecz – mecz**e**
kosz – kosz**e**
plaża – plaż**e**

neuter	
-a	Neuter nouns usually have the plural ending **-a** piwo – piw**a**, mieszkanie – mieszkani**a** wino – win**a**, spotkanie – spotkani**a** However it is worth remembering a few exeptions: dziecko – dzieci oko – oczy imię – imiona

Examples using nouns in the plural:

a) Banany są tam.
Cytryny są tutaj.
To są brokuły, a to są szparagi.
Czy to są mandarynki?

b) Mam banany.
Lubię brokuły i szparagi.
Czy lubisz mandarynki?
Poproszę banany, jabłka i cytryny.

In group a) the nouns appear in the nominative, and in group b) in the accusative. So we can see that nominative and accusative plurals are the same, except when we are talking about male people. (We will look at the special form for these virile nouns later in the course).

POPROSZĘ DOJRZAŁE BANANY – the plural of adjectives

To są **dobre** samochody.
To są **piękne** koty.
Poproszę **duże** cytryny.
Mam dwa **dojrzałe** banany.

Note that all the adjectives in the examples above have the same plural ending: **-e**. This is the non-virile form of the nominative, which is used for the plural of adjectives, used with feminine, neuter and masculine non-virile nouns. (i.e. animals and things). With masculine virile nouns (i.e. male people) we use a special virile form, which we will also look at later in the course (lesson 26).

TAMTE JABŁKA – demonstrative pronouns

Tamten, **tamta**, **tamto** like **ten**, **ta**, **to** appear in the singular in three genders. We use them when indicating a person or object which is a certain distance away.

singular

Ten dom jest mały, **tamten** dom jest duży. (masculine)	This house is small, that house is big.
Ta kawa jest tania, **tamta** kawa jest droga. (feminine)	This coffee is cheap, that coffee is expensive.
To wino jest tanie, **tamto** wino jest drogie. (neuter)	This wine is cheap, that wine is expensive.

plural

Te domy są małe, **tamte** domy są duże. (non-virile)	These houses are small, those houses are big.
Te kawy są tanie, **tamte** kawy są drogie. (non-virile)	These coffees are cheap, those coffees are expensive.
Te wina są tanie, **tamte** wina są drogie. (non-virile)	These wines are cheap, those wines are expensive.

THE QUESTION **CZY JEST...?**

– Czy to jest sok?	Is this juice?
– Tak, to jest sok.	Yes, it's juice.
– Nie, to nie jest sok.	No, it isn't juice.

– Czy to jest Marek?	Is this Marek?
– Tak, to jest Marek.	Yes, it is.
– Nie, to nie jest Marek.	No, it isn't.

– Czy jest sok? Is there any juice?

– Tak, jest (sok).	Yes, there is (some)
– Nie, nie ma (soku).	No, there isn't (any)

– Czy jest Marek?	Is Marek here/in?
– Tak, jest.	Yes, he is.
– Nie, nie ma.	No, he isn't.

In the first two examples we are asking about the identity of something or somebody (is this juice, or perhaps wine). In the second two, we are asking about the availability or presence of something or somebody. Note that in the latter case we change the verb in the negative: **nie ma** (this is used for both – singular and plural).

Czy **jest** sok? (singular)	Is there any juice?
Tak, **jest**.	Yes, there is (some).
Nie, **nie ma**.	No, there isn't (any).

Czy **są** banany? (plural)	Are there any bananas?
Tak, **są**.	Yes, there are (some)
Nie, **nie ma**.	No, there aren't (any)

JAKĄ KAWĘ? – questions with **jaki?** in the accusative

singular

Poproszę sok. – **Jaki?** – Pomarańczowy.
Poproszę kawę. – **Jaką?** – Tchibo.
Poproszę piwo. – **Jakie?** – Żywiec.

plural

Poproszę trzy soki. – **Jakie?** – Pomidorowe.
Poproszę dwie herbaty. – **Jakie?** – Yunan.
Poproszę dwa piwa. – **Jakie?** – Okocim.

ZWYKLE RANO CZYTAM GAZETĘ – adverbs

Zwykły dzień. – Rano **zwykle** czytam gazety.	A normal day. – In the morning I usually read a newspaper.

Dobry film. – Moje dziecko **dobrze** czyta.	A good film. – My child reads well.
Świetny spektakl. – Waldek **świetnie** gotuje.	An excellent show. – Waldek cooks excellently.
Duży dom. – Alice **dużo** pracuje.	A big house. – Alice works a lot.
Mały samochód. – Piotr **mało** czyta.	A small car. – Piotr (only) reads a little.
Zły projekt. – Andrzej **źle** pisze.	A bad project, design. – Andrzej writes badly.

Adverbs are used with verbs, and usually go before the verb. Some adverbs are created from adjectives (**dobrze** from **dobry**), but not all (e.g. **rano**).

Adverbs are invariable, they always have the same form.

PORY DNIA – the times of day

Rano czytam gazety.	In the morning I read newspaper.
W południe jem lunch.	At noon/at midday I eat lunch.
Po południu piszę e-maile.	In the afternoon I write e-mails.
Wieczorem robię gimnastykę.	In the evenings I do gymnastics.

SAM, SAMA, SAMO

Waldek mieszka **sam**.	Waldek lives alone/on his own.

Here **sam** means – alone, on one's own. It appears in three genders.

Waldek mieszka **sam**. (masculine)	Waldek lives alone.
Ania pracuje tutaj **sama**. (femine)	Ania works here on her own.
Moje dziecko jest w domu **samo**. (neuter)	My child is at home on his/her own.

WALDEK SAM MUSI ROBIĆ ZAKUPY

Waldek **sam** musi robić zakupy.	Waldek has to do the shopping (by) himself.
Agata **sama** sprząta.	Agata cleans (her house) herself.
Moje dziecko **samo** czyta.	My child (can) read (by) himself.

Here **sam/sama/samo** means – oneself or by oneself. In both meanings there are three genders.

POPROSZĘ DWA BANANY, DWIE CYTRYNY
– the number two

jeden banan – **dwa** banany
jedna kawa – **dwie** kawy
jedno piwo – **dwa** piwa

Like nouns and adjectives, numbers have special virile forms, for example:
jeden pan – dwaj panowie or dwóch panów.

THE CONJUNCTION WIĘC

Więc is used to show the dependence of one fact on another, and to make conclusions.

Mieszkam w Polsce, **więc** mówię po polsku.
Waldek mieszka sam, **więc** sam musi robić zakupy.

POLISH MONEY

Polish money consists of **złote** and **grosze**. The grosz is the smallest coin in Poland.
1 złoty = 100 groszy

Gramatically the word **złoty** is an adjective which literally means "gold", whereas **grosz** is a noun.

The form of the words **złoty** and **grosz** changes according to the number they are used with. In lesson 6 we met the rule that the number 2, 3 and 4 appear with nouns in the nominative plural, whereas the numbers 5 and above take nouns in the genitive plural.

1 **złoty**
2, 3, 4 **złote**
5, 6, 7, etc. **złotych**

1 **grosz**
2, 3, 4 **grosze**
5, 6, 7, etc. **groszy**

Don't worry too much about this when shopping, as the sounds are very similar and the difference is almost imperceptible.

Prices in Polish are written and spoken in the following way:

0,30 zł = trzydzieści groszy.	(with prices below 1 złoty, only the grosze are mentioned).
1,00 zł = jeden złoty (złotówka)	(when asking **ile to kosztuje?** you will often hear the informal **złotówkę** instead of **jeden złoty**)
2,00 zł = dwa złote	(with round sums the word złoty is necessary).
1,20 zł = (jeden) złoty dwadzieścia (groszy)	(with sums from 1,01 zł to 1,99 zł the words **jeden** and **groszy**, can be left out, but the word **złoty** is necessary).
2,30 zł = dwa (złote) trzydzieści (groszy) 6,42 zł = sześć (złotych) czterdzieści dwa (grosze)	(with sums above 2 zł, the words **złoty** and **grosze** are often omitted, just like in English).

ROZMAWIAMY

– Słucham?/Co dla pana/pani?
– Poproszę sok.
– Jaki?
– Pomarańczowy.
– Co jeszcze?
– To wszystko. Ile płacę?
– 4 złote.
– Czy ma pan/pani drobne?
– Tak, proszę bardzo/Niestety, nie mam.

– Ile kosztuje ta czekolada?
– 2.20. (dwa dwadzieścia)
– Poproszę.

– Czy jest kawa Jacobs?
– Nie, nie ma.
– A Tchibo?
– Tak, jest.
– Poproszę.

ĆWICZENIA

1

Write the following verbs in the appropriate forms:

musieć

1. (Ja) .... czytać książki. To bardzo ważne.
2. Ty też .... czytać książki.
3. Dzieci .... czytać książki.
4. (My) .... dzisiaj sprzątać mieszkanie.
5. Czy wy też .... sprzątać mieszkanie?
6. Adam często .... robić zakupy.

jeść

7. (Ja) rano .... tylko kanapkę z serem, jogurt, jajko i owoce. A co ty .... rano?
8. Pani jest taka szczupła. Co pani .... na obiad i na kolację?
9. Gdzie państwo .... kolację? – (My) zwykle .... kolację w domu.

pić

10. – Czy (ty) .... kawę rano, czy po południu?
– (Ja) .... kawę tylko rano.
11. – Co (wy) ....? Piwo czy wino? – (My) .... piwo.

---

2 Choose one of the following verbs in the appropriate form: **czytać, pisać, oglądać, sprzątać, gotować.**

1. Ania pracuje w firmie „Argo". (Ona) zwykle rano .... korespondencję i .... e-maile. Jej chłopak nie pracuje. (On) .... mieszkanie i .... obiad.
2. (Ja) codziennie rano .... gazety. Potem .... telewizję. Po południu .... obiad.
3. – Czy (wy) rano .... gazety? – Tak, (my) rano .... gazety.
4. – Czy (wy) wieczorem .... telewizję? – Tak, (my) .... telewizję albo........................ książki.
5. – Ewa i Adam też .... telewizję. Oni wieczorem .... książki albo gazety.

Describe your day using expressions for the time of day: **rano, po południu, wieczorem**:

3

(Ja) zwykle rano ....

....

....

Make adverbs from the following adjectives, e.g.: **piękny – pięknie**

4

1. To jest **dobry** sok. Adam .... czyta.
2. To jest **duży** dom. Paweł .... pracuje.
3. To jest **świetne** mieszkanie. Darek .... gotuje.
4. To jest **małe** piwo. Kasia .... pisze.

Answer the following questions e.g.: – Czy jest sok? – Nie, nie ma.

5

1. – Czy jest kawa? – Nie, ...
2. – Czy są lody? – Tak, ...
3. – Czy jest piwo? – Nie, ...
4. – Czy jest kiełbasa? – Tak, ...
5. – Czy są banany? – Nie, ... A cytryny? – Tak, ...

Put the following nouns into the plural, e.g.: sok – soki.

6

1. To jest list. To są ....
2. To jest książka. To są ....
3. Mam paszport. Mamy ....
4. Mam mieszkanie. Mamy ....
5. Czy to jest biuro? Czy to są ....?
6. Czy masz gazetę? Czy masz ....?
7. Tutaj jest parking. Tutaj są ....?

7 Put the following adjectives into the plural.

1. To jest **dobra** książka. To są .... książki.
2. Czy to jest **droga** restauracja? Czy to są .... restauracje?
3. To jest **miły** kot. To są .... koty.
4. Czy masz **nowy** film? Czy masz .... filmy?
5. Poproszę sok **pomarańczowy**. Poproszę dwa soki ....

8 Complete the following sentences using the demonstrative pronouns **tamten, tamta, tamto** e.g.: To piwo jest tanie, a **tamto (piwo) jest drogie**.

1. Ten dom jest duży, a ....
2. To wino jest dobre, a ....
3. Ta kawa jest moja, a ....
4. Te sklepy są tanie, a ....
5. Te biura są małe, a ....
6. Te książki są ciekawe, a ....

9 Complete with the pronoun **sam** in the correct gender.

1. Mój kolega Michał pracuje tutaj ....
2. Moje dziecko jest dzisiaj w domu ....
3. Adam .... sprząta mieszkanie i .... robi zakupy.
4. Moja koleżanka Renata mieszka ....
5. Moje dziecko .... pisze "mama".

10 Choose the appropriate form: **dwa** or **dwie**.

1. Poproszę .... bilety i .... gazety.
2. (My) mamy .... cytryny i .... banany.
3. Poproszę .... kawy i .... herbaty.

4. Mam teraz .... dobre filmy.

5. Piotr czyta .... książki.

6. Piszę .... e-maile.

11

Read out loud the following prices.

1.) 2 zł
2) 5 zł 10 gr
3) 3zł 30gr
4) 14 zł 25 gr
5) 28 zł

6) – Ile kosztuje herbata? – 6.30
7) – Ile kosztuje czekolada? – 4.30
8) – Ile kosztuje cukier? – 2.10
9). – Ile kosztuje chleb? – 1.80
10). – Ile kosztuje sok pomaranczowy? – 3.80

12

Complete the dialogue, using the structures and words that you have learned in this lesson.

W sklepie

Klient/ka: .... kawę.

Sprzedawczyni: Jaką?

Klient/ka: ....

Sprzedawczyni: Co jeszcze?

Klient/ka: .... Czy jest ....?

Sprzedawczyni: Nie ma. Co jeszcze?

Klient/ka: To.................................... Ile....................................?

Sprzedawczyni: 10 złotych.

8. RODZINNE ZDJĘCIA

John Brown ma w Polsce przyjaciela, Marka. Marek to jego stary przyjaciel z Oksfordu. Spotykają się od czasu do czasu, wspominają dawne czasy. Właśnie oglądają zdjęcia.

Brown: To jest nasz dom w Glasgow.

Marek: Jaki duży!

Brown: Jest naprawdę wygodny.

Marek: A (czy) to wasz ogród?

Brown: Tak, to nasz ogród, a tutaj na prawo jest sad. Ten wysoki pan z brodą to jest dziadek James, a ta blondynka to babcia Mary, a to ich ukochany pies Cluny.

Marek: Twoja babcia była Angielką?

Brown: Nie, ona była Szkotką. To była wyjątkowa kobieta. Bardzo silna, zdecydowana i bardzo odważna. A to ja! Widzisz? Byłem wtedy piękny i młody. Ta brunetka to moja starsza siostra, Caroline, a ta blondynka to młodsza siostra Marilyn.

Marek: Wygląda jak gwiazda filmowa. Myślę, że Marilyn jest ładniejsza niż Caroline. Gdzie ona mieszka?

Brown: W Edynburgu. Jej mąż jest lekarzem. A tutaj jest wujek Adam. Mam tylko jedno jego zdjęcie.

Marek: Czy on jeszcze mieszka w Borowie?

Brown: Nie wiem. Nie wiem nawet, czy jeszcze żyje.

Marek: Kiedy chcesz tam jechać?

Brown: Dziś albo w piątek.

Marek: Dziś? Myślę, że to nie ma sensu. Nie możesz jechać tam teraz, w nocy.

Brown: Tak, masz rację. Jest za późno, nie mogę jechać teraz. No to w piątek.

8. FAMILY PHOTOS

John Brown has a friend in Poland, Marek. Marek is his old friend from Oxford. They meet from time to time and talk about the old times. Right now they are looking at some photos.

Brown: This is our house in Glasgow.
Marek: What a big house!
Brown: It's really comfortable.
Marek: And this is your garden?
Brown: Yes, this is our garden and here on the right is the orchard. This tall man with the beard is my grandfather James and this fair haired woman is my grandmother Mary, and this is their beloved dog Cluny.
Marek: Was your grandmother English?
Brown: No, she was Scottish. She was an exceptional woman, very strong-minded, decisive and very daring. And this is me! Do you see? I was young and handsome then. This brunette is my older sister Caroline, and this blonde is my younger sister Marilyn.
Marek: She looks like a film star. I think Marilyn is prettier than Caroline. Where does she live?

Brown: In Edinburgh. Her husband is a doctor. And here is uncle Adam. I've only got one photo of him.

Marek: Does he still live in Borowo?
Brown: I don't know. I don't even know if he's still alive.
Marek: When do you want to go there?
Brown: Today or on Friday.
Marek: Today? It doesn't make sense. You can't go there now, not at night.
Brown: Yes, you are right. It's too late, I can't go now. So on Friday then.

SŁOWNICTWO

atrakcyjny, -a, -e *adj* attractive
babcia *f* grandmother
dawny, -a, -e *adj* former
  dawne czasy former times
dziadek *m* grandfather
genialny, -a, -e *adj* brilliant, extremely clever
gwiazda *f* star
  gwiazda filmowa *f* film star
ich their
jak how
jechać (jadę, jedziesz) to go (using some means of transport)
jeszcze still, yet
kobieta *f* woman
ładniejszy, -a, -e *adj* prettier, nicer
mąż *m* husband
mecz *m* match
młodszy, -a, -e *adj* younger
na lewo on the left

na prawo on the right
naprawdę really, truly
nasz, -a, -e our
noc *f* night
  w nocy at night
od czasu do czasu from time to time
odważny, -a, -e *adj* brave, courageous
oglądać (oglądam, oglądasz) to watch, to look at
ogród *m* garden
piątek *m* Friday
  w piątek on Friday
pies *m* dog
piękny, -a, -e *adj* beautiful
późno *adv* late
przyjaciel *m* (good) friend, boyfriend
przyjaciółka *f* (good) friend, girlfriend
racja *f* right, reason
  mieć rację to be right
sad *m* orchard
sens *m* sense
  to nie ma sensu that doesn't make sense
silny, -a, -e *adj* strong
siostra *f* sister
spotykać się (spotykam się, spotykasz się) + z + *instr* to meet
starszy, -a, -e *adj* older
ukochany, -a, -e *adj* beloved
wasz, -a, -e your
widzieć (widzę, widzisz) + *acc* to see
wspominać (wspominam, wspominasz) + *acc* recall, remember
wtedy then
wygodny, -a, -e *adj* comfortable, convenient
wyjątkowy, -a, -e *adj* exceptional, unusual, special
zdecydowany, -a, -e *adj* decisive, determined
zdjęcie *n* photograph
żyć (żyję, żyjesz) to live

RODZINA the family

matka, (mama) *f*, **ojciec (tata)** *m* mother (mum), father (dad)
rodzice *pl* parents
żona *f*, **mąż** *m* wife, husband
małżeństwo *n* married couple
córka *f*, **syn** *m* daughter, son
siostra *f*, **brat** *m* sister, brother
rodzeństwo *n* brothers and sisters
babcia *f*, **dziadek** *m* grandmother, grandfather
dziadkowie *pl* grandparents
prababcia *f*, **pradziadek** *m* great-grandmother, great-grandfather
wnuczka *f*, **wnuk** *m* granddaughter, grandson
prawnuczka *f*, **prawnuk** *m* great-granddaughter, great-grandson
ciocia *f*, **wujek** *m* aunt, uncle

GRAMATYKA

THE VERB **MÓC** – the present tense

singular		plural	
ja	mog**ę**	my	moż**emy**
ty	moż**esz**	wy	moż**ecie**
on (pan) ona (pani) ono	moż**e**	oni (panowie, państwo) one (panie)	mog**ą**

Móc belongs to a group of verbs which have a sound change in the stem, here from **g** to **ż**. Note that the 3rd person plural has the same stem form as the 1st person singular.

Móc is used by itself or with another verb in the infinitive.
Teraz **mogę czytać**.
Czy **mogę iść** na kawę? – Nie **możesz**.

Note that in the first example the verb **móc** indicates possibility (Teraz mogę czytać = Now I have time to read). In the second, consent or permission.

THE VERB **WIDZIEĆ** – the present tense

Widzieć belongs to the conjugation **-ę**, **-isz**. Note that when a consonant is followed by the endings: -isz, -i, -imy, -icie, its sound is softened.

singular		plural	
ja	widz**ę**	my	widz**imy**
ty	widz**isz**	wy	widz**icie**
on (pan) ona (pani) ono	widz**i**	oni (panowie, państwo) one (panie)	widz**ą**

THE VERB **JECHAĆ** – the infinitive

In lesson 4 we met the verb **iść**, meaning to go. However this verb is generally used to mean "go on foot". A different verb **jechać** also meaning to go, is used when we use some method of transport, (e.g.: car, bicycle, tram, train). Verb endings for **jechać** will be presented in lesson 13.

NIE WIEM, CZY..., WIEM, ŻE...

1. I don't have any information about something.

Nie wiem, **gdzie** jest poczta.	I don't know where the post office is.
Nie wiem, **kto** to jest.	I don't know who it is.
Nie wiem, **kiedy** jest następna lekcja.	I don't know when the next lesson is.

2. I'm not sure of my information.

Nie wiem, **czy** poczta jest na ulicy Solec.	I don't know if the post office is in Solec (street).
Nie wiem, **czy** to jest twój brat.	I don't know if this is his brother.
Nie wiem, **czy** lekcja jest dzisiaj.	I don't know if the lesson is today.

3. I'm sure about something.

Wiem, **że** poczta jest na ulicy Solec.	I know that the post office is in Solec (street).
Wiem, **że** to jest twój brat.	I know that this is your brother.
Wiem, **że** lekcja jest jutro.	I know that the lesson is tomorrow.

THE VERB **BYĆ** – the past tense

In the past tense verbs have three genders in the singular: masculine, feminine and neuter. In the plural verbs, like nouns, have two forms: virile and non-virile. We use the virile form when the subject noun has masculine gender and represents a group of male people or a group of people, which includes one or more man **(panowie byli, państwo byli)**. The non-virile form of the past tense is used when the subjects have feminine or neuter gender, or masculine gender, but refer to animals or things **(koty były, domy były, panie były, wina były)**.

singular		
masculine	**feminine**	**neuter**
ja by**łem** ty by**łeś** on by**ł**	ja by**łam** ty by**łaś** ona by**ła**	- - - - - - - - - - - - ono by**ło**

plural	
virile	**non-virile**
my by**liśmy** wy by**liście** oni by**li**	my by**łyśmy** wy by**łyście** one by**ły**

There is only one pattern of ending changes in the past tense. (We will look at other verbs in lesson 18).

Mój dziadek **był** Francuzem.	My grandfather was French.
Moja babcia **była** Polką.	My grandmother was Polish.
Byłem wtedy piękny i młody.	I (*m*) was young and beautiful then.
Byłam wtedy piękna i młoda.	I (*f*) was young and beautiful then.
To **był** dobry koncert.	It was a good concert.
To **była** dobra lekcja.	It was a good lesson.
To **było** dobre wino.	It was (a) good wine

TO JEST MOJA MŁODSZA SIOSTRA
– the comparative of adjectives (1)

The comparative of adjectives is made by inserting **-sz-** between the stem and the case endings.
The superlative is made by adding a prefix **naj-** to the comparative.

Agata jest młoda.	Agata is young.
Agata jest **młodsza** niż Beata.	Agata is younger than Beata.
Ania jest **najmłodsza**.	Ania is youngest.

stary – starszy – najstarszy	old – older – oldest
nowy – nowszy – najnowszy	new – newer – newest

In stems ending in certain consonants, or pairs of consonants there is a consonant change: **g:ż, sk:ż.**

drogi – droższy – najdroższy	expensive – more expensive – most expensive
niski – niższy –najniższy	short – shorter – shortest
tęgi – tęższy – najtęższy	fat – fatter – fattest
wysoki – wyższy – najwyższy	tall/high – taller/higher – tallest/ /highest

With some adjectives **-ejsz-** is inserted instead of **-sz-**. A large group of adjectives ending in **-ny** follow this form.

ładny – ładniejszy – najładniejszy	pretty – prettier – prettiest
piękny – piękniejszy – najpiękniejszy	beautiful – more beautiful – most beautiful
łatwy – łatwiejszy – najłatwiejszy	easy – easier – easiest

As in many other languages, some adjectives have irregular comparative forms.

dobry – lepszy – najlepszy	good – better – best
zły – gorszy – najgorszy	bad – worse – worst
duży – większy – największy	big – bigger – biggest
mały – mniejszy – najmniejszy	small – smaller – smallest

Mam dwie siostry, Agatę i Monikę. Agata jest starsza niż Monika. Ja jestem najstarsza.
Ten komputer jest droższy niż tamten. A ten jest najdroższy.
– Wolę ten większy kalendarz. – Ja wolę ten największy.

TO JEST NASZ DOM – possessive pronouns (2)

personal pronouns	possessive pronouns
my	**nasz, nasza, nasze**
wy	**wasz, wasza, wasze**
oni	**ich**
one	**ich**

Plural possessive pronouns follow a similar pattern to the singular ones which we have already met (mój, twój, jego, jej, lesson 3). In the 1st and 2nd persons they appear in three genders, depending on the gender of the noun they go with, but in the 3rd person they have one invariable form (ich).

nasz syn, nasza córka, nasze dziecko
wasz syn, wasza córka, wasze dziecko
ich syn, ich córka, ich dziecko

Mamy córkę. **Nasza** córka mieszka w Warszawie.
Czy **wasz** syn pracuje?
To Ania i Tomek, a to (jest) **ich** pies.

When using the polite form of address – **państwo**, instead of using: wasz, wasza, wasze we use the form **państwa**.
– Czy to jest **państwa** samochód? – Tak, to nasz samochód.
– Czy to jest **państwa** córka? – Nie, to nie jest nasza córka.
– Czy to jest **państwa** dziecko? – Tak, to nasze dziecko.

TEN WYSOKI PAN TO (JEST) DZIADEK JAMES

The verb **być** is often omitted in this construction.

Ten brunet to (jest) nasz szef.	That dark-haired man is our boss.
Ten wysoki budynek na lewo to (jest) poczta.	That tall building on the left is the post office.
Ta wysoka blondynka to (jest) Agata, moja szefowa.	That tall fair-haired woman is Agata, my boss.
Tamta dziewczyna to (jest) moja studentka.	That girl is my student.

MUSZĘ JECHAĆ TAM W PIĄTEK – the days of the week

Names of days of the week take accusative endings after the preposition **w**.

Jaki dzień (jest) dzisiaj? – Dzisiaj jest **środa** (nominative). – What day is it today? – Today is Wednesday.

Kiedy jest spotkanie? – Spotkanie jest **w środę** (accusative). – When is the meeting? – The meeting is on Wednesday.

poniedziałek – spotkanie jest **w poniedziałek**
wtorek – spotkanie jest **we wtorek**
środa – spotkanie jest **w środę (we środę)**
czwartek – konferencja jest **w czwartek (we czwartek)**
piątek – konferencja jest **w piątek**
sobota – koncert jest **w sobotę**
niedziela – koncert jest **w niedzielę**

Before certain consonant clusters **we** is used instead of **w** (we wtorek), to make pronunciation easier.

NA LEWO, NA PRAWO, NA WPROST

In lesson 3 we met the construction: „proszę iść prosto, potem w lewo". The expression **w lewo** is used with verbs of motion.
The expression **na lewo** is used with static verbs (like **być, mieszkać, znajdować się**) to indicate location.

Toaleta jest **na prawo**. The toilet is on the rights.
Adam mieszka tu **na lewo**. Adam lives here on the left.
Poczta jest **na wprost**. The post office is opposite.

ZA PÓŹNO

Za can appear with both adverbs and adjectives:

- Idziemy na kawę? – Nie, jest **za późno**. – Are we going for coffee? – No, it's too late.
Ten samochód jest **za drogi**. This car is too expensive.
Ta restauracja jest **za droga**. This restaurant is too expensive.
To mieszkanie jest **za małe**. This flat is too small.

ROZMAWIAMY

MAKING COMPLIMENTS (1)

– To jest nasz dom. – Jaki duży!
– To jest moja córka. – Jaka ładna!
– To moje dziecko. – Jakie miłe!

ĆWICZENIA

1 Write the verbs **widzieć**, **żyć** in the appropriate form.

widzieć

1. – Czy (ty) .... tę dziewczynę? To jest moja córka.
2. – Czy (ty) .... tę kobietę? – Tak, (ja) ....

   – To jest nasza nauczycielka.
3. – Czy (wy) .... ten dom?

   – Tak, (my) .... – To jest muzeum.
4. Piotr i Michał .... tamten samochód.

żyć

5. Moja babcia .... Dziadek nie ....
6. Moja mama i mój tata ....

2 Write the verb **móc** in the appropriate form.

1. – Czy (ty) .... teraz pisać raport?
2. – Tak, (ja) .... teraz pisać raport.

3. – Czy pani .... tutaj pracować? – Tak, (ja) ....

4. – (My) nie .... teraz iść na obiad.

Czy (wy) .... teraz iść na obiad?

5. Piotr i Marek też nie .... iść.

Write the verb **być** in the appropriate form of the past tense.

3

a)

1. Nasza babcia .... Polką, a nasz dziadek .... Francuzem.
2. (Ja) .... wtedy piękny i młody.
3. (Ja) .... wtedy piękna i młoda.
4. Ty też .... wtedy piękny i młody.
5. Ty też .... wtedy piękna i młoda.
6. (Mówią Piotr i Paweł): (My) .... w czwartek w Warszawie.
7. (Mówią Ania i Gosia): (My) nie .... w biurze w sobotę.
8. Nie wiem, czy Piotr i Ewa .... tam wtedy.
9. Nie wiem, czy Ola i Jola .... w firmie.

b)

1. To .... dobry film.
2. To .... interesująca konferencja.
3. To .... ciekawe spotkanie.
4. To .... wyjątkowa kobieta.
5. To .... genialne dziecko.
6. To .... wyjątkowy szef.

4

Choose the appropriate adjective and put it into its comparative form: **młody, stary, nowy, tani, ładny, przystojny, duży, mały, dobry.**

1. Moja siostra jest .... niż twoja siostra.
2. Ten dom jest .... niż tamten.
3. To piwo jest .... niż to.
4. Mój brat jest .... niż wasz brat.
5. Nasza córka jest .... niż ich córka.
6. To biuro jest .... niż tamto.

5

Answer the following questions, e.g.: – Czy to jest wasz dom? **– Tak, to jest nasz dom** or: **– Nie, to nie jest nasz dom.**

1. – Czy to jest wasz syn? – Tak, ...
2. – Czy to jest wasza córka? – Nie, ...
3. – To jest Piotr i Adam. – Czy to jest ich ojciec? – Tak, ...
4. – Czy to jest państwa dom? – Tak,..
5. – Czy to jest wasza mama? – Tak, ...
6. – To jest Monika i Beata. – Czy to jest ich babcia? – Nie ....
7. – Czy to jest wasza rodzina? – Nie, ...
8. – Czy to jest państwa samochód? – Tak, ...
9. – Czy to jest wasze dziecko? – Tak, ...

6

Complete the sentences, e.g.: Ten wysoki pan **to mój dziadek Antoni**.

1. Ta atrakcyjna brunetka ....
2. Ten wysoki budynek na prawo ....
3. Tamten niski blondyn ....

4. Ten czerwony samochód ....

5. To małe dziecko ....

7

Answer the questions, e.g.: Kiedy jest spotkanie? **W poniedziałek.**

1. Kiedy jest koncert? (piątek) ....
2. Kiedy była konferencja? (środa) ....
3. Kiedy jest „Makbet"? (sobota) ....
4. Kiedy był mecz Polska : Niemcy? (wtorek) ....
5. Kiedy byłaś w Warszawie? (poniedziałek) ....
6. Kiedy jest seminarium? (czwartek) ....
7. Kiedy jest „Madame Butterfly"? (niedziela) ....

8

Make compliments: e.g.: To jest nasza córka. **Jaka piękna!**

1. – To jest nasz dom. – ....!
2. – To moja żona. – ....!
3. – To jest nasz syn. – ....!
4. – To nasze dziecko. – ....!

9

Indicate the position of people or things, using the expressions: **na prawo, na lewo, na wprost.**

1. Tutaj .... jest ogród, ... sad, a .... nasz dom.
2. Ja mieszkam tutaj ...., mój brat tu ...., a moja siostra ....

9. KTÓRA GODZINA?

W mieszkaniu Alice i Basi

Basia: Która (jest) godzina?
Alice: 5.00 (piąta).
Basia: Tak późno? Muszę już iść.
Alice: Dokąd idziesz?
Basia: Idę do kina. A (czy) ty już kończysz tę pracę?

Alice: Za 15 minut kończę. Czekam na kuriera.

Basia: Na kogo czekasz?
Alice: Na kuriera.
Basia: A nie na Andrzeja? O! Ktoś dzwoni.
Alice: Słucham?
Waldek: Mówi Waldek. (Czy) Jesteś zajęta?
Basia: Kto to?
Alice: Waldek. (*do słuchawki*) Właśnie kończę moją pracę.
Waldek: Czy możemy się dziś spotkać?
Alice: Dziś raczej nie.
Basia: (*szeptem*) No co ty, głupia jesteś?
Waldek: Może jednak? Jest ładna pogoda. Możemy iść na spacer... To co? Za pół godziny?
Alice: Dobrze, za pół godziny.

Pół godziny później

Waldek: (Czy) Idziemy na spacer czy na kolację?
Alice: Nie jestem głodna. Wolę iść na spacer.
Waldek: A może do kina albo do teatru?
Alice: No nie wiem...
Waldek: (Czy) Lubisz teatr?

9. WHAT'S THE TIME?

In Alice's and Basia's flat

Basia: What's the time?
Alice: Five o'clock.
Basia: As late as that? I have to go now.
Alice: Where are you going to?
Basia: I'm going to the cinema. Are you finishing your work now?
Alice: I'll be finished in 15 minutes. I'm waiting for a courier.
Basia: Who are you waiting for?
Alice: For the courier.
Basia: And not for Andrzej? Oh! That's the telephone!
Alice: (*answering the phone*) Hello!
Waldek: Waldek speaking. Are you busy?
Basia: Who is it?
Alice: Waldek. (*into the phone*) I'm just finishing my work.
Waldek: Can we meet today?
Alice: Today, not really.
Basia: (*whispering*) What? Are you stupid?
Waldek: Are you sure? The weather is beautiful. We can go for a walk. What about it? In half an hour.
Alice: O.K. then. In half an hour.

Half an hour later

Waldek: Shall we go for a walk or for dinner?
Alice: I'm not hungry. I'd prefer to go for a walk.
Waldek: Or perhaps to the cinema, or to the theatre?
Alice: Well, I don't know…
Waldek: Do you like the theatre?

Alice:	Lubię, ale wolę słaby film niż zły spektakl. A ty?
Waldek:	Ja też. A jaki jest twój ulubiony film?
Alice:	Myślę, że... „Osiem i pół". Fellini to mój ulubiony reżyser. A twój?
Waldek:	Andrzej Wajda. Jak spędzasz weekendy?
Alice:	W sobotę zwykle gram w tenisa albo pływam. Czasami jeżdżę rowerem. A jeśli mój chłopak ma czas, idziemy na dyskotekę.
Waldek:	Jeśli ma czas...?
Alice:	No tak. On, niestety, dużo pracuje.

Alice: Yes, but I prefer a poor film to a bad play. And you?
Waldek: Me too. And what's your favourite film?
Alice: I think ... "8½". Fellini is my favourite director. And yours?
Waldek: Andrzej Wajda. How do you spend your weekends?
Alice: On Saturdays I usually play tennis or go swimming. Sometimes I go cycling. And if my boyfriend has time, we go to a discoteque.
Waldek: If he has time...?
Alice: Well yes. He works a lot.

SŁOWNICTWO

coś something
chyba probably
czekać (czekam, czekasz) + **na** + *acc* to wait (for)
dokąd where to
dużo *adv* a lot of, much, many
dzwonek *m* bell
dzwonić (dzwonię, dzwonisz) + **do** + *gen* to call, phone
głodny, -a, -e *adj* hungry
głupi, -a, -e *adj* stupid
godzina *f* time, hour
  która (jest) godzina? what is the time?
grać (gram, grasz) + **w** + *acc*; + **na** + *loc* to play
  grać w tenisa to play tennis
iść (idę, idziesz) to go (on foot)
jednak however, but
  może jednak? are you sure?
jeśli if
jeździć (jeżdżę, jeździsz) to go (using some means of transport)
  jeździć rowerem to go cycling
już now, already
kończyć (kończę, kończysz) + *acc* to finish
ktoś somebody
kurier *m* courier
leżeć (leżę, leżysz) to lie (down)
pływać (pływam, pływasz) to swim
pogoda *f* weather
  ładna pogoda nice weather
projekt *m* project
pół half
  pół godziny half an hour
  za pół godziny in half an hour

późno *adv* late
raczej rather
reżyser *m*, **reżyserka** *f* film director
słaby, -a, -e *adj* weak, poor
słucham hello (when answering the telephone)
spacer *m* walk
spektakl *m* show
spędzać (spędzam, spędzasz) + *acc* to spend (for time only)
spotkać się (*perfective verb*) to meet
czy możemy się spotkać? can we meet?
ulubiony, -a, -e *adj* favourite
zły, -a, -e *adj* bad

DZIEDZINY SZTUKI, TWÓRCY the arts and artists

teatr *m*, **reżyser teatralny** *m* theatre, theatrical director
film *m*, **reżyser filmowy** *m* film, film director
balet *m*, **choreograf** *m* ballet, choreographer
literatura *f*, **pisarz** *m*, **pisarka** *f* literature, writer
malarstwo *n*, **malarz** *m*, **malarka** *f* painting, painter
opera *f*, **reżyser** *m* opera, director

SPORT I GRY – sports and games

brydż *m* – **grać w brydża** bridge – to play bridge
tenis *m* – **grać w tenisa** tennis – to play tennis
golf *m* – **grać w golfa** golf – to play golf
hokej *m* – **grać w hokeja** hockey – to play hockey
piłka nożna *f* – **grać w piłkę nożną** football – to play football
poker *m* – **grać w pokera** poker – to play poker
koszykówka *f* – **grać w koszykówkę** basketball – to play basketball
siatkówka *f* – **grać w siatkówkę** voleyball – to play voleyball
szachy *pl* – **grać w szachy** chess – to play chess
pływać to swim
jeździć na łyżwach to go ice-skating
jeździć na nartach to go skiing
jeździć na rolkach to go rollerblading
jeździć na rowerze/jeździć rowerem to go cycling

GRAMATYKA

ORDINAL NUMBERS 1–20

Ordinal numbers describe sequence or order. Like adjectives, they have three genders: masculine, feminine, and neuter, and they take the same endings as adjectives.

pierwsz**y** papieros (masculine)
pierwsz**a** kawa (feminine)
pierwsz**e** piwo (neuter)

When asking about sequence or order Polish uses **który?**

– **Który** to (jest) twój papieros dzisiaj? – Pierwszy. – What cigarette is that you are on today? (i.e. how many) – the first.

– **Która** to (jest) twoja kawa dzisiaj? – Druga. – What coffee is that you are on today? – the second.

– **Które** to (jest) twoje piwo dzisiaj? – Czwarte. – What beer is that you are on today? – the fourth.

1. pierwszy, -a, -e
2. drugi, -a, -e
3. trzeci, -a, -e
4. czwarty, -a, -e
5. piąty, -a, -e
6. szósty, -a, -e
7. siódmy, -a, -e
8. ósmy, -a, -e
9. dziewiąty, -a, -e
10. dziesiąty, -a, -e
11. jedenasty, -a, -e
12. dwunasty, -a, -e
13. trzynasty, -a, -e
14. czternasty, -a, -e
15. piętnasty, -a, -e
16. szesnasty, -a, -e
17. siedemnasty, -a, -e
18. osiemnasty, -a, -e
19. dziewiętnasty, -a, -e
20. dwudziesty, -a, -e

THE VERB **IŚĆ** – the present tense

Iść belongs to the conjugation **-ę**, **-esz**. Note the consonant change **d:dzi**.

singular		plural	
ja	id**ę**	my	idzi**emy**
ty	idzi**esz**	wy	idzi**ecie**
on (pan) ona (pani) ono	idzi**e**	oni (panowie, państwo) one (panie)	id**ą**

When we are thinking about an event or a meal rather than a place, for example: obiad, spotkanie, koncert, we use the preposition **na** after the verbs **iść** and **jechać**. The following noun takes the accusative: idę **na** obiad, **na** spotkanie, **na** koncert.

iść **na spotkanie**
iść **na kolację**
iść **na spacer**
iść **na obiad**

Notice also:
iść do kina
iść do teatru   do + genitive (see lesson 13)

THE VERB **JEŹDZIĆ** – the present tense

Jeździć belongs to the conjugation **-ę**, **-isz**. Note the consonant change in the stem **ż:ź**.

singular		plural	
ja	jeżdż**ę**	my	jeźdz**imy**
ty	jeźdz**isz**	wy	jeźdz**icie**
on (pan) ona (pani) ono	jeźdz**i**	oni (panowie, państwo) one (panie)	jeżdż**ą**

WOLĘ SŁABY FILM NIŻ ZŁY SPEKTAKL

The verb **woleć** is used with the conjunction **niż** when comparing things. If **niż** is followed by a noun, the noun takes the accusative.

Wolę kawę **niż** herbatę. — I prefer coffee to tea.
Marcin **woli** piwo **niż** wino. — Marcin prefers beer to wine.

The construction **wolę... niż...** can also be used with verbs in the infinitive.

Wolimy czytać książki **niż oglądać** telewizję. — We prefer reading books to watching television.

Ania **woli robić** zakupy **niż sprzątać.** — Ania prefers doing the shopping to doing the cleaning.

GRAM W TENISA – the verb grać with the prepositions w and na

Grać can link with two different prepositions:
when talking about sports or games we use **grać w** plus a noun in the accusative.

– Lubię grać **w tenisa**. – A ja wolę grać **w golfa** niż **w tenisa**. — – I like playing tennis. – I prefer playing golf to tennis.

– Czy grasz **w brydża**? – Nie, gram tylko **w pokera**. — – Do you play bridge? – No, I only play poker.

For playing a musical instrument we use **grać na** plus the noun in the locative.

– Czy grasz **na gitarze**? – Nie, ale gram **na pianinie**. — – Do you play the guitar? – No, but I play the piano..

THE QUESTION KTÓRA (JEST) GODZINA?

We use this question for asking the time.

When telling the time, Polish uses ordinal numbers for the hours **(pierwsza, druga, trzecia)**, and cardinal numbers for the minutes **(pięć, dziesięć)**.

Która (jest) godzina?
Jest 9.10 – **dziewiąta dziesięć**.

Która (jest) godzina?
Jest 2.05 – **druga pięć**.

Like English, Polish uses the twelve hour clock in informal situations. For example:
1 p.m. (pierwsza), 2 p.m. (druga), etc.
The twenty four hour clock is used in official situations, in the media, for timetables, etc.
For example: 13.00 (trzynasta), 14.00 (czternasta), 21.00 (dwudziesta pierwsza).

ZA 15 MINUT KOŃCZĘ – expressions of time (1)

After the preposition **za** nouns **(godzina)**, take the accusative **(godzinę)**.

Za godzinę mam spotkanie.	I have a meeting in an hour.
Za kwadrans idę na obiad.	I'm going for dinner in a quarter of an hour.
Za tydzień jest konferencja „Nasze życie".	The "Our life" conference is in a week.

Here are a few more useful expressions:

Za pół godziny kończę pracę.	I'm finishing work in half an hour.
Za pięć minut idę do domu.	I'm going home in five minutes.
Za dziesięć minut idę na obiad.	I'm going for dinner in ten minutes.

KTOŚ, COŚ – indeterminate pronouns

The indeterminate pronouns **ktoś**, **coś** are related to the pronouns **kto** and **co**, and are formed by adding **ś** to the case endings of **kto** and **co**, which we have already met (lesson 1).

Ktoś dzwoni.	Someone's calling. (on the phone)
Kto?	Who?
Chyba Paweł.	It's probably Paweł.

Coś tu leży.	There's something here (lit. something's lying here)
Co?	What?
Chyba bilet.	It's probably a ticket.

We often use the word **chyba** when we are not 100% sure of our information.

Kiedy jest spotkanie? – **Chyba** w piątek.	– When's the meeting? – (It's) probably on Friday.
Gdzie jest mój portfel? – **Chyba** tutaj.	– Where's my wallet? – (It's) probably here.

JEŚLI MÓJ CHŁOPAK MA CZAS, (TO) IDZIEMY NA DYSKOTEKĘ

The construction **jeśli.., to...** is used when we want to show that something is conditional or depends on something else.

Jeśli moja siostra ma czas w sobotę, **(to)** robimy zakupy.	If my sister has time on Sundays, (then) we go shopping.
Jeśli lubisz Marsalisa, **(to)** możemy iść na jego koncert.	If you like Marsalis, we can go to his concert.

The same construction can be used when proposing something.

Jeśli chcesz, możemy iść na dyskotekę.	If you want, we can go to the disco.
Jeśli ma pani ochotę, możemy iść na spacer.	If you feel like it, we can go for a walk.

ROZMAWIAMY

TELEPHONE CONVERSATION (1)

– Słucham? – Tu Alice.
– Mówi Waldek.

Other phrases and expressions often used in telephone conversations will be met in lesson 12.

SHALL WE MEET?

– Czy możemy się spotkać (jutro/w piątek)?
  – Tak, chętnie.
  – Dziś raczej nie/Dzisiaj nie mogę się spotkać.
– Może jednak? – (we can repeat a proposal more strongly like this)

ĆWICZENIA

1 Choose a suitable verb: **kończyć**, **dzwonić**, **czekać** and write it in the appropriate form.

1. Ktoś .... Kto to może być?
2. – Czy (ty) .... już pracę? – Tak, (ja) .... już. A ty?
   – Ja jeszcze nie. (Ja) .... na telefon.
3. – Czy (ty) .... na taksówkę? – Tak, (ja) .... na taksówkę.
4. – Czy (wy) .... już lekcję? – Tak (my) już ....
   A wy? – (my) jeszcze nie ....
5. – Piotr i Michał .... już lekcję. Oni .... na dzwonek.

2 Use the verb **iść** in its appropriate form.

1. Za 5 minut (ja) .... na obiad.
2. Czy (wy) .... dzisiaj na obiad?
3. Nie, (my) nie .... dzisiaj na obiad.
4. A Piotr i Marek? Oni też nie .... dziś na obiad.

5. Czy (ty) .... na kolację?
6. Tak, (ja) .... za 15 minut.
7. A Agata? Ona też .... na kolację.

3

Make sentences with the verb **woleć**, e.g.: (Piotr, piwo). **Piotr woli piwo niż wino**.

1. (Ja, kolor czerwony) .... niż ....
2. (Adam, ryż) .... niż ....
3. (Moja żona, białe wino) .... niż ....
4. (Nasza córka, robić zakupy) .... niż ....
5. (Nasz starszy syn, grać w tenisa) .... niż ....

4

Write the words in brackets in the accusative, e.g.: Lubię (kawa). lubię **kawę**.

1. – Czy lubisz (opera) ....? – Tak, lubię (opera) ...., ale wolę (teatr)............................
2. – Czy pani lubi (balet) ....? – Nie, wolę (taniec nowoczesny) .... niż (balet) ....
3. – Czy państwo lubią (teatr) ....? – Nie, wolimy (kino) .... niż (teatr) ....

5

Tell someone what the time is.

1. – Która (jest) godzina? – Jest (godzina) 7.00.
2. – Która (jest) godzina? – Jest (godzina) 9.05.
3. – Która (jest) godzina? – Jest (godzina) 11.00.
4. – Która (jest) godzina? – Jest (godzina) 12.15.
5. – Która (jest) godzina? – Jest (godzina) 8.00.

6

Read these times out loud, first using the 24 hour clock and then the 12 hour clock, e.g.: 20.00 = **8.00**:

1) 13.00=
2) 16.05=
3) 18.00=
4) 21.00=
5) 19.20=
6) 22.00=
7) 17.00=
8) 14.30=
9) 20.00=
10) 23.00=
11) 15.10=
12) 24.30=

7

Complete the sentences, e.g.: Za 10 minut **idę na seminarium**:

1. Za godzinę ....
2. Za 5 minut ....
3. Za 15 minut ....
4. Za pół godziny ....
5. Za dwie godziny ....

8

Complete the sentences, using your own ideas, e.g.: Jeśli mam czas wieczorem, to czytam.

1. Jeśli mój chłopak/mąż ma czas, to ....
2. Jeśli moja dziewczyna/żona ma czas, to ....
3. Jeśli masz czas w sobotę, to ....
4. Jeśli chcesz, to ....

9

Write about how you usually spend your weekends.

W piątek wieczorem zwykle ....

W sobotę rano ....

W niedzielę ....

10

a) Fill out the table with your personal preferences, then read it out loud according to the model: Kafka to mój ulubiony pisarz.

ulubiony pisarz/pisarka	
ulubiony malarz/malarka	
ulubiony aktor	
ulubiona aktorka	
ulubiony reżyser	
ulubiony polityk	

b) Answer the questions:

1. Jakie jest pana/pani ulubione wino?
2. Jaka jest twoja ulubiona restauracja?
3. Jaki jest pana/pani ulubiony kolor?
4. Jakie jest pana/pani ulubione miejsce?

11

Complete the dialogue, using the structures and words that you have learned in this lesson.

A: Idziemy na ...., czy na ....?

B: Wolę ....

A: Czy lubisz kino?

B: Tak, ...

A: Jaki jest twój .... film?

B: ....

10. MARZENIA I PLANY

Alice rozmawia przez telefon

Alice:	Mówi Alice Harward. Chciałabym rozmawiać z panem Andrzejem Pawlakiem.
Asystentka:	Chwileczkę.

Andrzej:	Słucham?
Alice:	To ja, Alice. Czy możemy się dziś spotkać?
Andrzej:	Wiesz, jestem dzisiaj bardzo zajęty. Czy to coś ważnego?
Alice:	Tak, to ważne. Musimy się spotkać.
Andrzej:	Która teraz jest godzina?
Alice:	6.00 (szósta).
Andrzej:	Dobrze, będę u ciebie za dwie godziny.

W mieszkaniu Alice i Basi

Alice:	Chcesz kawę?
Andrzej:	Tak, poproszę.
Alice:	Mam dobrą wiadomość.
Andrzej:	Jaką wiadomość?
Alice:	Mam okazję wyjechać na stypendium do Paryża.
Andrzej:	Stypendium? Jakie stypendium?
Alice:	Na Sorbonie. Nauki polityczne.
Andrzej:	I to jest dobra wiadomość?
Alice:	No tak.
Andrzej:	A my? Ja będę tu, a ty będziesz tam?
Alice:	Ale Paryż to nie jest koniec świata. Poza tym, wiesz, jak bardzo chciałabym studiować nauki polityczne.
Andrzej:	Wiem, ale dlaczego musisz jechać aż do Paryża, żeby studiować nauki polityczne?

10. DREAMS AND PLANS

Alice is speaking on the phone

Alice:	Alice Harward speaking. I'd like to speak to Andrzej Pawlak.
Personal assistant:	Just a moment.
Andrzej:	Hello.
Alice:	It's me, Alice. Can we meet today?
Andrzej:	I'm very busy today, you know. Is it something important?
Alice:	Yes, it's important. We have to meet.
Andrzej:	What's the time now?
Alice:	Six o'clock.
Andrzej:	O.K. I'll be at your place in two hours.

In Alice's and Basia's flat

Alice:	Do you want coffee?
Andrzej:	Yes, please.
Alice:	I've got some good news.
Andrzej:	What news?
Alice:	I've got the chance to go to Paris on a scholarship.
Andrzej:	Scholarship? What scholarship?
Alice:	At the Sorbonne. Political sciences.
Andrzej:	And this is good news?
Alice:	Well yes.
Andrzej:	And us. I'll be here and you'll be there?
Alice:	But Paris isn't the end of the world. Besides, you know how much I'd like to study political sciences.
Andrzej:	I know, but why do you have to go as far as Paris (in order) to study political sciences?

Alice:	Dlatego, że tam jest bardzo dobry wydział, może nawet najlepszy na świecie. Bardzo wysoki poziom. Poza tym każdy chciałby pomieszkać w Paryżu.
Andrzej:	I jaka jest twoja decyzja?
Alice:	Jeszcze nie wiem. To zależy także od ciebie. W przyszłym tygodniu mam spotkanie z moim szefem i muszę dać odpowiedź.
Andrzej:	Ja się nie zgadzam. Chcę mieć ciebie tutaj!

Alice:	Because there's a very good department there, maybe even the best in the world, very high level. Besides everyone would like to live in Paris for a bit.
Andrzej:	And what's your decision?
Alice:	I don't know yet. It also depends on you. I have a meeting with my boss next week and I have to give (him) an answer.
Andrzej:	I don't agree with it. I want to have you here!

SŁOWNICTWO

będę u ciebie I'll be at your place
chciałabym I'd like
  chciałabym rozmawiać z Andrzejem I'd like to speak to Andrzej
chwileczkę (just) a moment
decyzja *f* decision
dlatego że... because
każdy each (*here* everyone)
koniec *m* end
  koniec świata end of the world
nauka *f* (*pl* **nauki**) science
  nauki polityczne political sciences
odpowiedź *f* answer, reply
  dać odpowiedź give an answer
okazja *f* chance, opportunity
  mieć okazję to have the chance, opportunity
pomieszkać (*perfective verb*, see l. 27) to live (temporarily)
poza tym besides
poziom *m* level, standard
przyszły, -a, -e *adj* future, next
  w przyszłym tygodniu next week
rozmawiać (rozmawiam, rozmawiasz) + z + *instr* **+ o +** *loc* speak, talk
stypendium *n* scholarship
  wyjechać na stypendium to go on a scholarship
świat *m* world
  na świecie in the world
także also, as well, too
zależeć (zależę, zależysz) + od + *gen* to depend (on)
  to zależy od ciebie it depends on you
wiadomość *f* news
wydział *m* department, faculty
wyjechać (*perfective verb*) to leave, to go away
z with
zgadzać się (zgadzam się, zgadzasz się) + na + *acc*; **+ z +** *instr* to agree (to, with)
żeby (in order) to

KIERUNKI STUDIÓW areas of study

biologia *f* biology
chemia *f* chemistry
ekonomia *f* economics
farmacja *f* pharmacy
filologia angielska (anglistyka) *f* English studies (language and literature)
filologia polska (polonistyka) *f* Polish studies (language and literature)
filologia romańska (romanistyka) *f* French studies (language and literature)
fizyka *f* physics
geografia *f* geography
historia *f* history
informatyka *f* computer science
marketing *m* marketing
matematyka *f* mathematics
medycyna *f* medicine
nauki polityczne *pl* political sciences
nauki społeczne *pl* social sciences
prawo *n* law
socjologia *f* sociology
zarządzanie *n* management

GRAMATYKA

CHCIAŁABYM STUDIOWAĆ W PARYŻU – I would like...

Although all forms of the conditional of the verb **chcieć** are given here, at this stage of the course we will be using mainly the 1st person forms: ja **chciałbym/chciałabym** and my **chcielibyśmy/chciałybyśmy**.

singular		
masculine	**feminine**	**neuter**
ja chciał**bym**	ja chciała**bym**	
ty chciał**byś**	ty chciała**byś**	
on chciał**by**	ona chciała**by**	ono chciało**by**

plural	
virile	**non-virile**
my chcieli**byśmy**	my chciały**byśmy**
wy chcieli**byście**	wy chciały**byście**
oni chcieli**by**	one chciały**by**

The conditional of the verb **chcieć** is usually used when expressing dreams, wishes and desires, e.g.:

Chciałabym mieszkać w Krakowie.
Chciałbym pracować w radiu.
Chciałabym mieć dziecko.
Chcielibyśmy mieć większe mieszkanie.

Chciałbym is less categorical and more polite than **chcę**, which is used to stress will or decision.

Żona do męża: **Chcę** mieć ten samochód.

THE VERB **BYĆ** – the future tense

singular		plural	
ja	będę	my	będziemy
ty	będziesz	wy	będziecie
on (pan) ona (pani) ono	będzie	oni (panowie, państwo) one (panie)	będą

Jutro **będę** w Warszawie.
Dziś wieczorem Adam **będzie** w firmie.
Piotr **będzie** inżynierem.
To **będzie** dobry projekt.
To na pewno **będzie** ciekawa konferencja.

Będę u ciebie za godzinę.	I'll be at your place in an hour.
Będę u Adama dzisiaj wieczorem.	I'll be at Adam's this evening.

U with a noun or pronoun in the genitive means **at your or someone's place.** (Genitive endings are dealt with in lesson 11).

ROZMAWIAM Z ANDRZEJEM – the preposition **z** with the instrumental

The verb **rozmawiać** often appears with the preposition **z**, which governs the instrumental case in accompanying nouns.

Adam rozmawia **z** szef**em**.
Ewa rozmawia **z** syn**em**.
Michał rozmawia **z** córk**ą**.

Here are the instrumental singular endings of adjectives and of those pronouns that act like adjectives.

(**nowy**, **tani** komputer) Interesuję się now**ym**, tan**im** komputerem.
(**nowa** asystentka) Monika rozmawia z now**ą** asystentką.
(**nowe**, **drogie** biuro) Interesuję się now**ym**, drog**im** biurem.

(**ten nasz nowy** dyrektor) Mam spotkanie z t**ym** nasz**ym** now**ym** dyrektorem.
(**ta nasza nowa** asystentka) Mam spotkanie z t**ą** nasz**ą** now**ą** asystentką.
(**to nasze nowe** biuro) Piotr interesuje się t**ym** nasz**ym** now**ym** biurem.

THE VERB **ZGADZAĆ SIĘ** – use with different prepositions

Zgadzać się can appear on its own or with a preposition.

z + instrumental (zgadzam się z twoją opinią – I agree with your opinion).
na + accusative (szef zgadza się na moje lekcje angielskiego – the boss agrees to my English lessons).

Syn: Chciałbym być aktorem. Ojciec: Nie zgadzam się!

THE CONJUNCTION **ŻEBY**

Żeby is used at the beginning of subordinate clauses defining an aim or purpose, and is followed by a verb in the infinitive.

Muszę pracować, **żeby** zarabiać pieniądze.	I have to work, (in order) to earn money.
Chcę mówić po niemiecku, **żeby** pracować w firmie „Siemens".	I want to speak German, so that I can work in Siemens.

When asking about aims or purposes we use the questions **po co? w jakim celu?**

– Chcę jechać do Paryża.	– I want to go to Paris.
– Po co?	– What for?
– **Żeby** studiować nauki polityczne.	– (in order) to study political sciences.

As in English, we can also change the order of the sentence, and start with the subordinate clause:
Żeby zrobić zakupy, muszę jechać do supermarketu.

W PRZYSZŁYM TYGODNIU MAM EGZAMIN
– expressions of time (2)

The preposition **w** here governs the **locative**. (W) **przyszłym tygodniu** is in the **locative**.
Note that **tydzień** is irregular. Only the nominative and accusative cases keep the form **tydzień**. In all the remaining cases there is a stem change.

Przyszły tydzień będzie trudny.
– Kiedy masz egzamin? – **W przyszłym tygodniu.**

Przyszły miesiąc będzie długi.
– Kiedy jest konferencja? – **W przyszłym miesiącu.**

Przyszły rok będzie dla mnie bardzo ważny.
– Kiedy jest sympozjum? – **W przyszłym roku.**

KAŻDY CHCIAŁBY STUDIOWAĆ W PARYŻU
– the pronoun **każdy**

Każdy when used without a noun, means everyone. It is used with the 3rd person singular of the verb.

Każdy **chce** mieć duże mieszkanie.
Każdy **chciałby** studiować w Paryżu.

Każdy with a noun can mean "each" or "every", depending on the context.

Każda asystentka w firmie „Gama" ma komputer.
Każdy profesor ma dużą bibliotekę.
Każde dziecko ma psa albo kota.

COŚ WAŻNEGO?

Note the use of the pronoun **coś** in the following construction:

Czy to **coś ważnego**?
Mam tutaj **coś nowego**.
To jest **coś ciekawego**.

DLATEGO ŻE...

Dlatego że can go at the beginning of the sentence, or between two clauses.

Dlaczego chcesz studiować w Paryżu?
Dlatego że tam jest bardzo wysoki poziom.
Chcę studiować w Paryżu, **dlatego że** tam jest wysoki poziom.

ROZMAWIAMY

TELEPHONE CONVERSATION (2)

– Mówi Alice Harward. Chciałabym rozmawiać z Andrzejem/Czy mogę rozmawiać z Andrzejem?
– Chwileczkę/momencik.

OFFERING DRINKS (2)

– Chcesz kawę?
  – Tak, poproszę/chętnie.
  – Nie, dziękuję.

Careful! This is a very informal form, used only with close friends and family. It's better not to use this form when offering coffee to clients or customers. Remember lesson 4: Czy ma pan/pani ochotę na kawę? A third way of offering drinks is presented in lesson 11.

ĆWICZENIA

1

Write the verbs **rozmawiać** and **zgadzać się**, in the appropriate forms.

rozmawiać

1. Pan Piotr Kowalski .... z asystentką.
2. – Czy (ty) teraz .... z Piotrem? –
   Tak, (ja) .... z Piotrem.
3. – Czy (wy) .... z dzieckiem? –
   Tak, (my) .... z dzieckiem.
4. Ania i Michał nie .... z dzieckiem.

zgadzać się

5. – Czy (ty) .... się na tę propozycję? –
   Tak, (ja) .... na tę propozycję.
6. – Czy (wy) .... na nowe lekcje? –
   Tak, (my) .... – A Ola i Jola?
   – One nie ....
7. Ania nie .... z moją opinią.

---

2 Write the verb **chcieć** in the conditional using the appropriate form e.g.: (Ja) **chciałbym/chciałabym** mieć duży samochód.

masculine singular

1. – Czy (ty) .... pracować w firmie „Lesaffre"?
   – Tak, (ja) bardzo .... tam pracować. Tomek też .... tam pracować.

feminine singular

2. – Wiesz, (ja) .... studiować prawo. A co ty .... studiować? – Nie wiem jeszcze. – Czy wiesz, że Agata też .... studiować prawo? – Naprawdę? – Tak.

virile plural

3. – Ja i moja żona .... mieszkać w Krakowie, ale to jest niemożliwe, dlatego że ja mam dobrą pracę w Warszawie. A wy? Czy (wy) .... mieszkać w Krakowie? – Raczej nie. (My) .... mieszkać w Gdańsku. Ale wiemy, że Patrycja i Maciek .... mieszkać w Krakowie.

non-virile plural

4. – Moja siostra i ja .... mieć większe mieszkanie, ale to jest teraz niemożliwe, bo mieszkania w Warszawie są bardzo drogie. Czy (wy) też .... mieć większe

mieszkanie? – Nie, (my) .... mieć mieszkanie w centrum, ale nie musi być bardzo duże. Wiem, że Ola i Jola .... mieć większe mieszkanie.

Write the verb **być** in the appropriate form of the future tense.

3

1. (Ja) .... u ciebie za godzinę.
2. – Czy (ty) .... w domu dziś wieczorem? – Tak, (ja) .... w domu. – Czy twój brat też .... w domu? – Nie wiem.
3. – Czy (wy) .... tam dzisiaj? – Nie wiemy jeszcze. Może (my) ...., a może nie. Maria i Marek .... na pewno.

Put the nouns in brackets into the accusative, e.g.: Moja siostra studiuje (farmacja) **farmację**.

4

1. Mój brat studiuje (medycyna) ....
2. Nasza starsza córka studiuje (ekonomia) ...., a młodsza (socjologia) ....
3. Czy wasz starszy syn studiuje (informatyka) ...., czy (zarządzanie) ....?
4. Moja siostra studiuje (prawo) ....

Answer the following questions, eg.: Dlaczego chcesz mieszkać w Warszawie? **Dlatego że lubię duże miasta** or: **Chcę mieszkać w Warszawie, dlatego że lubię duże miasta.**

5

1. Dlaczego chciałbyś/chciałabyś mieszkać w Krakowie?

   ....

2. Dlaczego czytasz tę książkę?

   ....

3. Dlaczego chcesz mieszkać w centrum?

....

4. Dlaczego chciałbyś/chciałabyś studiować ekonomię?

....

6

Put the nouns in brackets into the instrumental, e.g.: Ania teraz rozmawia z (Monika) **Moniką**.

1. – Z kim rozmawia twoja żona? – Z (koleżanka) ....
2. – Z kim rozmawiają Piotr i Łukasz? – Z (Michał) ....
   i z (Marek) ....
3. – Z kim rozmawiasz? – Z (Dorota) ....
4. – Z kim masz spotkanie dzisiaj po południu?
   – Z (dyrektor) ....

7

Put the adjectives and pronouns in brackets into the instrumental, e.g.: Mam spotkanie z **moim** szefem.

1. Dziś po południu mam spotkanie z (nowy) ....
   dyrektorem.
2. Monika rozmawia z (nowa) .... asystentką.
3. Dlaczego nie mogę rozmawiać z (moje) ....
   dzieckiem?
4. Chciałbym rozmawiać z (twój) .... szefem.
5. Czy Paweł rozmawia teraz z (moja) .... żoną?
6. Dzisiaj mam spotkanie z (nasza) .... księgową.

8

Write the verbs in brackets in the appropriate forms:

1. Każdy (mieć) .... problemy.
2. Każdy (chcieć) .... mieć dom.
3. Każdy (lubić) .... długie urlopy.

4. Tutaj każdy (mówić) .... po angielsku.

5. Tutaj każdy (znać) .... Beatę.

9

Write these expressions of time using the appropriate preposition and case, e.g.: Dyrektor będzie w biurze **w przyszłym tygodniu**.

1. Muszę dać odpowiedź (przyszły tydzień) ....

....

2. „Don Giovanni" będzie (przyszły miesiąc) ....

....

3. Konferencja będzie (przyszły rok) ....

....

4. Mam spotkanie z klientem (przyszły tydzień) ....

....

11. W RESTAURACJI

Waldek: Chciałbym zaprosić cię na kolację. Znam dobrą restaurację. (Czy) lubisz polską kuchnię?
Alice: Bardzo.

W restauracji "Poezja"

Waldek: Dobry wieczór. Prosimy stolik na dwie osoby.
Kelner: W sali dla palących czy niepalących?
Waldek: (Czy) palisz?
Alice: Nie, nie palę.
Waldek: Dla niepalących.
Kelner: Wolny jest ten stolik i tamten w rogu. (Czy) coś do picia dla państwa?
Alice: Ja poproszę wodę niegazowaną.
Waldek: A ja sok pomidorowy.

Waldek: Na co masz ochotę? Tutaj mają świetny barszcz czerwony.
Alice: Nie lubię barszczu czerwonego, wolę żurek.
Waldek: Proszę bardzo, jest żurek. Mają też świetną kaczkę po polsku z owocami.
Alice: Nie lubię kaczki, wolę kurczaka.
Waldek: A (czy) lubisz ryby?
Alice: Tak, uwielbiam ryby.
Waldek: To może masz ochotę na pstrąga z warzywami?
Alice: O tak, to dobry pomysł.
Waldek: Z czym? Z ryżem czy z ziemniakami?
Alice: Z ryżem. A ty co zamawiasz?
Waldek: Pieczony schab ze śliwkami.

11. IN THE RESTAURANT

Waldek: I'd like to invite you for to dinner. I know a good restaurant. Do you like Polish food?
Alice: Very much.

In the restaurant "Poezja"

Waldek: Good evening. We'd like a table for two people.
Waiter: For smokers or non smokers?
Waldek: Do you smoke?
Alice: No, I don't smoke.
Waldek: For non smokers.
Waiter: This table is free, and that one in the corner. Something to drink?
Alice: I'll have still mineral water.
Waldek: Tomato juice for me.

Waldek: What do you fancy? They have excellent red borscht here.
Alice: I don't like red borscht, I prefer żurek.
Waldek: Why not have the żurek? They have it. They also have excellent duck Polish style with fruit.
Alice: I don't like duck, I prefer chicken.
Waldek: And do you eat fish?
Alice: Yes, I adore fish.
Waldek: Do you fancy the trout with vegetables?

Alice: Oh yes, good idea.
Waldek: What with? With rice or with potatoes?
Alice: With rice. And what are you ordering?
Waldek: Roast pork cutlet with plums.

Kelner:	Co dla państwa?
Alice:	Ja poproszę pstrąga z warzywami i z ryżem.
Waldek:	A dla mnie pieczony schab ze śliwkami. (Czy) napijesz się wina?
Alice:	Chętnie.
Waldek:	Poproszę kartę win. Jakie wino pan poleca?
Kelner:	Polecam Chablis.
	(*po chwili*)
Alice:	Wiesz, dostałam stypendium w Paryżu. Nauki polityczne na Sorbonie.
Waldek:	Świetna wiadomość. Gratuluję! Studiować nauki polityczne i to w Paryżu! Ja też chciałbym tam studiować.
Alice:	Naprawdę?
Waldek:	Czy mogę odwiedzić cię w Paryżu? W końcu to nie jest tak daleko.
Alice:	Oczywiście!
Waldek:	Kiedy zaczynasz?
Alice:	Za pół roku.
Waldek:	No to mamy jeszcze czas.
Alice:	Na co mamy czas?
Waldek:	Na przykład na rozmowy o kinie. (Czy) często chodzisz do kina?
Alice:	Tak, dość często, dwa albo trzy razy w tygodniu.
Waldek:	To nie jest dość często, tylko bardzo często! A do teatru?
Alice:	Nie mam odwagi.
Waldek:	Z twoim językiem polskim? Chyba żartujesz! Już wiem! W sobotę idziemy do teatru! Co ty na to?

Waiter: What are you having?
Alice: I would like trout with vegetables and rice.
Waldek: And roast pork cutlet with plums for me. Would you like some wine?
Aalice: I'd love some.
Waldek: Could we have the wine list, please. What wine do you recommend?
Waiter: I recommend a good Chablis.

(*a moment later*)

Alice: Do you know what, I've won a scholarship to Paris. Political science, at the Sorbonne.
Waldek: Excellent news. Congratulations! To study political science and in Paris too! I'd like to study there too.
Alice: Really?
Waldek: Can I visit you in Paris? After all, it's not so far.

Alice: Of course.
Waldek: When are you starting?
Alice: In six months.
Waldek: So we've still time then.
Alice: We've time for what?
Waldek: Talking about the cinema, for example. Do you often go to the cinema?
Alice: Yes, quite often, two or three times a week.

Waldek: That's not quite often, but very often. And to the theatre?
Alice: I don't have the courage.
Waldek: With your Polish? You must be joking! I know! On Saturday we'll go to the theatre. How does that sound?

SŁOWNICTWO

barszcz *m* type of soup
 barszcz czerwony beetroot soup
chodzić (chodzę, chodzisz) to go
coś do picia something to drink
często *adv* often
dla for
dostać (*perfective verb*, see lesson 12) to get, to receive
 dostałam stypendium I've won a scholarship
frytki *pl* French fries, chips
gratulować (gratuluję, gratulujesz) + *dat* congratulate
kaczka *f* duck
kanapka *f* sandwich
karta *f* **win** wine list
koniec *m* end
 w końcu in the end (*here* after all)
kuchnia *f* kitchen, cooking, food
kurczak *m* chicken
napić się (*perfective verb*, see lesson 12) + *gen* to have a drink
 czy napijesz się wina? are you having (i.e. would you like) some wine
niepalący non-smokers
 dla niepalących for non-smokers
o about
oczywiście of course
odwaga *f* courage
osoba *f* person
palić (palę, palisz) + *acc* to smoke

palący smokers
dla palących for smokers
pieczony, -a, -e *adj* roast, baked
polecać (polecam, polecasz) + *dat* + *acc* to recommend
polski, -a, -e *adj* Polish
pomysł *m* idea
przykład *m* example
na przykład for example
pstrąg *m* trout
raz *m* time
trzy razy three times
rekrutacja *f* recruitment
rozmowa *f* conversation
róg *m* corner
w rogu in the corner
ryba *f* fish
sala *f* room
schab *m* pork loin
stolik *m* table (in a restaurant)
uwielbiać (uwielbiam, uwielbiasz) + *acc* to adore
warzywa *pl* vegetables
wolny, -a, -e *adj* free, unoccupied
zaczynać (zaczynam, zaczynasz) + *acc* to begin, start
zamawiać (zamawiam, zamawiasz) + *acc* to order
zaprosić (*perfective verb*, see lesson 12) + *acc* + **na** + *acc* to invite
chciałbym zaprosić cię na kolację I would like to invite you
żartować (żartuję, żartujesz) + **z** + *gen* to joke
żurek *m* soup made from fermented rye

MIĘSO I RYBY meat and fish

drób: poultry:
indyk *m* turkey
kaczka *f* duck
kurczak *m* chicken

baranina *f* mutton
cielęcina *f* veal
jagnięcina *f* lamb
wieprzowina *f* pork
wołowina *f* beef

ryby: fish:
łosoś *m* salmon
pstrąg *m* trout
sola *f* sole
śledź *m* herring
tuńczyk *m* tuna

POTRAWY dishes

barszcz biały *m* white broth
barszcz czerwony *m* beetroot soup
bigos *m* traditional Polish dish with sauerkraut and meat
kopytka *pl* small potato dumplings
kotlet schabowy *m* pork cutlet in breadcrumbs
pieczeń cielęca *f* roast veal

pieczeń jagnięca *f* roast lamb
pieczeń wieprzowa *f* roast pork
pieczeń wołowa *f* roast beef
pierogi *pl* small hollow dumplings
  pierogi z kapustą i grzybami small hollow dumplings filled with cabbage and mushrooms
  pierogi z serem small hollow dumplings filled with cheese
udziec barani *m* leg of mutton
zupa cebulowa *f* onion soup
zupa grzybowa *f* mushroom soup
zupa jarzynowa *f* vegetable soup
zupa kalafiorowa *f* cauliflower soup
zupa ogórkowa *f* pickled cucumber soup
zupa pieczarkowa *f* (field) mushroom soup
zupa pomidorowa *f* tomato soup
żurek *m* soup made from fermented rye

GRAMATYKA

NIE LUBIĘ KACZKI – the genitive case

If a noun functioning as the direct object in an affirmative sentence appears in the accusative case, in the negative form of the sentence it usually takes take the genitive.
Lubię **sok**. (accusative) Nie lubię **soku**. (genitive)
Piję **kawę**. (accusative) Nie piję **kawy**. (genitive)
Mam **biuro**. (accusative) Nie mam **biura**. (genitive)

Genitive endings of nouns:

masculine animate	
-a	(Adam, szef, brat, pies, kot) Nie lubię Adam**a**, szef**a**, brat**a**. Nie mam ps**a**, kot**a**.
masculine inanimate	
-u	(ryż, jogurt, makaron) Nie lubię ryż**u**, jogurt**u**, makaron**u**.
feminine	
-y/-i	(zupa, Agata, Ania, Basia, kaczka, sałatka) Nie lubię zup**y**, Agat**y**. Nie znam An**i**, Bas**i**. Nie lubię kaczk**i**, sałatk**i**.

neuter	
-a	(piwo, wino, mieszkanie) Nie lubię piw**a**, win**a**. Nie mam mieszkani**a**.

If however the direct object in an affirmative sentence appears in another case, e.g. the instrumental, the same case is kept in negative sentences, e.g.:

Interesuję się **polityką**. Nie interesuję się **polityką**.

So we can see that there is a relationship between accusative and genitive for nouns functioning as the direct object.

Genitive endings of adjectives and pronouns:

masculine animate and masculine inanimate	
-ego	(**nowy** dyrektor) Nie znam jeszcze now**ego** dyrektora. (**nowy** dom) Nie mam jeszcze now**ego** domu.
feminine	
-ej	(**nowa** asystentka) Nie znam jeszcze now**ej** asystentki.
neuter	
-ego	(**nowe** biuro) Nie znam jeszcze nowego biura.

(**ten twój nowy** dyrektor) Nie znam t**ego** twoj**ego** now**ego** dyrektora.
(**ten twój nowy** dom) Nie znam jeszcze t**ego** twoj**ego** now**ego** domu.
(**ta moja nowa** koleżanka) Nie lubię t**ej** moj**ej** now**ej** koleżanki.
(**to wasze małe** dziecko) Nie pamiętam t**ego** wasz**ego** mał**ego** dziecka.

POPROSZĘ KACZKĘ Z OWOCAMI
– the plural of the instrumental

The preposition **z** governs the **instrumental**. We already know the instrumental of nouns in the singular:

Rozmawiam **z** Andrzej**em**. (see lesson 10)

It is easy to remember the instrumental plural ending, as it is the same for all genders:

-ami	(ziemniaki) kurczak z ziemniak**ami** (owoce) kaczka z owoc**ami** (warzywa) pstrąg z warzyw**ami**

Note that a small group of nouns have the ending **-mi**, e.g.: dzieci – dziećmi, ludzie – ludźmi, bracia – braćmi.
Instrumental plural endings of adjectives and pronouns are the same for all genders:

-ymi/-imi	(**nowe**, **tanie** komputery) Interesuję się now**ymi**, tan**imi** komputerami. (**nowe**, **tanie** oferty) Magda interesuje się now**ymi**, tan**imi** ofertami. (**nowe**, **tanie** biura) Interesujemy się now**ymi**, tan**imi** biurami.

(**te nasze nowe** komputery) Pan Kubiak interesuje się t**ymi** nasz**ymi** now**ymi** komputerami.
(**te nasze nowe** asystentki) Piotr interesuje się t**ymi** nasz**ymi** now**ymi** asystentkami.
(**te nasze nowe** biura) Firma „Modem" interesuje się t**ymi** nasz**ymi** now**ymi** biurami.

POLSKI, NIEMIECKI, ANGIELSKI – adjectives

Adjectives created from the names of countries end in **-ski** or **-cki** (and rarely **-dzki**).

Polska – **polski** chleb, **polska** wódka, **polskie** piwo
Niemcy – **niemiecki** chleb, **niemiecka** kiełbasa, **niemieckie** piwo
Irlandia – **irlandzki** chleb, **irlandzka** muzyka, **irlandzkie** piwo

Anglia, angielski, -a, -e
Chiny, chiński, -a, -e
Czechy, czeski, -a, -e
Francja, francuski, -a, -e
Hiszpania, hiszpański, -a, -e
Japonia, japoński, -a, -e
Litwa, litewski, -a, -e
Niemcy, niemiecki, -a, -e
Polska, polski, -a, -e
Rosja, rosyjski, -a, -e
Słowacja, słowacki, -a, -e
Stany Zjednoczone, amerykański, -a, -e
Ukraina, ukraiński, -a, -e
Wielka Brytania, brytyjski, -a, -e
Włochy, włoski, -a, -e

W SOBOTĘ IDZIEMY DO TEATRU – do, dla
– prepositions with the genitive

The prepositions **do**, **dla** govern **the genitive case.**

Rano idę **do** sklep**u**.
Nie chodzę **do** oper**y**.
Dzisiaj nie idę **do** biur**a**.
– Co **dla pana**? Co **dla pani**? – **Dla mnie** pstrąg z warzywami.

THE VERB **CHODZIĆ** – the present tense

singular		plural	
ja	chodz**ę**	my	chodz**imy**
ty	chodz**isz**	wy	chodz**icie**
on (pan) ona (pani) ono	chodz**i**	oni (panowie, państwo) one (panie)	chodz**ą**

We already know the verb **iść** (to go), which is used for single actions. The verb **chodzić** is used instead of **iść**, when we are talking about repeated or regular actions. It can appear on its own or with adverbs of frequency (**często, zwykle, zawsze, nigdy, czasami, od czasu do czasu**).

Nie chodzę do restauracji.
Często chodzę do kina.
Rzadko chodzę do kina.
Nigdy nie chodzę do kina.

DWA RAZY W TYGODNIU – expressions of time (3)

Jak często chodzisz do pubu? **Trzy razy w tygodniu.**
Czy często chodzisz do opery? Nie. **Raz w roku.**
Czy często chodzicie do kina? Rzadko. **Raz w miesiącu.**

ROZMAWIAMY

CONGRATULATIONS

– Dostałam stypendium.
– Gratuluję!/Moje gratulacje!

INVITATIONS

Chciałbym zaprosić cię na kolację.
Zapraszam cię na kawę. (lesson 5)

IN THE RESTAURANT

1. Asking for a table:
   Proszę stolik na dwie osoby.
   Proszę stolik dla dwóch osób.
   Prosimy stolik dla czterech osób.
   Czy jest wolny stolik?
2. Deciding what to eat:
   Na co masz ochotę?
   Czy masz ochotę na barszcz czerwony?
   Co zamawiasz?
   Co pan poleca? (to the waiter)
3. Recommending a dish:
   Tutaj mają świetny barszcz.
   Tutaj podają świetną kaczkę.
   Polecam pstrąga.
4. Ordering:
   Poproszę kaczkę z owocami.
   Dla mnie kaczka z owocami.

OFFERING DRINKS (3)

– Czy napijesz się kawy (herbaty)?
  – Bardzo chętnie/Tak, poproszę.
  – Nie, dziękuję.

Czy pan/pani napije się kawy (herbaty)?
– Czego się napijesz? – Poproszę kawę.
– Czego się pan/pani napije? – Poproszę herbatę.
Note that the verb **napić się** governs the genitive.

ĆWICZENIA

1

Put the verb **zaczynać** into the appropriate form.

1. – Kiedy (wy) .... rekrutację? –
   (My) .... rekrutację za miesiąc.
2. – Kiedy (ty) .... nowy projekt? –
   (Ja) .... nowy projekt w przyszłym tygodniu.
3. – Kiedy pan .... pracę? –
   (Ja) .... pracę w przyszłym miesiącu.
4. – Kiedy nasze nowe asystentki .... pracę? –
   Chyba w przyszłym tygodniu.

2

Write the verb **chodzić** in the appropriate form.

1. – Czy (wy) często .... do kina? – Tak, (my) dość
   często .... do kina, 2 razy w tygodniu.
2. – A ty? Czy (ty) często .... do kina? – Nie, rzadko.
   Mój mąż często .... do kina. Ja wolę ....
   do teatru. (Ja) .... do teatru dwa razy w miesiącu.
3. Nasze dzieci często .... do kina.

3

Put the words in brackets into the accusative, e.g.: (kawa) Mam ochotę na **kawę**.

1. – Na co masz ochotę? – Mam ochotę na (kurczak) ....
   – A ja mam ochotę na (kaczka) ....

2. – Na co pani ma ochotę? – Mam ochotę na (zupa pomidorowa) ....

3. – Co zamawiasz? – (Zupa cebulowa) .... i (befsztyk) .... z ziemniakami.

4. – Na co państwo mają ochotę? – Ja mam ochotę na (łosoś) .... – A ja na (sola) ....

4 Choose a suitable adjective and write it in its appropriate form, e.g.: Lubię **włoską** kuchnię.

polski, francuski, włoski, amerykański, irlandzki

1. Wolę .... pizzę niż ....
2. Czy (ty) lubisz .... kuchnię?
3. Czy pan zna .... restaurację w Warszawie?
4. Znam dobry .... pub.
5. Czy państwo czytają literaturę ....?
6. Czy państwo znają .... operę?

5 Write in the appropriate preposition: **dla**, **na**.

1. Chciałbym zaprosić cię .... kolację.
2. – Coś do picia .... państwa? – .... mnie sok, a .... mnie woda niegazowana.
3. Prosimy stolik .... dwie osoby.
4. Teraz mamy czas .... kawę.

6 Put the nouns in brackets into the genitive, e.g.: (wino) Nie lubię **wina**.

1. (sok) Lubię sok. Nie lubię ....
2. (kawa) Rano piję kawę. Rano nie piję ....
3. (piwo) Adam lubi piwo. Adam nie lubi ....
4. (historia) Piotr interesuje się historią. Piotr nie interesuje się ....

5. (Adam) Tomek zna Adama. Tomek nie zna ....
6. (Ewa) Monika i Ania pamiętają Ewę. Monika i Ania nie pamiętają ....
7. (mieszkanie) Sylwek chce mieć mieszkanie. Sylwek nie chce mieć ....

7

Put the nouns in brackets into the genitive, e.g.: Nie lubię **jogurtu**.

1. Nie mam (czas) ...., (dom) ...., (samochód) ....
2. Nie pamiętam (Agata) ...., (Beata) ...., (Magda) ....
3. (My) nie lubimy (Agnieszka) ...., (Monika) ...., (Dominika) ....
4. Nie znam (Kasia) ...., (Basia) ...., (Ania) ....
5. Nie pamiętamy (Adam) ...., (Piotr) ...., (Krzysztof) ....
6. Nie lubię (Czarek) ...., (Marek) ...., (Darek) ....
7. Nie lubię (łosoś) ...., (pstrąg) ...., (kurczak) ....

8

Put the nouns in brackets into the genitive, e.g.: Idę do (biuro) **biura**.

1. Za 5 minut idę do (sklep) ....
2. Muszę iść do (apteka) ....
3. Często chodzę do (teatr) ....
4. W piątki chodzę do (kino) ....
5. Zawsze w weekend chodzimy z mężem/z żoną do (opera) ....
6. Nigdy nie chodzę do (galeria) ....

9 Put the adjectives in brackets into the genitive, e.g.: Piotr nie lubi (zielona) **zielonej** herbaty.

1. Nie lubię zupy (pomidorowa) ....
2. Moja dziewczyna nie lubi (białe) .... wina.
3. Nasze dzieci nie lubią barszczu (czerwony) ....
4. Moja żona nie lubi zupy (cebulowa) ....
5. Mój mąż nie lubi (japońska) .... kuchni, a mój syn nie lubi (francuska) .... kuchni.

10 Answer the following questions, e.g.: Jak często chodzisz do muzeum na wystawę? – **Raz w miesiącu**.

1. Jak często chodzisz do kina? ....
2. Jak często państwo chodzą do opery? ....
3. Jak często pan/pani chodzi do teatru? ....
4. Jak często chodzicie do dyskoteki? ....
5. Jak często pan/pani chodzi do pubu? ....

11 Put the nouns in brackets into the instrumental, e.g.: (cytryna) Piję herbatę z **cytryną**.

1. – Co dla państwa? – Poproszę kaczkę. – Z czym? – Z (ryż) .... i (owoce) .... – A ja poproszę kotlet schabowy z (frytki) .... i z (sałatka) ....
2. – Co podać? – Dla mnie pstrąg. – Z czym? – Z (warzywa) .... – A dla pana? – Dla mnie indyk z (ziemniaki) .... i (pomidory) ....
3. – Co zamawiasz? – Zamawiam zupę pomidorową z (makaron) .... A ty co zamawiasz? – Pierogi z (kapusta) .... i (grzyby) ....

Complete the dialogue, using the structures and words that you have learned in this lesson.

W restauracji

A: Dobry wieczór. Prosimy .... na dwie osoby.

B: W sali dla palących czy niepalących?

A: ....

B: (Czy) coś do picia dla państwa?

A: Ja .... wodę niegazowaną.

B: A ja ....

A: Na co masz ....? Tutaj .... świetną kaczkę po polsku z owocami

B: O tak, to dobry pomysł.

A: Z czym? Z ...., czy z ....?

B: Z ryżem. A ty co ....?

A: Pstrąga z warzywami. (Czy) .... wina?

B: Chętnie.

Polish cooking

It is a simplification to say that the Polish culinary tradition consists exlusively of bigos, kotlet schabowy and pierogi z kapustą. Bigos was traditionally a hunters' dish, and pierogi come from the tradition of peasant cooking. But there was also the rich tradition of kuchnia szlachecka, that is the food that was served to the nobles and the gentry in their country manors. This tradition included exquisite dishes made with game, fish and poultry. We can find descriptions of these sumptuous feasts in country houses (typically known as "dwór") in Adam Mickiewicz's "Pan Tadeusz". Poland has a centuries-old tradition of extended sessions of feasting and conviviality at the table.

12. ROZMAWIAMY PRZEZ TELEFON

W życiu ważna jest systematyczność. Waldek codziennie musi dzwonić do szefa. Dziś też musi do niego zadzwonić. Często musi pisać raporty. Dziś też musi napisać raport. Co miesiąc musi zamawiać wodę mineralną. W ten piątek też musi zamówić wodę mineralną. Rzadko ma ochotę robić zakupy, ale dziś ma pustą lodówkę, więc musi zrobić zakupy.

Waldek rozmawia przez telefon

Waldek: Dzień dobry, chciałbym zamówić wodę mineralną.
Pani: To pomyłka.

Waldek: Czy to firma „Minerały"?
Recepcjonistka: Tak.
Waldek: Chciałbym zamówić wodę mineralną.
Recepcjonistka: Na kiedy?
Waldek: Na poniedziałek.
Recepcjonistka: Dobrze, nasz pracownik będzie u pana w poniedziałek.

Waldek: Dzień dobry, mówi Jaworski. Czy mogę rozmawiać z Tomaszem Kołeckim?
Asystentka: Przepraszam, z kim?
Waldek: Z Tomaszem Kołeckim.
Asystentka: Niestety, nie ma go teraz w biurze. Czy coś przekazać?
Waldek: Proszę powiedzieć, że Waldek Jaworski prosi o telefon. To pilne.
Asystentka: Jaki jest pana numer telefonu?
Waldek: 8567646, komórkowy: 0601234567.
Asystentka: Dziękuję bardzo. Do widzenia.

12. ON THE TELEPHONE

In life it's important to be systematic. Waldek has to phone his boss everyday. Today he also has to call him. He often has to write reports. Today he also has to write a report. Every month he has to order mineral water. This Friday he also has to order some mineral water. He doesn't often feel like doing the shopping, but today he has an empty fridge, so he has to do some shopping.

Waldek is speaking on the phone

Waldek:	Good day, I'd like to order some mineral water.
Woman:	Sorry, wrong number.

Waldek:	Is that "Minerały"?
Receptionist:	Yes.
Waldek:	I'd like to order some mineral water.
Receptionist:	When for?
Waldek:	For Monday.
Receptionist:	O.K. It'll be with you on Monday.

Waldek:	Waldek Jaworski speaking. Could I speak to Tomasz Kołecki?
Personal assistant:	Sorry, with whom?
Waldek:	With Tomasz Kołecki.
Personal assistant:	Unfortunately, he's not in the office right now. Can I give him a message?
Waldek:	Please tell him that Waldek Jaworski asks him to call. It's urgent.
Personal assistant:	What's your telephone number?
Waldek:	8567646, mobile 0601234567.
Personal assistant:	Thank you very much. Goodbye.

Dwie godziny później Tomek dzwoni do Waldka

Tomek:	Cześć, stary. Jaką masz sprawę do mnie?
Waldek:	Wiesz, mam problem. Mój samochód jest u mechanika, a ja muszę dziś...
Tomek:	Rozumiem, chcesz pożyczyć mój samochód. Dobrze, ale tylko na trzy, cztery godziny.
Waldek:	Dzięki, stary.
Tomek:	Nie ma sprawy.

Sekretarka automatyczna w mieszkaniu Alice i Basi:

	Dzień dobry, mówi Alice Harward. Niestety, nie ma mnie teraz w domu. Proszę zostawić wiadomość po długim sygnale.
Andrzej:	Cześć, Alice, to ja, Andrzej. Co u ciebie słychać? Dlaczego nie odpowiadasz na moje telefony? Czy możesz zadzwonić do mnie dziś wieczorem? Mam bilety do opery. Czekam, cześć.

Two hours later Tomek calls Waldek

Tomek:	Hello, old chap! What can I do for you?
Waldek:	Well, I have a problem. My car is at the garage and today I have to…
Tomek:	I understand, you want to borrow my car? All right, but only for three or four hours.
Waldek:	Thanks, old chap!
Tomek:	No problem.

Answering machine: in Alice's and Basia's flat:

	Hello, Alice Harward speaking. Unfortunately, I'm not at home right now. Please leave a message after the long tone.
Andrzej:	Hello, Alice. It's me, Andrzej. How are you? Why haven't you been answering my calls? Can you call me this evening? I've got tickets for the opera. Bye till then.

SŁOWNICTWO

bałagan *m* mess
chory, -a, -e *adj* sick, ill
codziennie *adv* everyday, daily
co miesiąc every month
dzięki thanks
dzwonić *imperf* **(dzwonię, dzwonisz), zadzwonić** *perf* **(zadzwonię, zadzwonisz) + do** + *gen* to call, phone, ring
koło by, next to
  koło domu near home
lodówka *f* fridge
mechanik *m* mechanic
mówić *imperf* **(mówię, mówisz), powiedzieć** *perf* **(powiem, powiesz) +o** + *loc* to say, tell
napisać *perf* see **pisać**
odpowiadać *imperf* **(odpowiadam, odpowiadasz), odpowiedzieć** *perf* **(odpowiem, odpowiesz) + na +** *acc* to answer, reply
pełny, -a, -e *adj* full

pisać *imperf* **(piszę, piszesz), napisać** *perf* **(napiszę, napiszesz)** + *acc* to write
pomyłka *f* mistake (*here* wrong number)
powiedzieć *perf* see **mówić**
pożyczać *imperf* **(pożyczam, pożyczasz), pożyczyć** *perf* **(pożyczę, pożyczysz)** + *acc* + *dat* to lend, borrow
pracownik *m* employee, worker
pusty, -a, -e *adj* empty
przekazywać *imperf* **(przekazuję, przekazujesz), przekazać** *perf* **(przekażę, przekażesz)** + *acc* + *dat* to pass on, hand over
czy coś przekazać? Is there any message?
raport *m* report
rzadko *adv* rarely
sprawa *f* business, affair
mieć sprawę (do kogoś) to have business (with sb)
nie ma sprawy it's nothing
systematyczność *f* regularity, method
systematyczny, -a, -e *adj* systematic, methodical
więc so, therefore
zadzwonić *perf* see **dzwonić**
zostawiać *imperf* **(zostawiam, zostawiasz), zostawić** *perf* **(zostawię, zostawisz)** + *acc* to leave
proszę zostawić wiadomość po długim sygnale please leave a message after the long tone
życie *n* life

GRAMATYKA

DZWONIĆ, ZADZWONIĆ – imperfective and perfective verbs

Waldek teraz pisze raport.
Waldek często pisze raporty.
Dziś też musi napisać raport.

Polish has a system of pairs of related verbs. Many Polish verbs appear in a perfective form as well as the imperfective form (the form that we have been using so far, which is normally used when speaking about the present – **pisać**). The imperfective is also used when speaking about continuous, repeated, extended or lasting actions in the past and in the future. The perfective form is used when speaking about single, complete actions in the past and in the future. In the example above **pisać** is the imperfective form, and **napisać** is the perfective form.

Waldek codziennie musi **dzwonić** do szefa. (imperfective verb)
Dziś też musi **zadzwonić** do szefa. (perfective verb)

Let's look at some of the verbs we have met in this lesson.

I The perfective is most often formed with the help of prefixes:

dzwonić – zadzwonić
pisać – napisać
robić – zrobić
rozmawiać – porozmawiać
czekać – zaczekać/poczekać

II In some verbs, the change is in the infinitive ending, or within the stem itself.

pożyczać – pożyczyć
przekazywać – przekazać
zamawiać – zamówić
zostawiać – zostawić
odpowiadać – odpowiedzieć
mówić – powiedzieć

Notice that in the last example the two stems are completely different.

III Not all imperfective verbs have perfective equivalents, e.g.:

chcieć —
mieć —
móc —
musieć —
mieszkać —
pracować —

In this and the next few lessons, perfective verbs will only be presented in the infinitive, in constructions such as:

Muszę napisać raport dziś po południu.
Nie mogę zadzwonić do ciebie jutro rano.
Chciałbym zamówić pizzę dzisiaj wieczorem.

In these examples the infinitive of the perfective is used with modal verbs to talk about the present or near future.
Later on we will learn how to use perfective verbs in the past (lessons 18–20) and future (lesson 21) tenses. Perfective verbs do not have a present tense.

From the next lesson all verbs in the słownictwo section will be given in both their imperfective and perfective forms.
As there are no rules for creating perfective verbs, you will need to learn verbs in their respective pairs, as you meet them.

Here are all the verbs which have been used so far in the course, in their imperfective form with their perfective equivalents:

I

imperfective verb	perfective verb
czekać	poczekać/zaczekać
czytać	przeczytać
dziękować	podziękować
dzwonić	zadzwonić
gotować	ugotować
grać	zagrać
informować	poinformować
interesować się	zainteresować się
inwestować	zainwestować
iść	pójść
jechać	pojechać
jeść	zjeść
kończyć	skończyć
lubić	polubić
narzekać	ponarzekać
palić	wypalić
pić	wypić
pisać	napisać
płacić	zapłacić

pływać	popływać
produkować	wyprodukować
pytać	zapytać
radzić	poradzić
robić	zrobić
rozmawiać	porozmawiać
rozumieć	zrozumieć
sprzątać	posprzątać
tańczyć	zatańczyć
znać	poznać

II

imperfective verb	perfective verb
dawać	dać
odpowiadać	odpowiedzieć
odwiedzać	odwiedzić
oglądać	obejrzeć
pożyczać	pożyczyć
przekazywać	przekazać
przepraszać	przeprosić
spędzać	spędzić
spotykać się	spotkać się
wyjeżdżać	wyjechać
zaczynać	zacząć
zakładać	założyć
załatwiać	załatwić
zapraszać	zaprosić
zarabiać	zarobić
zgadzać się	zgodzić się
zmieniać	zmienić
mówić	powiedzieć
widzieć	zobaczyć

III

imperfective verb	perfective verb
chcieć	—
mieć	—
mieszkać	—
musieć	—
móc	—
pracować	—
wiedzieć	—

With adverbs of frequency (często, rzadko, nigdy, etc.) the imperfective is usually used:

Często dzwonię do mamy.
Rzadko piszę raporty.
Codziennie czytam gazety.

PROSZĘ + INFINITIVE

Remember this construction from lesson 4. We use this polite form when asking people we would address as pan/pani/państwo to do something. If we are on first name terms with someone however, we use the imperative form of the verb, which will be presented in lesson 22.

Proszę powiedzieć, że spotkanie z panią prezes będzie w piątek.
Proszę zostawić wiadomość.
Proszę zadzwonić za godzinę.

NIE MA MNIE – the genitive of personal pronouns

Like nouns, personal pronouns (ja, ty, on), functioning as the direct object in negative sentences appear in the genitive.

Nie rozumiem **cię**.
Piotr nie rozumie **mnie**.

The genitive case of personal pronouns:

singular		plural	
nominative	**genitive**	**nominative**	**genitive**
ja	**mnie**	my	**nas**
ty	**cię**	wy	**was**
on	**go**	oni	**ich**
ona	**jej**	one	**ich**
ono	**go**		

In affirmative sentences about the existence or presence of somebody or something, the verb **być** is used in its normal personal forms (ja **jestem** w domu, Adam **jest** w biurze).
However in negative sentences of this type the construction is changed:
Nie ma mnie teraz w domu, **nie ma Adama** w biurze.
Note that here the 3rd person singular of the verb **mieć** – **nie ma** is used, with the genitive of the noun or pronoun.
People learning Polish might find this rather strange at first, but it is just how Poles speak.

– Czy jest Monika? – **Nie ma jej** teraz w domu.
– Czy jest Adam? – **Nie ma go** w biurze.
– Czy jesteś dziś w biurze? – **Nie ma mnie** dzisiaj.
– Czy Piotr i Magda są dzisiaj w pracy? – **Nie ma ich** dzisiaj.

We also use personal pronouns in the genitive after the prepositions **do**, **dla**, **od**.
However after the prepositions, personal pronouns appear in a stressed form (which is often longer than the unstressed form).

Nie rozumiem **cię**. Muszę zadzwonić **do ciebie**.
Nie ma **mnie**. Proszę zadzwonić **do mnie**.
Nie ma **go** w biurze. Proszę zadzwonić **do niego**.
Nie ma **jej**. Proszę zadzwonić **do niej**.

Nie rozumiesz **nas**. Czy możesz napisać **do nas** list?
Nie rozumiem **was**. Muszę napisać **do was** list.
Nie rozumiem **ich**. Muszę napisać **do nich** list.

CHCIAŁBYM ZAMÓWIĆ WODĘ NA WTOREK

When specifying a time with the verbs **zamówić** and **zarezerwować**, we use the construction **na + accusative**.

Chciałbym **zamówić** wodę **na** piątek.	I (*m*) would like to order some water for Friday.
Chciałabym **zarezerwować** stolik **na** sobotę.	I (*f*) would like to reserve a table for Saturday.

ROZMAWIAMY

TELEPHONE CONVERSATION (3)

– Słucham? – Czy to firma „Logo"? – To pomyłka.	Hello! Is that "Logo"? It's the wrong number.
– Mówi Adam Kubiak/Mówi Adam Kubiak z firmy „Kontakt".	It's Adam Kubiak speaking/It's Adam Kubiak from "Kontakt" speaking.
Czy mogę rozmawiać z... (instrumental)?/Chciałabym rozmawiać z... (instrumental)	Can I speak to.../I would like to speak to...
– Proszę poczekać/chwilę/chwileczkę/moment.	Please hold on for a moment.
– Czy mogę zostawić wiadomość?	Can I leave a message?
– Proszę zostawić wiadomość.	Please leave a message.
– Czy coś przekazać?	Can I take a message?
– Proszę przekazać/powiedzieć, że...	Please give (him) a message that (*lit.* tell him that...)
– Proszę zadzwonić za godzinę /w przyszłym tygodniu.	Please call (back) in an hour/next week.

ĆWICZENIA

Choose a suitable verb and write in the appropriate form of the infinitive, imperfective or perfective: **dzwonić/zadzwonić; pisać/napisać; czytać/przeczytać; czekać/poczekać; płacić/zapłacić; zamawiać/zamówić.**

1

1. Magda jest dyrektorem. Często musi .... raporty. Dzisiaj musi .... cztery raporty.
2. Piotr chce dziś........................... do matki. On chciałby dwa albo trzy razy w tygodniu .... do niej.
3. Adam mieszka sam i nigdy nie gotuje. Często musi .... pizzę do domu. Dzisiaj jak zwykle ma pustą lodówkę i musi .... pizzę.
4. Kasia chce być dziennikarką. Chce .... artykuły do popularnej gazety. Dzisiaj ona chce .... pierwszy artykuł.
5. Dzisiaj idę z chłopakiem do teatru. Za pół godziny jest spektakl, a on mówi do mnie: „Czy możesz .... na mnie 10 minut? Muszę coś zjeść". Zawsze muszę na niego ....
6. Michał lubi chodzić do restauracji, ale nie lubi .... za kolację. Dzisiaj jest z dziewczyną i musi .... za kolację.

Write in the infinitive of the related perfective verbs for the imperfective verbs given, e.g.: Rzadko **robię** zakupy. Dziś muszę **zrobić** zakupy.

2

1. Często dzwonię do koleżanki. Dzisiaj też chcę do niej ....
2. Zawsze to ja płacę za kolację. Czy możesz ty dzisiaj ....?

3. Nie lubię czekać. Niestety, dzisiaj muszę .... na koleżankę.
4. Jestem policjantem, muszę pisać raporty. Jutro muszę .... raport.
5. Lubię robić zakupy w centrum. Dziś wieczorem też chcę .... zakupy w centrum.
6. Raz w miesiącu zamawiam wodę mineralną. W tym tygodniu muszę .... wodę mineralną.
7. Codziennie wieczorem czytam książkę. W ten weekend chcę .... nową ciekawą książkę.

3 Choose a suitable expression of time: **rzadko, od czasu do czasu, często, zwykle** albo: **w tym tygodniu, w weekend, dziś, w sobotę, jutro rano, jutro po południu.**

1. .... rozmawiam z siostrą. .... też chciałabym porozmawiać z siostrą.
2. Chciałbym .... spotkać się z koleżanką. .... się spotykam z koleżanką.
3. Mam w domu bałagan. .... muszę posprzątać mieszkanie. Moja koleżanka mówi, że ja za .... sprzątam mieszkanie.
4. .... daję pieniądze na zakupy. .... też muszę dać pieniądze.
5. Czy możesz .... zapytać szefa, kiedy jest spotkanie? .... ja pytam szefa, kiedy mamy spotkanie.
6. .... zapraszam Monikę do kina. .... chciałbym zaprosić ją do opery.
7. Chciałbym .... zjeść zupę. Ostatnio .... jem zupę.

Put the words in brackets into the genitive. **4**

1. Muszę dzisiaj zadzwonić do (Agata) ....
2. Czy chcesz teraz zadzwonić do (mama) ....?
3. Chciałabym zadzwonić do (syn) ....
4. Czy chciałbyś zadzwonić do (żona) ....?

Write in personal pronouns in the genitive, e.g.: **mnie, do mnie; cię, dla ciebie**, etc. **5**

1. (ty) – Czy ty mnie rozumiesz? – Nie rozumiem .... – Czy będziesz w domu dziś wieczorem? – Tak, będę. – Czy mogę zadzwonić do ....? Mam ważną sprawę.
2. (on) – Czy Adam jest teraz w domu? – Nie ma .... teraz. – Czy mogę zadzwonić do .... za godzinę?
3. (ona) – Czy Ewa jest dzisiaj w biurze? – Nie ma .... – A ja mam dla .... ważną wiadomość.
4. (ja) Nie ma .... teraz w domu, proszę zostawić wiadomość po długim sygnale.
   – Czekam na ważny fax. Czy ma pani dla .... ten fax?
5. (ono) – Czy znasz moje dziecko? – Nie znam .... Moje dziecko jest chore. Mam dla .... nową ciekawą książkę.
6. (my) Wiemy, że szef .... nie lubi. Czy masz dla .... ostatni raport?
7. (wy) Czy wiecie, że szef .... nie lubi? Czy będziecie dzisiaj w biurze? Mam do .... ważną sprawę.
8. (oni) – Czy Ania i Paweł są dzisiaj w biurze? – Nie, nie ma .... – Muszę do.......................... zadzwonić.

6 Make up suitable endings to these sentences, e.g.: Jestem Polakiem, **więc mówię po polsku**.

1. Nie mam ryżu na kolację, ...
2. Jestem asystentem/asystentką, ...
3. Mieszkam w Warszawie, ...
4. Mój szef nie mówi po polsku, ...

7 Complete the dialogues in these telephone conversations:

1. – Czy mogę rozmawiać z Moniką? – Niestety, nie ma jej teraz. Czy coś przekazać? – Proszę ...., że Agnieszka prosi o telefon. Mój numer telefonu: 629-42-42.
2. – Czy to firma „Nowa"? – Nie, to ....
3. Tu numer 619-78-79. Niestety, nie ma mnie w domu. Proszę .... wiadomość po długim sygnale.
4. – Słucham? – .... Monika Kownacka.
5. – Czy jest Michał? – Nie ma go teraz. Proszę .... za godzinę.
6. – Czy mogę .... z Michałem? – Proszę .... chwilę.

8 Complete the dialogues, using the structures and words that you have learned in this lesson.

A: (*przez telefon*) Dzień dobry, chciałbym/chciałabym .... pizzę.

B: Jaką?

A: ....

B: Na jaki adres?

A: ....

A: (*przez telefon*) Dzień dobry, chciałabym\chciałbym ....

wodę mineralną.

B: Na kiedy?

A: ....

B: Dobrze, nasz pracownik będzie u pani/pana ....

13. JADĘ DO KRAKOWA

Rano Waldek rozmawia przez telefon

Waldek:	Wiesz, jadę do Krakowa.
Alice:	Kiedy?
Waldek:	W przyszły wtorek.
Alice:	Na jak długo?
Waldek:	Na dwa dni. Wracam w przyszły czwartek wieczorem. (Czy) Chcesz jechać ze mną?
Alice:	Muszę się zastanowić... Tak naprawdę nie mam teraz dużo pracy i bardzo chciałabym pojechać do Krakowa, ale nie wiem...
Waldek:	Możemy najpierw zwiedzić Kraków, a potem pojechać jeszcze na jeden dzień do Zakopanego.
Alice:	To jest dobry pomysł, ale naprawdę muszę się jeszcze zastanowić.

Dwie godziny później w pracy

Piotr:	Czego szukasz?
Waldek:	Szukam numeru telefonu informacji PKP. (*po chwili*) Już mam.
Informacja PKP:	Informacja PKP, słucham?
Waldek:	Proszę pani, o której godzinie są pociągi do Krakowa?
Informacja PKP:	Rano czy po południu?
Waldek:	Rano.
Informacja PKP:	InterCity o 7.00 (siódmej).
Waldek:	O której godzinie jest na miejscu?
Informacja PKP:	O 9.00 (dziewiątej).
Waldek:	Dziękuję, do widzenia.

13. I'M GOING TO KRAKÓW

It's morning, Waldek is speaking on the phone

Waldek: Do you know, I'm going to Kraków.
Alice: When?
Waldek: Next Tuesday.
Alice: How long for?
Waldek: For two days. I'm coming back next Thursday evening. Do you want to go with me?
Alice: I'll have to think about it. It's true that I don't have much work right now and I'd really like to go to Kraków, but I don't know…
Waldek: We can visit Kraków first and then go on to Zakopane for a day.

Alice: That's a good idea, but I'll really have to think about it.

Two hours later, at work

Piotr: What are you looking for?
Waldek: I'm looking for the telephone number for train information. (*a moment later*) I've got it now.
PKP information: PKP information, how can I help you?
Waldek: Excuse me, What times do trains go to Kraków?
PKP information: In the morning or in the afternoon?
Waldek: In the morning.
PKP information: There's an InterCity at 7.00.
Waldek: What time does it get there?
PKP information: At 9 o'clock.
Waldek: Thank you. Goodbye.

John Brown i jego przyjaciel Marek w restauracji

Brown: Jutro jadę do Borowa.

Marek: Gdzie to jest dokładnie?

Brown: 10 kilometrów na wschód od Konina. Mam nadzieję, że wujek Adam ciągle tam mieszka.

Marek: Ja też mam nadzieję. Czym jedziesz? Pociągiem czy samochodem?

Brown: Samochodem. Połączenie kolejowe nie jest tam zbyt dobre. A ty jakie masz plany na weekend?

Marek: Zostaję w Warszawie, idę na koncert do filharmonii.

Brown: Do zobaczenia w poniedziałek, miłego weekendu.

Marek: Do poniedziałku i powodzenia!

John Brown and his friend Marek are in a restaurant

Brown:	Tomorrow I'm going to Borowo.
Marek:	Where's that exactly?
Brown:	10 kilometres to the east of Konin. I hope that uncle Adam is still living there.
Marek:	I hope so too. How are you going? By train or by car?
Brown:	By car. Train connections there aren't too good. And what about you? What plans do you have for the weekend?
Marek:	I'm staying in Warsaw, I'm going to a concert at the Filharmonic.
Brown:	See you on Monday! Have a nice weekend!
Marek:	Till Monday, and good luck!

SŁOWNICTWO

dokładnie *adv* exactly, precisely
gość *m* guest
godzina *f* hour, time
  o której godzinie...? at what time...?
jechać *imperf* **(jadę, jedziesz)** to go
kolejowy, -a, -e *adj* railway *adj*
miejsce *n* place
  na miejscu at the place (of destination)
nadzieja *f* hope
  mieć nadzieję to hope
naprawdę really, truly
  tak naprawdę really, actually, in fact
PKP – (Polskie Koleje Państwowe) Polish State Railways
plan *m* (*pl* **plany**) plan
pociąg *m* train
połączenie *n* connection
powodzenia! good luck! (*lit.* success!)
szukać *imperf* **(szukam, szukasz), poszukać** *perf* **(poszukam, poszukasz)** + *gen* to look for
  czego szukasz? what are you looking for?
wracać *imperf* **(wracam, wracasz), wrócić** *perf* **(wrócę, wrócisz)** to return, come back

wschód *m* east

na wschód od to the east of

zastanawiać się *imperf* **(zastanawiam się, zastanawiasz się), zastanowić się** *perf* **(zastanowię się, zastanowisz się) + nad +** *instr* to think (it over)

zbyt too

zbyt dobre too good

zostawać *imperf* **(zostaję, zostajesz), zostać** *perf* **(zostanę, zostaniesz)** to stay, remain

zwiedzać *imperf* **(zwiedzam, zwiedzasz), zwiedzić** *perf* **(zwiedzę, zwiedzisz) +** *acc* to visit (for places)

GEOGRAFIA geography

wschód m, **wschodni, -a, -e** *adj* east, eastern

zachód *m*, **zachodni, -a, -e** *adj* west, western

północ *f*, **północny, -a, -e** *adj* north, northern

południe *n*, **południowy, -a, -e** *adj* south, southern

miasto *n* town, city

wieś *f* (*gen* **wsi**) village, country

morze *n* sea

wyspa *f* island

góry *pl* mountains

jezioro *n* lake

ocean *m* ocean

GRAMATYKA

THE QUESTION O KTÓREJ GODZINIE...?

When answering the question **O której (godzinie) jest...?** the ending for the hour number, when used after the prepositions **o**, **po**, **do**, **około**, is **-ej**.

Remember that we use cardinal numbers, which do not change, for the minutes.

O której godzinie jest spotkanie?

Spotkanie jest:

O 8.00 (ósm**ej**)

O 8.30 (ósm**ej** trzydzieści)

8.15 (piętnaście **po** ósm**ej**)

7.30 (**wpół do** 8 ósm**ej**)

około 8.00 (ósm**ej**) at about 8 o'clock

THE VERB **JECHAĆ** – the present tense

Note the stem changes **a:e** and **d:dzi**.

singular		plural	
ja	jad**ę**	my	jedzi**emy**
ty	jedzi**esz**	wy	jedzi**ecie**
on (pan) ona (pani) ono	jedzi**e**	oni (panowie, państwo) one (panie)	jad**ą**

Remember that **jechać** means to go, when using some means of transportation.

JADĘ DO KRAKOWA
– names of towns and cities after prepositions

After the preposition **do**, names of towns and cities take the genitive case.

m (Kraków) Jadę **do** Krakow**a**.
f (Warszawa) Jadę **do** Warszaw**y**.
n (Opole) Jadę **do** Opol**a**.

Polish towns with masculine names usually have the genitive ending **-a**:

Gdańsk Jadę **do** Gdańsk**a**.
Olsztyn Jadę **do** Olsztyn**a**.
Lublin Jadę **do** Lublin**a**.
Szczecin Jadę **do** Szczecin**a**.
Poznań Jadę **do** Poznani**a**.

Most towns outside Poland that have masculine names have the genitive ending **-u**.

Londyn Jadę **do** Londyn**u**.
Rzym Lecę **do** Rzym**u**.
Madryt Lecę **do** Madryt**u**.
Amsterdam Jadę **do** Amsterdam**u**.
Nowy Jork Lecę **do** Now**ego** Jork**u**.

However there are some cities outside Poland that have the genitive ending **-a**.

Paryż	Lecimy **do** Paryż**a**.
Berlin	Jedziemy **do** Berlin**a**.
Wiedeń	Jadę **do** Wiedni**a**.
Hamburg	Jedziemy **do** Hamburg**a**.
Mińsk	Jadę **do** Mińsk**a**.
Lwów	Jadę **do** Lwow**a**.
Kijów	Lecę **do** Kijow**a**.
Petersburg	Lecę **do** Petersburg**a**.
Strasburg	Lecimy **do** Strasburg**a**.

– Dokąd jedziesz? – Do Gdańska.

Dokąd? is usually used instead of **gdzie?** in questions with verbs of motion.

PREPOSITIONS WITH VERBS OF MOTION – summary

Several prepositions can appear after verbs of motion.

jadę/idę do... + genitive
The preposition **do** is used with nouns signifying:
- three-dimensional spaces: buildings, parks: idę do banku, do biura, do parku, do lasu
- towns and cities: jadę do Warszawy, do Londynu
- countries: jadę do Hiszpanii, do Grecji

jadę/idę na... + accusative
The preposition **na** is used with nouns signifying:
- "flat" open spaces: squares, streets, airports: jadę na Plac Bankowy, na ulicę Piękną, na lotnisko
- islands and peninsulas: jadę na Hel, na Florydę, na Kubę, na Haiti
- "events" such as concerts, meals, films: jadę na kolację, na koncert, na film

jadę/idę w... + accusative
The preposition **w** is used with mountain ranges: jadę w góry, w Tatry, w Alpy, w Himalaje

jadę/idę nad... + accusative
The preposition **nad** is used with nouns signifying areas of water – seas, rivers, lakes: jadę nad morze, jadę nad Atlantyk, jadę nad Wisłę, jadę nad Jezioro Białe.

Note! When saying "go" to talk about spending time, e.g. go to the cinema, to the theatre, to the swimming pool etc., the verb **iść** is used rather then **jechać**, regardless of whether we walk there or take a bus or other means of transport.
So we say: Dziś wieczorem **idę do kina, idę do teatru, idę na koncert, idę do restauracji**, even though we plan to go there by car.

JADĘ SAMOCHODEM – the instrumental case

When describing an action which is performed with the help of a tool or an instrument held in the hand, constructions with the instrumental are used

(długopis) Piszę długopis**em**.	I'm writing with a biro.
(łyżka) Jem łyżk**ą**.	I'm eating with a spoon.

In these instances prepositions are not used.

Although not of the type held in the hand, means of transport, such as cars or trams, are also seen as "instruments":

jadę samochod**em**, tramwaj**em**, pociągi**em**, taksówk**ą**	I'm going by car, by tram, by train, by taxi.

Note however:

pisać **na** komputerze	I'm typing on the computer.

Questions using the instrumental:

– Czym jedziesz do Krakowa? – Pociągiem.	– How are you getting to Kraków? – By train.
– Czym jedziecie na koncert? – Taksówką.	– How are you getting to the concert? – By taxi.

DUŻO, MAŁO (1) – adverbs with the genitive

After words signifying quantity, such as **dużo**, **mało**, **mnóstwo**, **trochę**, nouns always appear in the genitive. Uncountable nouns (woda, cukier, praca), are used in the genitive singular.
Mam **dużo** prac**y**.
Adam pije **mało** wod**y**.
Poproszę **trochę** cukr**u**.

Countable nouns however (dom, samochód), are used in the genitive plural (dużo domów, samochodów – lesson 16).

CZEGO SZUKASZ? – questions using the genitive case

The verb **szukać** governs the genitive case (szukam **adresu**). Questions concerning the direct object of szukać also take the genitive: czego szukasz?
Questions using kto? co? in the genitive:

kogo? czego?

– Kogo szukasz? – Szukam Adama.	– Who are you looking for? – I'm looking for Adam.
– Czego szukasz? – Szukam adresu.	– What are you looking for? – I'm looking for an address.

DZIEŃ, DNI

The nouns **dzień** and **tydzień** change their stems in the plural. For **rok** a completely different word is used in the plural: **lata**.

singular	plural	
dzień	**dni**	Za **dwa dni** jadę do Gdańska.
tydzień	**tygodnie**	Za **trzy tygodnie** będzie seminarium.
miesiąc	**miesiące**	Jestem w Polsce **cztery miesiące**.
rok	**lata**	Pracuję w firmie „Karo" już **cztery lata**.

Careful! Remember that with the numbers 5 and above nouns take the genitive plural (see lessons 6 and 16).

CHCESZ JECHAĆ ZE MNĄ?
– personal pronouns in the instrumental case

The **instrumental** is used after the preposition **z** when it has the meaning "with".
Here are the instrumental forms of personal pronouns:

singular		plural	
nominative	**instrumental**	**nominative**	**instrumental**
ja	ze **mną**	my	z **nami**
ty	z **tobą**	wy	z **wami**
on	z **nim**	oni	z **nimi**
ona	z **nią**	one	z **nimi**
ono	z **nim**		

Czy chcesz iść **ze mną** do kina?
Chciałbym jechać **z tobą** do Gdańska.
– Dlaczego nie rozmawiasz z Adamem? – Nie rozmawiam **z nim**, dlatego że nie mam czasu.

NAJPIERW, POTEM – sequences of events (1)

A sequence of events can be presented using the adverbs: **najpierw...**, **potem...**, where **najpierw** introduces the first event. This construction is used for sequences of events in the present, past and future.

Najpierw czytam, **potem** piszę.	(At) first I read, then I write.
Najpierw byłem inżynierem, **potem** byłem politykiem.	(At) first I was an engineer, then I was a politician.
Najpierw będę w firmie, **potem** będę w domu.	(At) first I'll be at work, then I'll be at home.

NA WSCHÓD OD KONINA – describing location

When describing the location of one place in relation to another place, the following construction is used:
na + **direction** (acc) + **od** + **noun** (gen)

Wieliczka jest 13 kilometrów **na wschód od Krakowa**.
Żelazowa Wola jest 60 kilometrów **na zachód od Warszawy**.
Białowieża jest 240 kilometrów **na wschód od Warszawy**.
Pułtusk jest 50 kilometrów **na północ od Warszawy**.
Sopot jest 10 kilometrów **na południe od Gdyni**.

JADĘ DO KRAKOWA W PRZYSZŁY CZWARTEK

Remember that the names of the days of the week take the accusative after the preposition **w**.

W **przyszły poniedziałek** mam kontrolę.
W **przyszły wtorek** jadę do Olsztyna.
W **przyszłą środę** idę do opery.
W **przyszły czwartek** jest seminarium.
W **przyszły piątek** jest spotkanie z dyrektorem.
W **przyszłą sobotę** idę na koncert do filharmonii.
W **przyszłą niedzielę** mam gości.

The words: **tydzień**, **miesiąc**, **rok** however, appear in the locative after the preposition **w**:

w przyszłym tygodniu, w przyszłym miesiącu, w przyszłym roku

DO PONIEDZIAŁKU

After the preposition **do** names of days of the week appear in the genitive:

nominative	**genitive**
poniedziałek	**do** poniedziałk**u**
wtorek	**do** wtork**u**
środa	**do** środ**y**
czwartek	**do** czwartk**u**
piątek	**do** piątk**u**
sobota	**do** sobot**y**
niedziela	**do** niedziel**i**

ROZMAWIAMY

ASKING ABOUT PEOPLES' PLANS

Jakie masz plany na weekend?
Co robisz w weekend? – (informal question)

PROPOSING TRIPS AND EXCURSIONS

Jadę do Krakowa. Czy chcesz jechać ze mną?
Jadę do Krakowa. Czy chciałbyś jechać ze mną?
The first proposal is more direct than the second.

WISHING SOMEONE A NICE WEEKEND, DAY

– Miłego weekendu! – Miłego weekendu/Nawzajem. (the same to you)
– Miłego dnia! – Miłego dnia/Nawzajem.

ĆWICZENIA

Answer the questions, saying the times out loud, e.g.: – O której godzinie jest film? (16.05) – Film jest **pięć po czwartej**.

1. – O której godzinie jest koncert? (18.10)
2. – O której godzinie jest film? – (20.15)
3. – O której godzinie jest spotkanie? – (8.45)
4. – O której godzinie jest konferencja? – (12.30)
5. – O której godzinie jest lekcja? – (11.55)
6. – O której godzinie jest opera? – (19.20)
7. – O której godzinie jest spektakl? – (19.30)
8. – O której godzinie jest seminarium? – (14.25)

2

Write the verbs **jechać** and **lecieć** in the appropriate form.

jechać

1. – Kiedy (ty) .... do Krakowa? – W przyszły piątek.

2. – A wy? Kiedy (wy) .... do Krakowa? – (My) .... w przyszłą środę.

3. – Czy Agata też .... do Poznania? – Tak, ona też ....

4. (Ja) w przyszłym tygodniu .... do Gdańska. Dzieci .... ze mną.

lecieć

1. Kiedy (ty) .... do Madrytu? (Ja) .... w czwartek.
2. Kiedy (wy) .... do Pragi? (My) .... w sobotę.
3. Jutro rano Beata .... do Londynu.
4. W środę po południu Magda i Paweł .... do Paryża.

3

Write in the appropriate personal pronoun, in the instrumental, e.g.: Ania idzie do kina. Czy chcesz iść **z nią**?

1. W środę jadę do Poznania. Czy chcesz jechać ....?
2. Michał w weekend jedzie do Mławy. Czy możesz jechać ....?
3. W przyszłym tygodniu Ania jedzie do Białowieży. Czy chciałbyś jechać ....?
4. Kiedy jedziesz do Gdańska? Czy mogę jechać ....?
5. Jedziemy na urlop. Czy chcecie jechać ....? – Tak, bardzo chcielibyśmy jechać ....
6. Jola i Ala jadą na konferencję. Czy chciałabyś jechać ....?

4

Put the names of the cities in brackets into the genitive, e.g.: (Kraków) Jadę do **Krakowa**:

1. – W przyszłym tygodniu chcę jechać do (Poznań) .... i (Gdańsk) .... – Na jak długo? – Na cztery dni.

2. – Czy chcesz pojechać ze mną do (Warszawa) ....?
– Na jak długo? – Na tydzień.
3. – Wiesz, jadę do (Londyn) .... – Na jak długo jedziesz? – Na dwa tygodnie.
4. – Muszę jechać na konferencję do (Moskwa) .... – Na jak długo? – Na pięć dni.
5. Chciałabym jechać do (Paryż) .... na miesiąc albo do (Rzym) .... na dwa miesiące.
6. – Gdzie chciałbyś pojechać na urlop? – Do (Nowy Jork) .... A ty? – Ja do (Amsterdam) ....

5

Put the nouns in brackets into the genitive:

1. Wiesz, mam mało (czas) ...., nie mogę teraz rozmawiać.
2. Mam dzisiaj dużo (praca) ....
3. Patrycja pije bardzo dużo (woda) ...., a ja piję dużo (kawa) ....

6

Choose the correct question word: **kogo? co? czego?**

1. – .... ty tu robisz? – Czekam na autobus.
2. – .... szukasz? – Numeru telefonu.
3. – .... masz tutaj? – Cytryny.
4. – .... szukasz? – Adama.

7

Make sentences, using the adverbs: **najpierw**, **potem**, e.g.: **Najpierw piję kawę, a potem jem śniadanie.**

1. czytać gazetę – jeść kolację ....
2. pisać raport – rozmawiać z szefem ....
3. oglądać telewizję – iść na spacer ....
4. mieć spotkanie – dzwonić do klienta ....

8 Put the words in brackets into the instrumental, e.g.: (pociąg) Na urlop jedziemy **pociągiem**.

1. Dzisiaj jadę do domu (tramwaj) ....
2. Jest późno. Muszę jechać (taksówka) ....
3. Adam jedzie do biura (autobus) ....
4. Ania jedzie do Krakowa (pociąg) ....
5. Jedziemy na urlop (samochód) ....

9 Answer the questions, using the time expressions in brackets in the appropriate form, e.g.: **w przyszłą niedzielę, w przyszłym tygodniu**.

1. – Kiedy pani jedzie do Poznania? – (przyszły piątek) ....
....
2. – Kiedy idziecie do opery? – (przyszła środa) ....
....
3. – Kiedy państwo jadą do Łodzi? – (przyszła sobota) ....
....
4. – Kiedy zaczynacie promocję? – (przyszły wtorek) ....
....
5. – Kiedy jedziesz do mamy? – (przyszła niedziela) ....
....
6. – Kiedy pan zaczyna nowy projekt? – (przyszły tydzień) ....
....
7. – Kiedy zaczynasz staż? – (przyszły miesiąc) ....
....

10 Describe the location of the following cities in relation to Warsaw, e.g.: Żelazowa Wola **jest na zachód od Warszawy**.

1. Gdzie jest Lublin? ....
2. Gdzie jest Gdańsk? ....

3. Gdzie jest Poznań? ....

4. Gdzie jest Białystok? ....

11

Write in appropriate prepositions: **w**, **do**, **na**, **nad**.

1. Chciałabym .... tym roku pojechać .... urlop .... góry. A ty?
2. Ja chciałbym jechać .... morze.
3. .... przyszłym tygodniu jadę .... konferencję .... Poznania.
4. Za godzinę muszę jechać .... lotnisko.
5. Chcę dzisiaj iść .... spacer .... parku.
6. Czy możesz pojechać .... ulicę Widok .... apteki?

12

Complete the dialogues, using the words and structures which you have met in this lesson.

A: Wiesz, jadę do Krakowa.

B: ....?

A: W przyszły wtorek.

B: ....?

A: Na 2 dni .... w przyszły czwartek wieczorem. Chcesz jechać ....?

B: Chętnie. Czym jedziesz, ..., czy pociągiem?

informacja PKP

A: Informacja PKP, słucham?

B: ....?

A: Rano czy po południu?

B: ....

A: InterCity o ....

14. WYNAJMOWANIE MIESZKANIA, REZERWACJA HOTELU

John Brown chce wynająć mieszkanie

Brown:	Chciałbym wynająć mieszkanie.
Agentka nieruchomości:	Jakie mieszkanie pana interesuje?
Brown:	Interesuje mnie mieszkanie osiemdziesięciometrowe albo stumetrowe, w centrum.
Agentka:	Mam dla pana ofertę. Jest mieszkanie w centrum, na ulicy Brackiej, czteropokojowe, osiemdziesiąt metrów.
Brown:	Wolę dwa większe pokoje niż cztery małe. Chciałbym mieć duży salon, sypialnię i kuchnię.
Agentka:	Rozumiem. Mam coś, co może pana zainteresować. Jeśli pan ma czas, możemy obejrzeć to mieszkanie dziś wieczorem.
Brown:	Świetnie.

Wieczorem

Agentka:	Tutaj jest duży przedpokój, tu bardzo duża i widna kuchnia, tutaj salon, a obok sypialnia.
Brown:	Jakie są warunki wynajmu?
Agentka:	To mieszkanie kosztuje 2500 (dwa tysiące pięćset) złotych miesięcznie. Płatne co miesiąc z góry. Proszę zobaczyć, jaki piękny widok z okna.
Brown:	Owszem. To jest ładne mieszkanie, ale muszę się zastanowić. Proszę o kilka dni na decyzję.
Agentka:	Oczywiście. Czekam na pana telefon w przyszłym tygodniu.

14. RENTING A FLAT, AND HOTEL RESERVATIONS

John Brown wants to rent a flat

Brown:	I'd like to rent a flat.
Property agent:	What kind of flat are you interested in?
Brown:	I'm interested in a flat of about 80 or 100 square metres in the city centre.
Property agent:	I've got something here for you. It's a flat in the centre, on Bracka Street. 4 rooms, 80 square metres.
Brown:	I prefer two larger rooms to four small ones. I'd like to have a large living room, a bedroom and a kitchen.
Property agent:	I understand. I have something that might interest you. If you have time, we can look at this flat this evening.
Brown:	Excellent.

In the evening

Property agent:	Here we have a large hall, a very large and well lit kitchen, and here is the living room, and next to it the bedroom.
Brown:	What are the terms of rental?
Property agent:	The flat costs 2500 zlotys monthly, paid each month in advance. Have a look from the window at what a beautiful view there is.
Brown:	Yes, it is. It's a nice flat, but I'll have to think about it. Let me have a few days to decide.
Property agent:	Of course. I look forward to your call next week.

Waldek rezerwuje pokój w hotelu

Recepcjonistka:	Dzień dobry, hotel „Gala", słucham?
Waldek:	Czy są wolne pokoje od 15 (piętnastego) do 17 (siedemnastego) kwietnia?
Recepcjonistka:	Proszę poczekać. Są wolne pokoje jednoosobowe i dwuosobowe.
Waldek:	Pokoje są z łazienkami, prawda?
Recepcjonistka:	Tak.
Waldek:	Ile kosztuje doba?
Recepcjonistka:	120 złotych.
Waldek:	Ze śniadaniem?
Recepcjonistka:	Tak.
Waldek:	Chciałbym zarezerwować 2 pokoje jednoosobowe.
Recepcjonistka:	Na jakie nazwisko?
Waldek:	Jaworski. O której godzinie zaczyna się doba hotelowa?
Recepcjonistka:	O 15.00 (piętnastej).

Wieczorem w mieszkaniu Alice i Basi

Alice:	Czy wiesz, jaka pogoda będzie w przyszłym tygodniu?
Basia:	Więc jednak jedziesz z Waldkiem do Krakowa?
Alice:	Tak.
Basia:	Będzie ciepło, 18 stopni. Ale musisz pamiętać, że czasami w połowie kwietnia może być bardzo zimno, a w górach wiosną pogoda zmienia się z godziny na godzinę. Może padać deszcz, może padać śnieg, może być silny wiatr albo burza. Musisz być gotowa na wszystko.
Alice:	Dobrze, dziękuję za dobrą radę, będę gotowa na wszystko.

Waldek books a hotel room

Receptionist: Good morning, Hotel "Gala".
Waldek: Do you have any rooms available from the 15th to the 17th of April?
Receptionist: Hold on a minute, please. We have single and double rooms available.
Waldek: The rooms are with bathroom, aren't they?
Receptionist: Yes.
Waldek: How much do they cost per night?
Receptionist: 120 zł.
Waldek: Is that with breakfast?
Receptionist: Yes.
Waldek: I'd like to reserve two single rooms.

Receptionist: In what name?
Waldek: Jaworski. What time can we check in at?

Receptionist: From 3 p.m.

In the evening, in Alice's and Basia's flat

Alice: Do you know what the weather will be like next week?
Basia: So you're going with Waldek to Kraków after all?
Alice: Yes.
Basia: It's going to be warm, 18 degrees. But you have to remember that sometimes it can be very cold in the middle of April, and in the mountains the weather in spring changes from hour to hour. It might rain, it might snow, there might be a strong wind or a thunderstorm. You have to be prepared for everything.
Alice: OK., thank you for the good advice. I'll be ready for everything.

SŁOWNICTWO

burza *f* thunder, storm
ciepło *adv* warm, warmly
czasami *adv* sometimes
czteropokojowy, -a, -e *adj* four room (e.g. flat)
deszcz *m* rain
doba *f* 24 hour period, day
  poczta jest czynna całą dobę the post office is open 24 hours a day
  doba hotelowa zaczyna się o... the hotel "day" (i.e. when you can check into your room) starts at…
dwuosobowy, -a, -e *adj* two person
godzina *f* hour, time
  z godziny na godzinę from hour to hour
gotowy, -a, -e *adj* ready, finished
góra *f* (*pl* **góry**) mountain
  w górach in the mountains
jednoosobowy, -a, -e *adj* single (e.g. room)
kwiecień *m*, (*gen* **kwietnia**) April
łazienka *f* bathroom
może być it can be
obejrzeć *perf* see **oglądać**
obok next to
oglądać *imperf* **(oglądam, oglądasz), obejrzeć** *perf* **(obejrzę, obejrzysz)** + *acc* to watch, look at

oferta *f* offer
okno *n* window
owszem naturally, yes
padać to fall
pada deszcz it's raining
pada śnieg it's snowing
pamiętać *imperf* **(pamiętam, pamiętasz), zapamiętać** *perf* **(zapamiętam, zapamiętasz)** + *acc* to remember
płatny, -a, -e *adj* paid
płatne z góry paid in advance
pokój *m* (*pl* **pokoje**) room
połowa *f* middle, half
w połowie in the middle
przedpokój *m* hall
przyjemny, -a, -e *adj* pleasant
rada *f* (piece of) advice
salon *m* living room
silny, -a, -e *adj* strong
stopień *m* (*pl* **stopnie**) degree
sypialnia *f* bedroom
śnieg *m* snow
tysiąc (*pl* **tysiące**) thousand
warunek *m* condition
warunki wynajmu conditions of rental
wiatr *m* wind
widny, -a, -e *adj* light
widok *m* view
wiosna *f* spring
wiosną in the spring
wynajmować *imperf* **(wynajmuję, wynajmujesz), wynająć** *perf* **(wynajmę, wynajmiesz)** + *acc* to rent, hire
zimno *adv* cold

POGODA the weather

jest ładna pogoda, piękna pogoda, brzydka pogoda, straszna pogoda it's nice weather, beautiful weather, nasty weather, terrible weather
jest słoneczna pogoda it's sunny weather
jest ciepło, zimno, chłodno *adv* it's warm, cold, chilly
jest słońce *n* **(świeci słońce)** it's sunny
jest pochmurno *adv* it's cloudy
jest wiatr *m* **(wieje wiatr)** it's windy
jest burza *f* it's thundery
jest mgła *f* it's foggy, misty
jest mróz *m* it's frosty
jest tęcza *f* there's a rainbow
pada deszcz *m* it's raining
pada śnieg *m* it's snowing

jest 18 stopni it's 18 degrees
jest minus 5 stopni (jest 5 stopni mrozu) it's minus 5 degrees (there's 5 degrees of frost)

Careful!
jest 1 stopień it's 1 degree
są 2, 3, 4 stopnie it's 2, 3, 4 degrees
jest 5, 6, 15... stopni it's 5, 6, 15... degrees

PORY ROKU the seasons

wiosna *f* spring
lato *n* summer
jesień *f* autumn
zima *f* winter

GRAMATYKA

INTERESUJE MNIE

In lesson 6 we met the construction **interesuję się muzyką**, which is used when talking about interests and hobbies. However when expressing interest in a project, a proposal or an offer, a different construction is used.

Interesuje mnie (pronoun in accusative) **ten projekt** (nominative).

Note here that the verb is in the 3rd person singular
Literally, this project interests me.
Interesuje mnie ten projekt.
Czy **interesuje cię** ta oferta?
Czy **interesuje was** ta propozycja?

ZACZYNAM LEKCJĘ – LEKCJA ZACZYNA SIĘ

Look at the following examples. In the right hand column the verbs **zaczynać**, **kończyć**, **zmieniać** appear with the pronoun **się**.

a)	b)
(Ja) Zaczynam lekcję.	Lekcja **zaczyna się**.
(My) Kończymy spektakl.	Spektakl **kończy się** o piątej.
(My) Zmieniamy nasze plany.	Nasze plany **zmieniają się**.

This construction with **się** is used when information about who is doing the action is not essential or unknown.

NAMES OF THE MONTHS, DATES (1)

nominative	genitive	nominative	genitive
I styczeń	stycznia	VII lipiec	lipca
II luty	lutego	VIII sierpień	sierpnia
III marzec	marca	IX wrzesień	września
IV kwiecień	kwietnia	X październik	października
V maj	maja	XI listopad	listopada
VIczerwiec	czerwca	XII grudzień	grudnia

When giving dates, the ordinal number is used in the masculine nominative **(dziś jest pierwszy, czwarty, jedenasty)**, as the number refers to the word **dzień** (*m*).
The name of the month appears in the genitive **(lipca, sierpnia, grudnia)**.
When saying what date an event happens on, the ordinal number is used in the genitive.
Note that no preposition is used here.

Który dzisiaj?	What day is it today?
Dzisiaj jest (15) **piętnasty** (nominative) **lipca** (genitive).	Today is the 15th of July.
Którego jedziesz do Krakowa?	What day are you going to Kraków (on)?
Jadę do Krakowa (15) **piętnastego** (genitive) **lipca** (genitive).	I'm going to Kraków on the 15th of July.
Dzisiaj jest **ósmy** czerwca.	Today is the 8th of June.
Koncert jest **ósmego** czerwca.	The concert is on the 8th of June.
Dzisiaj jest **dwudziesty czwarty** maja.	Today is the 24th of May.
Spotkanie jest **dwudziestego czwartego** maja.	The meeting is on the 24th of May.

When talking about starting dates and ending dates, we use the prepositions: **od... do...**
As they govern the genitive, the ordinal number takes the genitive ending:

Będę w Warszawie **od** piętnast**ego do** dwudziest**ego lipca**. I'll be in Warsaw from the 15th to the 20th of July.

When asking when something starts or started, we can say:

Od kiedy...? or: **Od którego...?**
– **Od kiedy** chce pan wynająć pokój? – **Od** siódm**ego września**. – When do you want to rent your room from? – From the 7th of September.

JAKA DZISIAJ JEST POGODA?
what's the weather like today?

We can answer the question: **Jaka dzisiaj jest pogoda** w Warszawie? in a general way: **jest ładna pogoda** or we can be more specific: **jest ciepło, jest 18 stopni, pada deszcz**.

Careful! With this latter construction we don't use the word pogoda. Not: pogoda jest ciepło.

Dzisiaj **jest** ładna pogoda. – Jutro **będzie** ładna pogoda. – Wczoraj **była** ładna pogoda.
Dzisiaj **jest** ciepło. – Jutro **będzie** ciepło. – Wczoraj **było** ciepło.

WIOSNĄ, LATEM – the seasons

When talking about what season something happens in, we have a choice of forms.

wiosną (instrumental)/na wiosnę (accusative) in spring
latem (instrumental)/w lecie (locative) in summer
jesienią (instrumental)/na jesieni (locative) in autumn
zimą (instrumental)/w zimie (locative) in winter

Wiosna to (jest) najpiękniejsza pora roku. **Wiosną/na wiosnę** jest ciepło.
Lato jest za krótkie. **Latem/w lecie** często pływam.
Jesień może być piękna. **Jesienią/na jesieni** lubię chodzić na spacery do parku.
Lubię zimę. **Zimą/w zimie** jeżdżę na nartach.

W POŁOWIE KWIETNIA – expressions of time

The words **początek**, **połowa** and **koniec**, used to express what part of the month an event happens in, each take a different preposition (with their appropriate case) for talking about time **(na początku, w połowie, pod koniec)**.

Jest **początek** kwietnia. **Na początku** (locative) kwietni**a** mam konferencję.
Jest **połowa** kwietnia. **W połowie** (locative) kwietni**a** mam egzamin.
Jest **koniec** kwietnia. **Pod koniec** (accusative) kwietni**a** jadę do Gdańska.

ROZMAWIAMY

BOOKING A ROOM

Czy są wolne pokoje od... do...?
Chciałbym zarezerwować pokój od... do...
Czy pokoje są z łazienkami?
Ile kosztuje doba?
Ze śniadaniem czy bez śniadania?

RENTING A FLAT

Chciałbym wynająć mieszkanie.
Chciałbym wynająć małe/duże mieszkanie.

Interesuje mnie mieszkanie dwupokojowe.
Interesuje mnie mieszkanie osiemdziesięciometrowe.
Interesuje mnie mieszkanie w centrum.

ĆWICZENIA

1

Choose a suitable verb, using **się** where appropriate: **zaczynać/zaczynać się, kończyć/kończyć się, zmieniać/zmieniać się.**

1. W przyszłym tygodniu (my) .... nowy projekt.
2. Nasza konferencja .... w przyszłym tygodniu.
3. O której godzinie .... lekcja?
4. (My) .... lekcję za pięć minut.
5. (Ja) .... mieszkanie.
6. Pogoda ....

2

Say the following dates out loud. e.g.: Który jest dzisiaj? Dzisiaj jest (8.08) **ósmy sierpnia**.

1. – Który (jest) dzisiaj? – Dzisiaj jest (05. 05) ....
2. – Który (jest) dzisiaj? – Dzisiaj jest (07. 07) ....
3. – Który był wczoraj? – Wczoraj był (11. 11) ....
4. – Który był wczoraj? – Wczoraj był (06. 06) ....
5. – Który będzie jutro? – Jutro będzie (04. 04) ....
6. – Który będzie w piątek? – W piątek będzie (03. 03) ....
....

3

Say out loud the dates in the following dialogues.

1. – Który dzisiaj jest? – Dzisiaj jest 04. 05. – Kiedy (którego) jedziesz do Poznania? – Jadę 04. 05.

2. – Który dzisiaj jest? – Dzisiaj jest 18. 04. – Kiedy (którego) idziesz do opery? – Idę do opery 18. 04.
3. – Który dzisiaj jest? – Jest 22. 07. – Kiedy (którego) jest „Tosca"? – „Tosca" jest 22. 07.
4. – Dzisiaj jest 25. 08. – Kiedy (którego) zaczynasz staż? – Zaczynam staż 25. 08.
5. – Chciałbym zarezerwować pokój dwuosobowy. – Od kiedy (od którego)? – Od 22. 07. do 26. 07.
6. – Chciałbym zarezerwować apartament. – Od kiedy (od którego)? – Od 26. 08. do 29. 08.

4

Put the names of the months into the genitive, e.g.: Pod koniec (styczeń) **stycznia** jest zimno.

1. W połowie (marzec) .... jest jeszcze zimno.
2. Pod koniec (luty) .... może być –5 stopni.
3. Na początku (sierpień) .... zwykle jest gorąco.
4. W połowie (wrzesień) .... może być bardzo ciepło.

5

Answer these questions about the weather.

1. Czy dzisiaj jest ładna pogoda?
2. Czy jest ciepło, czy zimno?
3. Czy jest wiatr? Czy pada deszcz?
4. Czy pada śnieg? Czy jest mróz?
5. Ile jest stopni?
6. Czy jutro będzie ciepło?
7. Czy wczoraj było ciepło?

6

Write the names of the seasons, using the nominative or instrumental case as appropriate, e.g.: (lato) **Latem** często pływam. **Lato** jest piękne.

1. (jesień) .... jest długa. .... może być naprawdę ciepło.
2. (wiosna) .... zwykle dużo spaceruję. .... jest za krótka.

3. (zima) .... często jeżdżę na nartach. .... też może być piękna.

4. (lato) .... to najpiękniejsza pora roku. .... często gram w tenisa i jeżdżę rowerem.

7 Complete the dialogues, using the personal pronouns (**mnie**, **cię** etc.) or the polite form: **pan/pani** in the accusative, e.g.: – Szukam mieszkania. – Jakie mieszkanie **cię** interesuje?

1. – Mamy do pani dyspozycji pokoje jedno, dwu i trzyosobowe. Jaki pokój .... interesuje? – Interesuje .... pokój dwuosobowy.
2. – Chciałbym zarezerwować pokój. – Jaki pokój .... interesuje? – Interesuje .... pokój jednoosobowy z łazienką.
3. – Mamy dla was te dwie oferty. Która oferta .... interesuje? – Interesuje .... pierwsza oferta.
4. – Wiesz, szukam mieszkania. – Jakie mieszkanie .... interesuje? – Jednopokojowe.

8 Put the words in brackets into the appropriate forms (nominative or accusative, singular or plural).

1. Mam cztery (duży pokój) ...., (duża widna kuchnia) .... i (duża łazienka) ....
2. – Jakie mieszkanie chciałabyś mieć? – Chciałabym mieć (duży mieszkanie) ....: (salon) ...., dwie (sypialnia) ...., (pokój dziecinny) ...., (kuchnia) .... i dwie (łazienka) ....

Complete the dialogue, using the structures and words that you have learned in this lesson.

9

A: Dzień dobry, hotel „Krokus", słucham?

B: Czy są wolne pokoje od .... do ....?

A: Proszę .... Są wolne pokoje jednoosobowe i dwuosobowe.

B: Czy pokoje są z ....?

A: Tak.

B: Ile kosztuje ....?

A: 120 złotych.

B: Ze ....?

A: Tak.

B: Chciałbym/chciałabym ....

A: Na jakie nazwisko?

B: ....

15. NA DWORCU KOLEJOWYM

W pracy

Waldek: Wychodzę, wracam za pół godziny.
Piotr: Dokąd idziesz?
Waldek: Muszę iść na dworzec po bilety, bo jutro rano na pewno będzie duża kolejka.

Pół godziny później, na dworcu
Okienko numer 4

Waldek: Poproszę 2 bilety na InterCity do Krakowa na jutro na godzinę (7) siódmą.
Kasjerka: Pierwsza czy druga klasa?
Waldek: Druga.
Kasjerka: Dla palących czy niepalących?
Waldek: Dla niepalących.
Kasjerka: 200 złotych.
Waldek: Proszę.

Głos z głośnika:

Pociąg ekspresowy do Poznania przez Kutno, Konin odjedzie z toru pierwszego przy peronie drugim.
Pociąg InterCity z Warszawy do Wrocławia przez Poznań, Leszno stoi na torze drugim przy peronie trzecim. Planowy odjazd pociągu godzina (13) trzynasta.
Pociąg EuroCity „Polonia" z Warszawy do Budapesztu przez Katowice, Ostrawę, Bratysławę odjedzie z toru drugiego przy peronie pierwszym.

Wieczorem, w mieszkaniu Alice i Basi

Waldek: (Czy) Pakujesz się?
Alice: Tak.
Waldek: O! Mam taki sam aparat fotograficzny jak ty. Ja biorę swój, więc ty nie musisz brać swojego.

15. AT THE RAILWAY STATION

At work

Waldek: I'm going out, I'll be back in half an hour.
Piotr: Where are you going?
Waldek: I have to go to the station for tickets, because tomorrow morning there'll certainly be a queue.

Half an hour later, at the station
Window No 4

Waldek: I'd like 2 tickets for the InterCity to Kraków for 7.00 tomorrow please.
Cashier: First or second class?
Waldek: Second.
Kasjerka: Smoking or non-smoking?
Waldek: Non-smoking.
Kasjerka: 200 zloty.
Waldek: Here you are.

Voice from the laudspeaker:
The express train to Poznań via Kutno and Konin will leave from track 1, platform 2. The InterCity train from Warsaw to Wrocław via Poznań and Leszno is standing on track 2, platform 3. The scheduled departure of this train is 13.00. The Eurocity train "Polonia" from Warsaw to Budapest via Katowice, Ostrawa and Bratislava will leave from track 2, platform 1.

In the evening, in Alice's and Basia's flat

Waldek: Are you packing?
Alice: Yes.
Waldek: Oh! I've got the same camera as you. I'm taking mine, so you don't have to take yours.

Alice:	Dobrze, jeden aparat wystarczy.
Waldek:	(Czy) Czytasz Tołstoja w oryginale?
Alice:	Tak.
Waldek:	(Czy) Tak dobrze znasz rosyjski?
Alice:	Znam rosyjski lepiej niż polski, ale teraz nie mam okazji mówić po rosyjsku.

Dzwoni telefon.

Alice:	Słucham?
Andrzej:	To ja, Andrzej.
Alice:	Nie mogę teraz rozmawiać, mam gościa.
Andrzej:	Mam bilety na jutro do kina.
Alice:	Jutro mnie nie będzie, jadę do Krakowa.
Andrzej:	Na konferencję?
Alice:	Nie, prywatnie, z kolegą.
Andrzej:	Z jakim kolegą?
Alice:	Nieważne, cześć!

Alice: OK. one camera is enough.
Waldek: Oh! Are you reading Tołstoy in the original?
Alice: Yes.
Waldek: (Do) you know Russian that well?
Alice: I know Russian better than Polish, but nowadays I don't have the opportunity to speak Russian.

The telephone rings.
Alice: Hello.
Andrzej: It's me, Andrzej.
Alice: I can't speak to you right now, I've got a guest.
Andrzej: I've got tickets for the cinema tomorrow.
Alice: I won't be able to tomorrow, I'm going to Kraków.
Andrzej: To a conference?
Alice: No. A private trip, with a friend.
Andrzej: What friend?
Alice: It's not important, bye!

SŁOWNICTWO

aparat fotograficzny *m* camera
bankomat *m* cash dispenser
benzyna *f* petrol
brać *imperf* **(biorę, bierzesz), wziąć** *perf* **(wezmę, weźmiesz)** + *acc* to take
dokąd where (to)
ekspres *m* express (train)
głos *m* voice
głośnik *m* loudspeaker
gość *m* guest
klasa *f* class
kochać *imperf* **(kocham, kochasz) pokochać** *perf* **(pokocham, pokochasz)** + *acc* to love
kolejka *f* queue
konferencja *f* conference
lepiej *adv* better
nieważny, -a, -e *adj* unimportant
nieważne it's not important
odjazd *m* departure
odjeżdżać *imperf* **(odjeżdżam, odjeżdżasz), odjechać** *perf* **(odjadę, odjedziesz),** to leave, depart (on wheels)
odlatywać *imperf* **(odlatuję odlatujesz), odlecieć** *perf* **(odlecę, odlecisz)** to leave, depart (by air)

odpływać *imperf* **(odpływam, odpływasz), odpłynąć** *perf* **(odpłynę, odpłyniesz)** to leave, depart (by water)
okienko *n* window, counter
oryginał *m* original
w oryginale in the original
pakować się *imperf* **(pakuję się, pakujesz się), spakować się** *perf* **(spakuję się, spakujesz się)** to pack
peron *m* platform
przy peronie at the platform
planowy *adj* scheduled, planned
pociąg *m* train
pociąg ekspresowy express train
prywatnie *adv* privately
przez via, by
przyjeżdżać *imperf* **(przyjeżdżam, przyjeżdżasz), przyjechać** *perf* **(przyjadę, przyjedziesz)** to arrive, come (e.g. on wheels)
przylatywać *imperf* **(przylatuję przylatujesz), przylecieć** *perf* **(przylecę, przylecisz)** to arrive, come (by air)
przypływać *imperf* **(przypływam, przypływasz), przypłynąć** *perf* **(przypłynę, przypłyniesz)** to arrive, come (by water)
stać *imperf* **(stoję, stoisz)** to stand
stanowisko *n* stand, bay (at the bus station)
swój, swoja, swoje (*here*) my, mine
taki sam, taka sama, takie samo (just) the same
tor *m* track
na torze on (the) track
używać *imperf* **(używam, używasz), użyć** *perf* **(użyję, użyjesz)** + *gen* to use
wychodzić *imperf* **(wychodzę, wychodzisz) wyjść** *perf* **(wyjdę, wyjdziesz)** to go out, leave
wystarczać *imperf* **(wystarczam, wystarczasz), wystarczyć** *perf* **(wystarczę, wystarczysz)** to be enough
wystarczy (it) is enough
z from

GRAMATYKA

THE VERB **WYCHODZIĆ** – the present tense

The endings for the verb **wychodzić** follow the same pattern as those for **chodzić**, which we have already met (**chodzę do kina**, lesson 11). The prefix **wy-** modifies the meaning of the verb. Wychodzić means **to leave** or **go out** of a room, a building or part of a building:

Wychodzę. Będę za pół godziny.
Wychodzę z domu o godzinie (8) ósmej.
Wychodzę do sklepu.

THE VERBS **PRZYJEŻDŻAĆ** and **ODJEŻDŻAĆ**

When talking about means of transport by land, the verbs **odjeżdżać** and **przyjeżdżać** are used.

Pociąg do Gdańska **odjeżdża** o godzinie (7) siódmej.	The train to Gdańsk leaves/is leaving at 7 a.m.
Autobus do Łodzi **odjeżdża** o godzinie (16) szesnastej.	The bus to Łódź leaves/is leaving at 4 p.m.
Pociąg z Wrocławia **przyjeżdża** o godzinie (13) trzynastej.	The train from Wrocław arrives/is arriving at 1 p.m.
Autobus z Kutna **przyjeżdża** o godzinie (9) dziewiątej.	The bus from Kutno arrives/is arriving at 9 a.m.

Notice that different verbs are used for transport by air and by water.

Samolot do Paryża **odlatuje** o godzinie siódmej.	The plane to Paris leaves/is leaving at 7 a.m.
Samolot z Londynu **przylatuje** o godzinie szóstej.	The plane from London arrives/is arriving at 6 p.m.
Statek do Mikołajek **odpływa** o godzinie szesnastej.	The boat to Mikołajki leaves/is leaving at 4 p.m.
Statek z Mikołajek **przypływa** o godzinie siedemnastej.	The boat from Mikołajki arrives/is arriving at 5 p.m.

Odjedzie in the dialogue is the perfective form of **odjeżdżać**, which is used for the future (see lesson 21).

THE VERB **BRAĆ** – the present tense

Note the stem changes **o:e**, **r:rz**.

singular		plural	
ja	bior**ę**	my	bierz**emy**
ty	bierz**esz**	wy	bierz**ecie**
on (pan) ona (pani) ono	bierz**e**	oni (panowie, państwo) one (panie)	bior**ą**

NIE BĘDZIE MNIE JUTRO

In lesson 12 we met the construction **nie ma...** for negative sentences of the verb **być**, when talking about the existence or presence of somebody or something (– Czy **jest** Adam? – **Nie ma** Adama/**nie ma go**; **jestem – nie ma mnie**).
In the past and the future tenses the same construction is used with the genitive, but with the past and future of the verb **być**, in the 3rd person singular (**nie było** go, **nie było** mnie; **nie będzie** go, **nie będzie** mnie). Note that **mieć** is only used in the present.

present tense

(ja) jestem w biurze – **nie ma** mnie w biurze
(ty) jesteś – **nie ma** cię
on jest – **nie ma** go
ona jest – **nie ma** jej
(my) jesteśmy – **nie ma** nas
(wy) jesteście – **nie ma** was
oni są – **nie ma** ich
one są – **nie ma** ich

past tense

(ja) byłem/łam w biurze – **nie było** mnie w biurze
(ty) byłeś/łaś – **nie było** cię
on był – **nie było** go
ona była – **nie było** jej
(my) byliśmy/łyśmy – **nie było** nas
(wy) byliście /łyście – **nie było** was
oni byli – **nie było** ich
one były – **nie było** ich

future tense

(ja) będę w biurze – **nie będzie** mnie w biurze
(ty) będziesz – **nie będzie** cię
on będzie – **nie będzie** go
ona będzie – **nie będzie** jej
(my) będziemy – **nie będzie** nas
(wy) będziecie – **nie będzie** was
oni będą – **nie będzie** ich
one będą – **nie będzie** ich

Adam jest dzisiaj w biurze. **Adama nie ma** dzisiaj w biurze.
Monika była wczoraj w firmie. Wczoraj w firmie **nie było Moniki**.
Szef będzie jutro. **Nie będzie szefa** jutro.

ZNAM ROSYJSKI LEPIEJ NIŻ POLSKI
– the comparative of adverbs

To make the comparative of an adverb **(wolno)** the suffix **-ej** is used **(wolniej)**. The superlative is made by adding the prefix **naj-** to the comparative.

wolno – wolni**ej** – **naj**wolniej	slowly – more slowly – the most slowly
szybko – szybci**ej** – **naj**szybciej	quickly – more quickly – the most quickly

Adam, Sylwek i Marek piszą na komputerze. Adam pisze **wolniej** niż Sylwek, Marek pisze **najwolniej**.
Dzisiaj jest **ciepło**. Dzisiaj jest **cieplej** niż wczoraj.
Jest **zimno**. Jest **zimniej** niż w piątek.
Dzieci wracają **późno** do domu. Piotr wraca **później** niż Kasia, Ania wraca **najpóźniej**.

Remember that certain adjectives have irregular comparative forms (see lesson 8). The same applies to their related adverbs.

dobrze – lepiej – najlepiej	well – better – the best
źle – gorzej – najgorzej	badly – orse – orst
dużo – więcej – najwięcej	much/a lot – more – the most
mało – mniej – najmniej	a little – less – the least

Ania mówi **dobrze** po francusku. Ania mówi po francusku **lepiej** niż Edyta.
Ewa czyta **mało**. Ewa czyta **mniej** niż Agata.
Karol czyta **dużo**. Karol czyta **więcej** niż Marek.

TAKI SAM

Taki sam appears in all three genders.

Ten aparat jest **taki sam** jak ten.	Mam **taki sam** aparat jak ty. (accusative)
Ta kawa jest **taka sama** jak ta.	Mam **taką samą** kawę jak ty. (accusative)
To biuro jest **takie samo** jak to.	Mamy **takie samo** biuro jak wy. (accusative)

BIORĘ SWÓJ APARAT – the pronoun **swój, swoja, swoje**

The possessive pronoun **swój** is used instead of the standard possessive pronouns (**mój, twój, jego, jej, nasz, wasz, ich**), when the thing or person "owned" belongs to the subject of the sentence. The case endings for **swój** are the same as for **mój** and **twój**.
Here are some examples using the pronoun **swój**. Perhaps we are looking at photographs.

To jest Piotr, a to jego samochód.	This is Piotr and this is his car.
Piotr lubi **swój** samochód.	Piotr likes his car.
To jestem ja, a to moja żona.	This is me, and this is my wife.
Ja kocham **swoją** żonę.	I love my wife.
Czy to jest twój brat? Czy ty lubisz **swojego** brata?	Is this your brother? Do you like your brother?
To jest Basia, a to jej dom.	This is Basia, and this is her house.
Basia lubi **swój** dom.	Basia likes her house.
My lubimy **swoje** mieszkanie. Czy wy lubicie **swoje** mieszkanie?	We like our flat. Do you like your flat.
To są Ania i Michał, a to ich ogród.	These are Ania and Michał, and this is their garden.
Ania i Michał lubią **swój** ogród.	Ania and Michał like their garden.

IDĘ NA DWORZEC PO BILETY – the preposition **po**

Instead of saying**: idę do kiosku kupić gazetę** or **idę do banku wziąć pieniądze** Polish uses the expression:

Idę do kiosku **po** gazetę.	I'm going to the kiosk to get/for a newspaper.
Idę do banku **po** pieniądze.	I'm going to the bank to get/for some money.

The noun following **po** takes the accusative form.

POCIĄG Z WARSZAWY DO WROCŁAWIA PRZEZ POZNAŃ – the prepositions z, przez

Like **do**, the preposition **z** (with the meaning of from, of) takes the genitive. **Przez** however takes the accusative.
Pociąg **z Gdańska** przyjeżdża o godzinie (18) osiemnastej.
O której godzinie wracasz dziś **z pracy**?
Mam list **z Francji**.
Do Olsztyna jedziemy **przez Mławę**.
Pociąg do Poznania **przez Kutno** odjeżdża o godzinie (17) siedemnastej.

IDĘ PO BILETY, BO JUTRO BĘDZIE DUŻO LUDZI

Like the expression **dlatego że**, which we've already met, **bo** expresses cause. It usually links two clauses.

Dlaczego chcesz studiować w Paryżu?
Dlatego że tam jest bardzo wysoki poziom. (see lesson 10)

Dlaczego chcesz studiować w Paryżu?
Chcę studiować w Paryżu, **bo** tam jest bardzo wysoki poziom.

Dlaczego idziesz na dworzec po bilety?
Idę po bilety dzisiaj, **bo** jutro będzie duża kolejka.

POPROSZĘ BILET NA GODZINĘ SIÓDMĄ

When buying or booking tickets, the preposition **na** is used with expressions of time. Here **na** takes the accusative.
Poproszę bilet **na** + (dzień), **na** + (godzina)

Poproszę bilet **na środę**.	I'd like a ticket for Wednesday.
Poproszę bilet **na czwartek na** godzinę (8.00) ósmą.	I'd like a ticket for Thursday for 8 a.m.
Poproszę bilet **na jutro na** godzinę (11.00) jedenastą.	I'd like a ticket for tomorrow for 11 a.m.
Chciałbym zarezerwować bilet **na piątek** na godzinę (18.00) osiemnastą.	I'd like to book a ticket for Friday for 6 p.m.

ROZMAWIAMY

BUYING TICKETS

Poproszę dwa bilety na ekspres do Krakowa.
Poproszę bilet do Kutna na godzinę (13.00) trzynastą.
– O której godzinie odjeżdża ekspres do Gdańska? – O (15.00) piętnastej. – Poproszę dwa bilety.

(Informacja kolejowa):
– O której godzinie przyjeżdża pociąg InterCity z Poznania? – O (10.00) dziesiątej.
– O której godzinie jest najbliższy pociąg do Gdańska? – Najbliższy pociąg jest o godzinie (14.00) czternastej.
– Interesują mnie pociągi do Krakowa po południu.

ĆWICZENIA

1

Choose a suitable verb: **odjeżdżać, przyjeżdżać, stać** and write it in the appropriate form.

1. Pociąg ekspresowy z Gdańska .... o godzinie 17.00.
2. Pociąg InterCity do Poznania .... z toru pierwszego przy peronie drugim.
3. Autobus do Kutna .... ze stanowiska nr 5.
4. Pociąg ekspresowy do Łodzi .... na torze drugim przy peronie pierwszym. Planowy odjazd pociągu: godzina 15.00.

2

Write the verb **brać** in the appropriate form.

1. – Czy (ty) .... aparat fotograficzny? – Nie, (ja) nie .... aparatu. A Michał? Czy on .... swój aparat?
2. – Czy (wy) .... narty? – Tak, (my) .... narty. – A państwo? Czy państwo .... narty? – Tak, (my) .... narty.

Answer these questions in the affirmative, and in the negative using personal pronouns, e.g.: Czy Piotr będzie jutro w biurze? – **Tak, będzie**. – Nie, **nie będzie go**.

3

1. – Czy (ty) będziesz jutro w pracy?
   – Tak, ...
   – Nie, ...
2. – Czy byłaś wczoraj w pracy?
   – Tak, ...
   – Nie, ...
3. – Czy Adam był w piątek w biurze?
   – Tak, ...
   – Nie, ...
4. – Czy Adam będzie jutro w biurze?
   – Tak, ...
   – Nie, ...
5. – Czy Ewa jest wieczorem w domu?
   – Tak, ...
   – Nie, ...
6. – Czy Ewa była wieczorem w domu?
   – Tak, ...
   – Nie, ...
7. – Czy wy będziecie dziś w biurze?
   –Tak, ...
   –Nie, ...
8. – Czy Ewa i Adam będą w pracy?
   – Tak, ...
   – Nie, ...

Write in appropriate prepositions: **do, po, dla, na, z, przez**.

4

1. Idę .... kiosku .... gazetę.
2. Muszę iść .... apteki .... aspirynę .... córki.

3. Chciałbym pojechać .... bilety .... opery.
4. Najpierw musimy jechać .... bankomatu .... pieniądze, a potem .... stację benzynową .... benzynę.
5. Pociąg .... Wrocławia .... Opole przyjeżdża o godzinie (14) czternastej.

5 We are looking at photos. Choose the correct pronoun **mój, twój, jego, jej, nasz, wasz, ich or swój, swoja, swoje** and write it in the appropriate form.

1. To jestem ja, a to .... dom .... dom jest bardzo wygodny. Bardzo lubię .... dom.
2. – Czy to jesteś ty? Czy to .... brat? – Tak to jest .... brat. – Czy ty lubisz .... brata?
3. – To jest Ewa, a to .... siostra. – Czy Ewa lubi .... siostrę? .... siostra jest bardzo interesująca.
4. – To jest Michał, a to .... żona. – .... żona jest bardzo sympatyczna. Czy Michał kocha .... żonę?
5. To my, a to .... kot Czaruś. My kochamy .... kota. .... kot jest bardzo miły.
6. – Czy to wy? Czy to .... pies? – Tak to .... pies. – Gdzie chodzicie ze .... psem na spacery?
7. To Ola i Zbyszek, a to .... samochód. .... samochód jest bardzo stary, ale Ola i Zbyszek bardzo lubią .... samochód.

6 Put the adverbs in brackets into the comparative form, e.g.: (ładnie) Agnieszka pisze **ładniej** niż Kasia.

1. (wolno) Sylwek mówi .... niż Franek.
2. (szybko) Darek pisze .... niż Czarek.
3. (dobrze) Mówię po angielsku .... niż Marek.
4. (mało) Adam czyta .... niż Ania.

5. (dużo) Monika pracuje .... niż Artur.

6. (źle) John mówi po polsku .... niż Alice.

Write in one of the following: **taki sam, taka sama, takie samo** using the appropriate gender and case. **7**

1. Ta walizka jest .... jak ta.

2. Ten dom jest .... jak tamten.

3. Nasze biuro jest .... jak wasze.

Use your imagination to answer these questions. **Czytam ten artykuł, bo interesuję się socjologią** or **dlatego, że interesuję się socjologią.** **8**

1. Dlaczego chcesz jechać do Krakowa? ....
....

2. Dlaczego nie pijesz kawy? ....
....

3. Dlaczego robisz tu zakupy? ....
....

4. Dlaczego idziesz teraz po bilety na dworzec? ....
....

Complete the dialogue, using the structures and words that you have learned in this lesson. **9**

A: Poproszę 2 bilety .... InterCity .... Krakowa .... jutro .... godzinę (7) siódmą.

B: Pierwsza czy druga ....?

A: Druga.

B: ...., czy niepalących?

A: Dla niepalących.

B: 200 złotych.

A: ....

16. W KRAKOWIE

Alice:	Wiesz, gdzie jest nasz hotel?
Waldek:	Nie jestem pewny. Wydaje mi się, że to jest niedaleko Rynku, koło Poczty Głównej, ale lepiej sprawdzić to na planie. Musimy jechać tramwajem. Trzeba kupić kilka biletów.

Kiosk

Waldek:	Poproszę 6 biletów i „Gazetę Wyborczą".
Sprzedawczyni:	To wszystko?
Waldek:	Tak, dziękuję.

W hotelu

Waldek:	Dzień dobry, mamy rezerwację na nazwisko Jaworski.
Recepcjonistka:	Tak, państwa pokoje są gotowe. Poproszę jakiś dokument.
Waldek:	Proszę.
Recepcjonistka:	Tu są klucze. Państwo mają pokoje numer 23 i 24 na drugim piętrze.
Waldek:	Czy w pokoju jest telewizor?
Recepcjonistka:	Tak.
Alice:	A telewizja satelitarna?
Recepcjonistka:	Niestety, nie ma.
Waldek:	O której godzinie jest śniadanie?
Recepcjonistka:	Śniadanie jest od (7) siódmej do (9) dziewiątej.

po chwili

Waldek:	Który pokój wybierasz?
Alice:	Wszystko jedno. Są takie same.
Waldek:	Nie, ten jest większy. Jest twój.

16. IN KRAKÓW

Alice:	Do you know where our hotel is?
Waldek:	I'm not sure. I have a feeling that it's not far from the Market Square, next to the Main Post Office, but it would be better to check on the city plan. We have to take the tram. We need to buy some tickets.

At the kiosk

Waldek:	I'd like six tickets and "Gazeta Wyborcza" please.
Assistant:	Is that everything?
Waldek:	Yes, thank you.

In the hotel

Waldek:	Good morning, we have a reservation in the name of Jaworski.
Receptionist:	Yes, your rooms are ready. Could I see some sort of identification, please.
Waldek:	Here you are.
Receptionist:	Here are your keys. You have rooms number 23 and 24 on the second floor.
Waldek:	Is there a television in the room?
Receptionist:	Yes.
Alice:	And satellite television?
Receptionist:	Unfortunately, there isn't.
Waldek:	What time is breakfast?
Receptionist:	Breakfast is from 7 till 9.

a moment later

Waldek:	Which room are you choosing?
Alice:	It's all one to me. They're just the same.
Waldek:	No, this one is bigger. It's yours.

Pół godziny później

Waldek:	Mam problem.
Recepcjonistka:	Tak, słucham?
Waldek:	W moim pokoju nie ma ręczników ani wieszaków, nie mogę otworzyć okna, a poza tym telewizor nie działa.
Recepcjonistka:	Bardzo mi przykro. Już proszę kogoś z obsługi. Jeszcze raz przepraszam.

Half an hour later

Waldek:	I have a problem.
Receptionist:	Yes, how can I help?
Waldek:	There aren't any towels or coat hangers in my room, I can't open the window, and what's more, the television isn't working.
Receptionist:	I'm very sorry. I'll ask someone from service to have a look. Once again I apologize.

SŁOWNICTWO

biuro *n* office
działać *imperf* to work, act
  telewizor nie działa the television doesn't work
dokument *m* (*here*) identification document
główny, -a, -e *adj* main, head
gotowy, -a, e *adj* ready
jakiś, jakaś, jakieś a, some
kilka a few, some, several
kiosk *m* kiosk
koń *m* horse
kosz *m* basket, bin
kupować *imperf* **(kupuję, kupujesz), kupić** *perf* **(kupię, kupisz)** + *acc* to buy
kupić *perf* see **kupować**
mysz *f* mouse
noc *f* night
obsługa *f* service
od from, since
  od...do... from…to…
otwierać *imperf* **(otwieram, otwierasz), otworzyć** *perf* **(otworzę, otworzysz)** + *acc* to open
pewny, -a, -e *adj* sure, certain
piętro *n* floor
  na drugim piętrze on the 2nd floor
płyta *f* disc, CD
Poczta Główna Head Post Office
pokój *m* room
  w moim pokoju in the room
przykro mi I'm sorry
rezerwacja *f* reservation
ręcznik *m* towel
rynek *m* market place
sprawdzać *imperf* **(sprawdzam, sprawdzasz), sprawdzić** *perf* **(sprawdzę, sprawdzisz)** + *acc* to check
telewizja satelitarna *f* satellite television
trzeba it's necessary, you need

wieszak *m* coat hanger
wieś *f* village, country
większy, -a, e *adj* bigger
winda *f* lift
wszystko jedno it's all the same, I don't mind
wybierać *imperf* **(wybieram, wybierasz), wybrać** *perf* **(wybiorę, wybierzesz)** + *acc* to choose
wydawać się *imperf* seem, appear
wydaje mi się, że... it seems to me that...
zamykać *imperf* **(zamykam, zamykasz), zamknąć** *perf* **(zamknę, zamkniesz)** + *acc* to close, shut

MEBLE furniture

biblioteczka *f* bookcase
biurko *n* desk
fotel *m* armchair
kanapa *f* sofa, couch
krzesło *n* chair
łóżko *n* bed
półka *f* shelf
regał *m* bookshelf
stół *m* table
szafa *f* wardrobe
szafka *f* **(kuchenna)** (kitchen) cupboard

URZĄDZENIA GOSPODARSTWA DOMOWEGO household equipment

kuchnia gazowa *f* gas cooker
kuchenka mikrofalowa *f* microwave, oven
lodówka *f* fridge
magnetofon *m* tape recorder
odkurzacz *m* vacuum-cleaner
odtwarzacz CD *m* CD player
pralka *f* washing machine
radio *n* radio
telewizor *m* television
wieża hi-fi *f* hi-fi unit (*lit.* – tower)
zmywarka *f* dishwasher
wideo *n* video

GRAMATYKA

NIE MA RĘCZNIKÓW – the genitive plural

You will remember that in negative sentences the noun functioning as the direct object takes the genitive (lesson 11). So far we have only looked at nouns in the singular:
Nie lubię **soku**.

Here are some nouns in the genitive plural:
Nie lubię **samochodów**.
Nie ma **wieszaków, ręczników, szaf**.

Genitive plural endings-nouns:

masculine:

-ów	after stems endings with a hard consonant (ręcznik) Nie ma **ręczników**
-i	after stems ending with a soft consonant (koń, hotel) Nie ma kon**i**, hotel**i**
-y	after the consonants: sz, cz, ż, rz (kosz) Nie ma kosz**y**.

feminine:

zero ending	(i.e. the stem only) (szafa, płyta) Nie ma szaf, płyt.
-i/-y	the ending **-i/-y** is used with nouns when the stem ends in a consonant (wieś, noc, mysz) Nie ma ws**i**, noc**y**, mysz**y**.

neuter:

zero ending	(biuro) Nie ma biur.

Genitive plural endings – adjectives and pronouns for all genders:

-ych/-ich	(**nowe, drogie** komputery) Nie mamy now**ych** dro**gich** komputerów. (**nowe, drogie** szafy) Nie mamy now**ych**, drog**ich** szaf. (**nowe, drogie** biura) Nie mamy jeszcze now**ych,** dro**gich** biur.

(**te nasze nowe** komputery) Nie mamy jeszcze t**ych** nasz**ych** now**ych** komputerów.
(**te twoje nowe** asystentki) Nie znam jeszcze t**ych** two**ich** now**ych** asystentek.
(**te wasze nowe** biura) Nie znam jeszcze t**ych** wasz**ych** now**ych** biur.

DUŻO, MAŁO (2) – adverbs of quantity with the genitive

Remember that **dużo, mało, kilka, wiele, niewiele, parę, mnóstwo** take the genitive with the nouns they quantify (lesson 13).
If the nouns are countable (dom, samochód, szafa) we use genitive plural:

Mam **kilka szaf**.
Adam ma **dużo ręczników**.
Ta firma ma **dużo samochodów**.

POPROSZĘ 5 BILETÓW – the numbers 5, 6... with the genitive

The genitive plural is also used after the numbers 5 and above.

nominative sg	nominative pl	genitive pl
1 sok	2, 3, 4 soki	**5 soków**
1 kawa	2, 3, 4 kawy	**5 kaw**
1 piwo	2, 3, 4 piwa	**5 piw**

Here are the genitive plural forms of **dzień**, **tydzień**, **miesiąc**, **rok**, **godzina** and **minuta**:

nominative sg	nominative pl	genitive pl
1 godzina	2, 3, 4 godziny	**5 godzin**
1 minuta	2, 3, 4 minuty	**5 minut**
1 dzień	2, 3, 4 dni	**5 dni**
1 tydzień	2, 3, 4 tygodnie	**5 tygodni**
1 miesiąc	2, 3, 4 miesiące	**5 miesięcy**
1 rok	2, 3, 4 lata	**5 lat**

TRZEBA KUPIĆ KILKA BILETÓW – expressing necessity

When expressing the personal necessity to do something, we use the verb **musieć**: musisz tam jechać (see lesson 7).
The word **trzeba** is used to express an impersonal or general necessity – **it's necessary to, we need to.**
It is always used with an infinitive of another verb.

Trzeba dzisiaj zrobić zakupy.
Trzeba jechać z Piotrem do lekarza.
Trzeba skończyć ten projekt w tym tygodniu.

LEPIEJ SPRAWDZIĆ TO NA PLANIE

Comparative adverbs can be used with verbs in the infinitive. They usually go at the beginning of a sentence.

Lepiej sprawdzić to na planie.
Lepiej kupić stół niż krzesła.
Lepiej być aktorem niż politykiem.

POPROSZĘ JAKIŚ DOKUMENT – the indeterminate pronoun **jakiś**

The pronoun **jakiś** appears in all there genders, changing both by case and number.

Jakiś pan czeka na ciebie. (nominative, masculine)	There's a man waiting for you. (I don't know who.)
Jakaś pani do ciebie. (nominative, feminine)	There's a woman to see you.
Jakieś dziecko tutaj czeka. (nominative, neuter)	There's a child waiting here.
Czy masz **jakiś** długopis? (accusative, masculine)	Do you have a biro?

Czy chcesz **jakąś** walizkę? (accusative, feminine)	Do you want a suitcase?
Czy masz **jakieś** wino? (accusative, neuter)	Do you have any wine?
Czy masz **jakieś** owoce? (accusative, plural, non-virile)	Do you have any fruit?

HOTEL JEST KOŁO RYNKU
– prepositions with the genitive case

All the prepositions in the following sentences take the genitive:

Hotel jest **niedaleko** rynk**u**, aptek**i**, stacj**i** benzynow**ej**, kin**a**.
Hotel jest **blisko** rynk**u**, aptek**i**, stacj**i** benzynow**ej**, kin**a**.
Hotel jest **koło** rynk**u**, aptek**i**, stacj**i** benzynow**ej**, kin**a**.
Hotel jest **obok** rynk**u**, aptek**i**, stacj**i** benzynow**ej**, kin**a**.
Hotel jest **naprzeciwko** rynk**u**, aptek**i**, stacj**i** benzynow**ej**, kin**a**.

OD (7) SIÓDMEJ DO (9) DZIEWIĄTEJ
– expressions of time (5)

The prepositions **od**... **do**... are used with periods of time such as times days of the week, months etc. to signify **from... to**. They govern the genitive in the words following them.

Spotkanie jest **od** 8.00 (ósm**ej**) **do** 10.00 (dziesiąt**ej**).	The meeting is from 8.00 to 10.00.
Mam lekcję **od** 9.00 (dziewiąt**ej**) **do** 12.00 (dwunast**ej**).	I have a lesson from 9.00 to 12.00.
Pracuję dzisiaj **od** 12.00 (dwunast**ej**) **do** 17.00 (siedemnast**ej**).	I'm working today from 12.00 to 5 p.m.
Adam **od** wtork**u** **do** piątk**u** pisze raport.	From Tuesday to Friday Adam is writing his report.
Od niedziel**i** **do** środ**y** będę w Warszawie.	From Sunday to Wednesday I will be in Warsaw.

Od maj**a** **do** październik**a** mieszkam w Krakowie, **od** listopad**a** **do** kwietni**a** w Warszawie. — From May to October I live in Kraków, from November to April in Warsaw.

Od czas**u** **do** czas**u** chodzę do opery. — From time to time I go to the opera.

THE CONJUNCTION **ANI**

The conjunction **ani** is used for **or** in negative sentences. **ani... ani...** is used for **either... or...** in negative sentences.

– Czy napijesz się wina albo piwa? – Nie piję **ani** wina, **ani** piwa.

Nie ma szafy **ani** stołu. — There isn't a cupboard or a table.
Nie ma **ani** szafy, **ani** stołu. — There isn't either a cupboard or a table.

Nie piję wina **ani** piwa. — I don't drink wine or beer.
Nie piję **ani** wina, **ani** piwa. — I don't drink either wine or beer.

Nie lubię rocka **ani** jazzu. — I don't like rock music or jazz.
Nie lubię **ani** rocka, **ani** jazzu. — I don't like either rock music or jazz.

Notice that **ani** can be used more than once in one sentence.

JUŻ PROSZĘ KOGOŚ Z OBSŁUGI
– case changes for the pronoun **ktoś**

Remember that the case changes for the pronoun **ktoś** are the same as those for the pronoun **kto**, adding **-ś**.

Czy znasz **kogoś** z ambasady francuskiej? (accusative) — Do you know anybody at the French embassy?

Mam dziś spotkanie z **kimś** z firmy „Logo". (instrumental) — I have a meeting today with someone from "Logo".

ROZMAWIAMY

AT THE HOTEL

– Dzień dobry, mam rezerwację na nazwisko.../mamy rezerwację na nazwisko...
– Pokój jednoosobowy?/dwa pokoje jednoosobowe?
– Tak.
– Tu są klucze/proszę klucze.
– Pan/pani ma pokój numer 45 na pierwszym piętrze/państwo mają pokoje numer 23 i 24 na drugim piętrze.
Poproszę jakiś dokument.
– Proszę. Czy w pokoju jest telewizor?
– Tak, jest./Niestety, nie ma.
– O której godzinie jest śniadanie?
– Śniadanie jest od (7.00) siódmej do (9.00) dziewiątej.
– Gdzie jest winda?
– Tutaj na prawo.

– Mam problem. W moim pokoju nie ma ręczników ani wieszaków.
– Bardzo mi przykro. Już proszę kogoś z obsługi. Jeszcze raz przepraszam.

ĆWICZENIA

1 Complete the sentences using one of these verbs: **otworzyć, zamknąć, działać, wybierać** in the appropriate form.

1. Nie mogę .... okna.
2. – Czy twój komputer ....? – Tak, ..., a dlaczego pytasz?
3. Chciałbym .... tę walizkę, ale nie mogę.
4. – Który pokój (ty).....................? – Ten większy.

Give negative answers to these questions, e.g.: Czy są w domu jabłka? **Nie ma w domu jabłek.**

2

1. – Czy są w domu owoce? – .... – A warzywa? – ....
2. – Czy masz ziemniaki? – ....
3. – Czy lubisz banany? – ....
4. – Czy w pokoju są ręczniki? – Nie, w pokoju ....
5. – Czy w pokoju są fotele? – Nie, w pokoju ....
6. – Czy tu są krzesła? – ....
7. – Czy masz płyty CD? – ....

Put the nouns in brackets into the genitive plural, e.g.: Mamy 5 **telefonów**.

3

1. – Słucham? – Poproszę 5 (bilet) .... – Co jeszcze? – To wszystko.
2. – Co dla państwa? – Poproszę 5 (kawa) ...., 5 (sok) .... i 5 (piwo) ....
3. W biurze mamy 6 (szafa) ...., 20 (krzesło) ...., 5 (stół) ...., 6 (biurko) .... i 6 (komputer) ....
4. W domu mam dużo (owoc) ...., kilka (banan) .... i parę (jabłko) ....
5. Znam tutaj kilka (osoba) ....
6. – Poproszę 5 (jogurt) ...., 8 (jajko) .... i 5 (bułka) .... – Co jeszcze? – To wszystko, dziękuję.

4

Put the adjectives and pronouns in brackets into the genitive plural, e.g.: Nie lubię **zielonych** bananów.

1. W biurze nie ma (dobre) .... komputerów.
2. W biurze nie ma (nowe) .... szaf, (nowe) .... biurek ani (nowe) .... krzeseł.
3. Tutaj nie ma (drogie) .... mebli.
4. Czy nie ma tu (moje) .... okularów?
5. Nie znam (te nowe) .... asystentek.

5

Put the words in brackets into the genitive, e.g.: Hotel jest koło (bank) **banku**.

1. – Przepraszam, gdzie jest dworzec? – Dworzec jest niedaleko (rynek) ....
2. – Czy wiesz, gdzie jest poczta? – Poczta jest koło (szpital) ....
3. – Czy państwo wiedzą, gdzie jest apteka? – Apteka jest blisko (Plac Nowy) ....
4. – Czy wiesz, gdzie jest hotel „Muza"? – Hotel „Muza" jest obok (sklep muzyczny) ....
5. – Czy pani wie, gdzie jest kino „Merkury"? – To kino jest niedaleko (centrum) ...., koło (teatr) .... „Aria".

6

Write in the pronoun **jakiś**, using the appropriate gender and case.

1. Czy masz .... długopis? Mam, proszę.
2. Czy mamy w domu .... wino? A .... kawę?
3. Poproszę .... dokument.
4. .... pan dzwoni do ciebie.
5. .... pani do ciebie.

Complete the sentences using: **ani**, **ale**.

7

1. W pokoju nie ma wieszaków .... ręczników, ... jest telewizja satelitarna.
2. Nie lubię .... bananów, ... jabłek.
3. Nie mam kawy, ... mam herbatę.
4. Nie znam .... Francuzów, ... Niemców.

Complete the dialogue, using the structures and words that you have learned in this lesson.

8

W hotelu

A: Dzień dobry, mamy .... na .... Jaworski.

B: Tak, państwa pokoje są .... Poproszę .... dokument.

A: Proszę.

B: Tu są klucze. Państwo mają .... numer 23 i 24 na drugim piętrze.

A: Czy w pokoju .... telewizor?

B: Tak.

A: O której godzinie jest ....?

B: .... jest .... (7) siódmej .... (9) dziewiątej.

17. ZWIEDZAMY KRAKÓW

Alice: Chciałabym zwiedzić Wawel i obejrzeć wystawę w muzeum.
Waldek: Dobrze, teraz możemy zwiedzić Wawel, a do muzeum możemy iść dzisiaj po południu.

Na wystawie w muzeum

Alice: Podoba mi się ten obraz.
Waldek: Mnie też.
Alice: Jest taki tajemniczy. A tamten podoba ci się?
Waldek: Nie, nie podoba mi się, nie lubię obrazów Matejki. A tutaj jest najbardziej znany malarz polskiego realizmu.
Alice: Jak się nazywa?
Waldek: Chełmoński.
(*po chwili*)
Alice: O! To jest ta słynna „Dama z gronostajem" Leonarda da Vinci! Jest naprawdę piękna.

Pół godziny później

Alice: To była ciekawa wystawa.
Waldek: Tak, bardzo ciekawa. Czy jesteś zmęczona?
Alice: Nie jestem.
Waldek: (Czy) Idziemy na spacer?
Alice: Tak, świetny pomysł!

Alice: Co to za kościół?
Waldek: To jest kościół Świętego Marcina, pochodzi z XVII wieku, w środku jest piękny barokowy ołtarz.
Alice: Bardzo lubię barokowe kościoły.
Waldek: Ja wolę gotyckie.
Alice: I znowu jesteśmy na Rynku.

17. WE GO SIGHTSEEING IN KRAKÓW

Alice: I'd like to visit Wawel, and to see the exhibition at the museum.
Waldek: O.K. We can visit Wawel now, and we can go to the museum this afternoon.

At the exhibition in the museum

Alice: I like this painting.
Waldek: So do I.
Alice: It's so mysterious. And do you like that one?
Waldek: No, I don't like Matejko's paintings. And over here is the best known painter of Polish realism.

Alice: What's he called?
Waldek: Chełmoński.
(*a moment later*)
Alice: Oh! That's Leonardo da Vinci's famous "Lady with Ermine"! It's really beautiful.

Half an hour later

Alice: That was an interesting exhibition.
Waldek: Yes, very interesting. Are you tired?
Alice: No, I'm not.
Waldek: Shall we go for a walk?
Alice: Yes, excellent idea!

Alice: What's that church?
Waldek: It's the church of Saint Marcin, it's XVIIth century. Inside there's a beautiful baroque altar.

Alice: I really like baroque churches.
Waldek: I prefer gothic ones.
Alice: And here we are again in the Market Square.

Waldek: No tak, tutaj wszystkie drogi prowadzą na Rynek. Chciałbym pokazać ci coś wyjątkowego.
Alice: Co takiego?

Na Kazimierzu

Waldek: Jesteśmy na Kazimierzu. To jest stara dzielnica żydowska. Co roku organizowany jest tu festiwal kultury żydowskiej. Przyjeżdżają zespoły muzyczne z całego świata, są koncerty, konferencje, warsztaty. Nie wiem, czy wiesz, że tutaj Spielberg kręcił „Listę Schindlera".
Alice: Tu jest niezwykła atmosfera. (*po chwili*) Jaki zimny wiatr.
Waldek: Zimno ci?
Alice: Trochę.
Waldek: No to zapraszam cię do Jamy Michalikowej na herbatę z rumem. Idziemy!

Waldek: Well, here all roads lead to the Market Square. I'd like to show you something exceptional.
Alice: What's that?

In Kazimierz

Waldek: We're in Kazimierz. It's the old Jewish quarter. There is a festival of Jewish culture (organized) here every year. Music groups come from all over the world. There are concerts, conferences, (music) workshops. Spielberg shot "Schindler's List" here.
Alice: There's a special atmosphere here. (*a moment later*) What a cold wind.
Waldek: Are you cold?
Alice: A bit.
Waldek: I'll take you to "Jama Michalika" for a tea and rum, then. Shall we go?

SŁOWNICTWO

antyk *m* (*pl* **antyki**) antique, antiquity
atmosfera *f* atmosphere
barokowy, -a, -e *adj* baroque
budynek *m* building
co to za...? what... is that?
droga *f* road, way
dzielnica *f* district, quarter
festiwal *m* festival
gotycki, -a, -e *adj* gothic
katedra *f* cathedral
kręcić *imperf* **(kręcę, kręcisz)** + *acc* to turn
  kręcić film to turn, shoot (a film)
  Spielberg kręcił tu „Listę Schindlera" Spielberg shot "Schindler's list" here
kryminał *m* crime novel
malarz *m* painter
najbardziej *adv* (the) most
narodowy, -a, -e *adj* national
niezwykły, -a, -e *adj* unusual
obejrzeć *perf* see **oglądać**
obraz *m* painting, picture
oglądać *imperf* **(oglądam, oglądasz), obejrzeć** *perf* **(obejrzę, obejrzysz)** + *acc* to look at, watch
ołtarz *m* altar

organizować *imperf* **(organizuje, organizujesz), zorganizować** *perf* **(zorganizuję, zorganizujesz)** + *acc* to organize
organizowany jest tu festiwal a festival is organized here
pieśń *f* song (classical)
piosenka *f* song (popular)
płyta *f* record, CD
pochodzić *imperf* **(pochodzę, pochodzisz)** to come from, derive from, date from
podobać się *imperf* **(podobam się, podobasz się), spodobać się** *perf* **(spodobam się, spodobasz się)** + *dat* to like (to be pleasing to)
pokazywać *imperf* **(pokazuję, pokazujesz), pokazać** *perf* **(pokażę, pokażesz)** + *acc* + *dat* to show
pomnik *m* monument
prezes *m* president, managing diector
prowadzić *imperf* **(prowadzę, prowadzisz)** to lead
realizm *m* realism
reporter *m* reporter
rum *m* rum
rynek *m* marketplace
na rynku in the marketplace
rzeźba *f* sculpture
słynny, -a, -e *adj* famous
środek *m* middle, centre
w środku inside (*lit.* in the middle)
świat *m* world
z całego świata from all over the world
tajemniczy, -a, -e *adj* mysterious
warsztat *m* workshop (e.g. music workshop)
wszystkie all
wystawa *f* exhibition, show
zespół *m* (*pl* **zespoły**) group
zimno *adv* cold
zimno mi I'm cold
zmęczony, -a, -e *adj* tired
znany, -a, -e *adj* (well) known, famous, familiar
zwiedzać *imperf* **(zwiedzam, zwiedzasz), zwiedzić** *perf* **(zwiedzę, zwiedzisz)** + *acc* to visit (*for places*)
żydowski, -a, -e *adj* Jewish

STYLE W ARCHITEKTURZE architectural styles

antyk *m* **antyczny, -a, -e** *adj* antiquity, ancient
barok *m* **barokowy, -a, -e** *adj* Baroque
klasycyzm *m* **klasycystyczny, -a, -e** *adj* Classicism
gotyk *m* **gotycki, -a, -e** *adj* Gothic
romański, -a, -e *adj* Romanesque
klasyczny, -a, -e *adj* Classical

GRAMATYKA

CHCIAŁBYM CI COŚ POKAZAĆ
– personal pronouns in the dative case

The verbs **dać, kupić, pokazać** often have an indirect object as well as a direct object.

dać + (who to?) **ci +** (what?) **obraz**

The accusative is normally used for the thing given (**obraz** – direct object) and the dative is used for the person it's given to (**ci** – indirect object).

The dative case of personal pronouns:

singular		plural	
nominative	**dative**	**nominative**	**dative**
ja	**mi/mnie**	my	**nam**
ty	**ci/tobie**	wy	**wam**
on	**mu/jemu**	oni	**im**
ona	**jej**	one	**im**
ono	**mu/jemu**		

Chciałbym **pokazać ci** mój nowy dom.
Chciałbym **dać jej** ten obraz.
Czy możesz **kupić mi** ten samochód?

Pan, pani, państwo have the dative forms: **panu, pani, państwu.**

Chciałbym **dać pani** ten obraz.
Chciałbym **dać panu** ten zegarek.
Chciałabym **pokazać państwu** nasze nowe biuro.

ZIMNO MI – sentences without a subject

These constructions are used in situations, when the speaker is experiencing states or sensations (usually physical or physiological) which are beyond their control.

Zimno mi.	I'm cold.
Słabo mi.	I feel faint.
Niedobrze mi.	I feel sick.
Zimno panu/pani?	Are you cold?
Duszno mi.	I can't breathe, I need air.

PODOBA MI SIĘ TEN OBRAZ

The verbs **lubić** and **podobać się** both have the same meaning in English: to like.
In Polish however, there is a certain difference in meaning between them.
Lubić means: to feel affection or have a liking for, or be attached to, someone or something.
Podobać się means: have a pleasant impression on, seem nice, look pretty or aesthetically pleasing. This different meaning is accompanied by a different sentence structure.
Compare these examples:

a) Lubię impresjonistyczne malarstwo.
b) Podoba mi się ten obraz.

a) Lubię Agatę. Ona jest bardzo sympatyczna.
b) Podoba mi się Agata. Ona jest naprawdę piękna.

a) Lubię krótkie włosy.
b) Podoba mi się twoja nowa fryzura.

a) Lubię piosenki „Maanamu".
b) Podoba mi się ta nowa piosenka „Maanamu".

a) Lubię filmy Wajdy.
b) Podoba mi się jego ostatni film.

In the first sentence of each pair (a) we are speaking of our attachment to people or things, to certain kinds of film or music for example, or to certain styles of art. So we can be sure that the speakers in these sentences often listen to "Maanam", know the films of Wajda well, or wear their hair short for example. The focus in the sentences is on the person "doing the liking", and they are the subject of the sentence.
In the second sentences (b) we are speaking more of the aesthetic effect somebody or something has on us. Here we are often speaking of people or things seen or heard once or a few times only, clothes in a shop, paintings in a gallery, songs on the radio, a recent film. Here the focus is on the person or thing "doing the pleasing" (**ostatni film Wajdy, twoja nowa fryzura**), and they are the subject of the sentence (appearing in the nominative) – whereas the person "pleased" is the indirect object, and so the personal pronoun appears in the dative
The personal pronoun usually goes between podoba and się.

Podoba **mi** się ten obraz.
Czy podoba **ci** się to mieszkanie?
Czy podoba **wam** się ten film?

However with the words **pan/pani**, **państwo** the word order changes:

Czy podoba się **panu** ten obraz?
Czy podoba się **pani** to mieszkanie?
Czy podoba się **państwu** ten film?

Careful! We don't say: lubię twoją nową fryzurę, twoje nowe mieszkanie, when seeing them for the first time. We say: **podoba mi się** twoja nowa fryzura, twoje nowe mieszkanie, etc.

We can use the adverb **bardzo** and its comparative degrees (**bardzo, bardziej, najbardziej**) to express how much we like something, with both **lubić** and **podobać się**.

Bardzo podoba mi się ten obraz. Ten obraz podoba mi się **bardziej** niż tamten. Ten duży podoba mi się **najbardziej**.
Bardzo lubię owoce. **Najbardziej** lubię banany.

POLISH SURNAMES – forms and ending changes

Polish surnames can behave gramatically either like nouns or like adjectives, whose different ending changes we are now familiar with.

1. Surnames ending in **-ski, -cki, -dzki** behave like adjectives. Those for men and women have different forms: **pani Dąbrowska, pan Dąbrowski** (nominative singular).
   The surnames of married couples have the endings **-scy** (or **-ccy**, **-dzcy**): **państwo Dąbrowscy** (nominative plural). Surnames of this type have the same case endings as adjectives (znam pana Dąbrowskiego, panią Dąbrowską).
2. Surnames ending with a consonant or with the vowels **-a** or **-o** behave similarly to nouns. Those for both men and women have the same nominative form.
   Surnames ending in a consonant: **pan Nowak, pani Nowak**.
   Here the man's surname has the same case endings as masculine nouns, but the woman's surname is invariable (the same in all cases): (znam pana Nowaka, znam panią Nowak).
   Surnames endings in **-a**: **pan Kaleta, pani Kaleta**.
   Here mens' and womens' surnames both have the same endings as feminine nouns (znam pana Kaletę, znam panią Kaletę).
   Surnames ending in **-o**: **pan Kościuszko, pani Kościuszko**.
   Here the man's surname takes feminine endings, while the woman's surname has the same ending in all cases.
   The surnames of married couples in this group have the nominative plural ending **-owie**: **państwo Nowakowie, państwo Kaletowie, państwo Kościuszkowie**.

SAMOCHÓD ADAMA – Adam's car – the possessive

One of the main functions of the genitive case is to indicate possession. The noun representing the "possessor", appears in the genitive.

To jest samochód Adam**a**.	This is Adam's car.
Podoba mi się biuro moj**ego** szef**a**.	I like my boss's office.
Mąż moj**ej** koleżank**i** jest pilotem.	My friend's husband is a pilot.

Kot moj**ego** dzieck**a** nazywa się Alf.	My child's cat is called Alf.

Remember we use **czyj?** for whose?
– Czyj to dom? – Moj**ego** brat**a**.
– Czyja jest ta torebka? – Moj**ej** koleżank**i**.
– Czyje to jest dziecko? – Agat**y**.

The genitive case is also used when attributing authorship of a painting, a film, a novel etc.

(Malczewski) To jest obraz Malczewski**ego**.
(Kossak) Lubię obrazy Kossak**a**.
(Kieślowski) Filmy Kieślowski**ego** są bardzo znane.
(Boznańska) Podobają mi się obrazy Boznański**ej**.
(Picasso) Nie podobają mi się obrazy Picass**a**.

FESTIWAL KULTURY ŻYDOWSKIEJ

When two nouns appear together, the second noun usually takes the genitive, especially when in English they could be linked with "of":

Plan **miasta**.
Festiwal **kultury**.
Pora **obiadu**.
Brat **dziadka**.

TEN KOŚCIÓŁ POCHODZI Z XV WIEKU

When talking about centuries we use ordinal numbers. These, you will remember, have the same case endings as adjectives. After the preposition **z** they appear with genitive endings.

XVI (**szesnasty**) wiek. Ta katedra pochodzi z XVI (szesnast**ego**) wiek**u**.
XVIII (**osiemnasty**) wiek. Ten most pochodzi z XVIII (osiemnast**ego**) wiek**u**.
XX (**dwudziesty**) wiek. Ten pomnik pochodzi z XX (dwudziest**ego**) wiek**u**.

TO JEST NAJBARDZIEJ ZNANY MALARZ POLSKIEGO REALIZMU – the comparatives of adjectives (2)

In lesson 8 we saw how to make the comparatives and superlatives of adjectives (To jest moja **starsza** siostra, to jest **najstarszy** most w Warszawie). There exists however a group of adjectives, which form their comparatives in a different way, with the help of the comparative and superlative degrees of the adverb **bardzo** (**bardziej, najbardziej**), e.g.: interesujący pisarz, **bardziej interesujący** pisarz, **najbardziej interesujący** pisarz.

To this group belong:
- longer, multisyllable adjectives, for example: realistyczny, inteligentny
- adjectives derived from verbs: znany, lubiany
- a small group of short adjectives, e.g.: mokry, suchy (mokry, bardziej mokry, najbardziej mokry; suchy, bardziej suchy, najbardziej suchy).

Najbardziej znany malarz epoki renesansu.	The best known painter of the Renaissance era.
Najbardziej interesujący pisarz romantyzmu.	The most interesting writer of Romanticism.
Najbardziej fascynująca współczesna poetka.	The most fascinating contemporary woman poet.

WSZYSTKIE DROGI – the pronoun wszystkie

The pronoun **wszystkie** is only used with plural nouns. This is the non-virile form, which is used with feminine and neuter nouns, and masculine nouns representing animals and things. There is a different form **wszyscy** for virile nouns (masculine nouns representing people, see lesson 26).

Wszystkie domy tutaj są białe.	All the houses here are white.
Wszystkie koty są miłe.	All cats are nice.
Wszystkie asystentki mówią po angielsku.	All (our) assistants speak English.

Wszystkie biura w Warszawie są duże.	All the offices in Warsaw are big.
Wszyscy panowie tutaj palą cygara.	All the men here smoke cigars.
Wszyscy mężczyźni lubią szybkie samochody.	All men like fast cars.

ROZMAWIAMY

AT AN EXHIBITION, IN AN ART GALLERY

– Podoba mi się ten obraz.
– Mnie też.
– Czy podoba ci się ten/tamten obraz?
– Tak, podoba mi się/Nie, nie podoba mi się.
– Który obraz podoba ci się najbardziej?
– Ten.
– To była ciekawa wystawa/to była interesująca wystawa.

ĆWICZENIA

1

Choose a suitable verb: **pokazać** or **obejrzeć**.

1. Chciałbym .... ci swój nowy obraz.
2. Czy chcesz .... wystawę w Muzeum Narodowym?
3. Czy chcecie .... nasze zdjęcia z Australii?
4. Chciałbym .... ci coś wyjątkowego.

2

Put the words in brackets into the genitive, e.g.: To jest paszport (Piotr) **Piotra**.

1. – Czy znasz adres (Beata) .... – Nie, nie znam jej adresu.
2. – Czyj to (jest) klucz? – To jest klucz (Michał) ....

3. Dobrze pamiętam dom (moja babcia) ....
4. – Czyja to (jest) kawa? – Nie wiem, chyba (Marek) ....
.... – Tak, to jego kawa.
5. – Czy to jest torebka (twoja mama) ....? – Nie to nie jest jej torebka.
6. Córka (moja koleżanka) .... zna język chiński, fiński i słowacki.

3

Put the words in brackets into the genitive, e.g.: Dyrektor (nasza szkoła) **naszej szkoły** nazywa się Adam Kubiak. Ceny (te produkty) **tych produktów** są za wysokie.

1. Czy to jest twój numer (telefon) ....?
2. Czy masz plan (Warszawa) ....?
3. Produkcja (samochody) .... jest bardzo duża.
4. Prezes (nasza firma) .... jest bardzo młody.
5. Sprzedaż (nasze artykuły) .... w tym miesiącu była bardzo duża.
6. Jutro w centrum „Tokio" zaczyna się promocja (artykuły kosmetyczne) ....
7. To jest adres (nasze biuro) ....

4

Put the artists' names into the genitive, e.g.: Lubię piosenki (Janowski) **Janowskiego**; Lubię kryminały (Chmielewska) **Chmielewskiej.**

1. Lubię obrazy (Boznańska) ....
2. Lubimy koncerty (Bach) ....
3. Wolę mazurki (Chopin) .... niż pieśni (Schubert) ....
4. Czy znasz piosenki (Gawliński) .... i (Steczkowska) ....?

5. Mam nową płytę (Sting) ....

6. Lubię fotografie (Horowitz) ....

5

Read out loud the names of the centuries in these sentences.

1. Ten obraz pochodzi z XVIII wieku.
2. – Co to za kościół? – To jest katedra. Pochodzi z XII wieku.
3. – Co to za pomnik? – To jest pomnik Mickiewicza. Pochodzi z XX wieku.
4. Kościół Mariacki pochodzi z XIII wieku.
5. – Co to za budynek? – To jest poczta. Pochodzi z XIX wieku.

6

Complete the sentences with a personal pronoun in the dative: **mi, ci, mu, jej, nam, wam, im** or: **panu/pani**, e.g.: – Czy lubisz malarstwo włoskie? – Tak, lubię. – Chciałbym pokazać **ci** album Leonarda da Vinci.

1. – Czy pan lubi antyki? – Tak, bardzo. – Chciałabym pokazać .... swoją kolekcję.
2. – Czy znasz zdjęcia Adama Bujaka? – Nie, nie znam jego zdjęć. – Chciałbym pokazać .... jego album.
3. – Czy Piotr lubi malarstwo włoskie? – Tak, on bardzo lubi malarstwo włoskie. – Chciałbym kupić .... album Giotta.
4. – Czy pani interesuje się architekturą? – Tak, bardzo. – Chciałbym pokazać .... album Gaudiego.
5. – Interesuję się fotografią. Czy możesz pokazać .... swoje prace? – Tak, bardzo chętnie.
6. – Czy Beata lubi muzykę barokową? – Myślę, że tak. – Chciałbym dać .... koncerty Bacha.
7. Wiem, że lubicie obrazy Beksińskiego. Chciałbym pokazać .... jego nowy album.
8. Wiem, że państwo Nowakowie interesują się ogrodami. Chciałabym dać .... album „Ogrody w Polsce".

9. Lubimy rzeźby Magdaleny Abakanowicz. Czy możesz pokazać .... jej album?

7 Make questions: **Czy podoba ci się...?** or: **Czy podoba się panu/pani...?**

1. – Czy .... ten kościół? – Tak, podoba mi się.
2. – Czy .... ten obraz? – Nie, nie podoba mi się.
3. – Czy .... ta kanapa? – Nie.
4. – Czy .... to biuro? – Tak, bardzo.
5. – Czy .... ta piosenka? – Tak, podoba mi się.

8 Try and guess whether the person being spoken about is **an author, a poet, a painter, a reporter, film director** or **composer.**

1. Józef Chełmoński to najbardziej znany .... polskiego realizmu.
2. Henryk Sienkiewicz to najpopularniejszy .... XIX wieku.
3. Ryszard Kapuściński to najbardziej znany polski ....
4. Andrzej Wajda to najbardziej znany na świecie polski ....
5. Adam Mickiewicz to największy polski ....
6. Fryderyk Chopin to najbardziej znany polski ....

9 Make up sentences using (the pronoun) **wszystkie**:

1. .... drogi ....
3. .... koty ....

4. .... dzieci ....

5. .... asystentki ....

Put the names in brackets into the accusative or instrumental, as appropriate, e.g.: Lubię (Piotr Kubiak) **Piotra Kubiaka.** Mam spotkanie z (Piotr Kubiak) **Piotrem Kubiakiem.**

10

1. Znam (Adam Nowak) .... i (Monika Nowak) ....
2. Czy znasz (Basia Jaworska) .... i (Darek Jaworski) ....
3. Chciałbym porozmawiać z (Maciek Dąbrowski) .... i (Beata Dąbrowska) ....
4. Mam lekcję angielskiego z (Michał Kubiak) .... i (Kasia Kubiak) ....

Kraków and Warszawa

Kraków needs no advertising. It has the oldest university in Poland – Uniwersytet Jagielloński. There is Wawel, seat of the polish kings and the wonderful Market Square. There are beautiful churches, restaurants reminiscent of the days of the kings, and cafes, where you can experience the atmosphere of pre-war cabarets. Kraków is proud not only of it's monuments, but also because it is the home of the Nobel Prize-winning poets Wisława Szymborska and Czesław, and also of the writers Adam Zagajewski and Sławomir Mrożek. Kraków was the capital of Poland until 1596, when King Zygmunt III Waza moved his capital to Warszawa. This is commemorated by Zygmunt's Column in Plac Zamkowy. However Kraków has never given up its ambition to be Poland's principal city and both cities still compete to have the best universities, theatre programmes and cultural events. It is often said that Warszawa is the city of politicians and businessmen, and Kraków the city of artists.

18. JOHN BROWN ODWIEDZIŁ WUJKA

Wujek Adam:	Tak się cieszę, że cię widzę!
Brown:	Ja też się bardzo cieszę.
Wujek Adam:	Jesteś bardzo podobny do swojego ojca. Opowiadaj! Jak żyjesz? Co robisz? Co robiłeś przez te wszystkie lata?
Brown:	Mieszkam w Londynie, mam dobrą pracę. Przedtem kilka lat mieszkałem i pracowałem w Edynburgu, a jeszcze wcześniej w Glasgow.
Wujek Adam:	(Czy) Masz żonę, dzieci?
Brown:	Nie ożeniłem się.
Wujek Adam:	Jesteś młody, wszystko przed tobą. A co słychać u Caroline, twojej siostry?
Brown:	5 (pięć) lat temu wyjechała do Kanady i tam pracowała w szpitalu. Tam wyszła za mąż, potem skończyła studia i nareszcie jest zadowolona z życia.
Wujek Adam:	A młodsza jak się ma?
Brown:	Świetnie. Ma męża, dwie córki i syna.
Wujek:	Jak ona ma na imię?
Brown:	Marilyn.
Wujek Adam:	A (czy) Paul, brat twojej matki, jeszcze żyje?
Brown:	Tak. Miał zawał w zeszłym roku, ale teraz jest wszystko dobrze.
Wujek Adam:	Widzisz, jak to jest? Ja nigdy nie miałem okazji, żeby do was pojechać, twój ojciec nigdy nie chciał tu przyjechać, a teraz jest już za późno, już go nie ma.

18. JOHN BROWN HAS BEEN TO VISIT HIS UNCLE

Uncle Adam: I'm so glad to see you!

Brown: So am I.

Uncle Adam: You look very like your father. Tell me! How's life? What do you do? What have you been doing for all these years?

Brown: I live in London, I have a good job. Before that I lived and worked in Edinburgh for a few years, and earlier still in Glasgow.

Uncle Adam: Are you married? Do you have any children?

Brown: I'm not married.

Uncle Adam: You're young, you've got your whole life ahead of you. And how is your sister Caroline?

Brown: Five years ago she went off to Canada and worked in a hospital. She got married there, then finished her studies and at last she is happy with life.

Uncle Adam: And how's your younger sister?

Brown: Excellent. She's married, with two daughters and a son.

Uncle Adam: What's she called?

Brown: Marilyn.

Uncle Adam: And is Paul, your mother's brother, still alive?

Brown: Yes. He had a heart attack last year, but everything is O.K. now.

Uncle Adam: You see, I never had the opportunity to go and see you, your father never wanted to come here and now it's too late, he is no longer with us.

Brown:	Co zrobić, takie jest życie.
Wujek Adam:	Nie pamiętam, w którym roku ty się urodziłeś?
Brown:	Urodziłem się w 1963 (tysiąc dziewięćset sześćdziesiątym trzecim) roku.
Wujek Adam:	To ty masz już 40 lat. Czas się ożenić! Musisz znaleźć sobie żonę Polkę! Tutaj na wsi mieszka taka fajna dziewczyna, ładna i pracowita...

Brown:	What can you do, that's life.
Uncle Adam:	I don't remember, what year were you born in?
Brown:	I was born in 1963.
Uncle Adam:	You're 40 already. It's time you got married! You must find yourself a Polish wife! There is a great girl who lives in the village, pretty and hardworking…

SŁOWNICTWO

cieszyć się *imperf* **(cieszę się, cieszysz się), ucieszyć się** *perf* **(ucieszę się, ucieszysz się)** to be pleased/delighted

fajny, -a, -e *adj* great

kończyć *imperf* **(kończę, kończysz), skończyć** *perf* **(skończę, skończysz)** + *acc* to finish, end

nareszcie *adv* at last, finally

obecnie *adv* currently, at present

opowiadać *imperf* **(opowiadam, opowiadasz), opowiedzieć** *perf* **(opowiem, opowiesz)** + *acc* + *dat* to tell, talk

opowiadaj! (*imperative*) **Jak żyjesz?** tell me! How are you doing? (*lit.* living)

ożenić się *perf* see **żenić się**

podobny, -a, -e *adj* similar

pracowity, -a, -e *adj* hard-working

prawdziwy, -a, -e *adj* real, genuine

przedtem *adv* previously, before (that)

przed before, in front of

przez by, here for

przyjeżdżać *imperf* **(przyjeżdżam, przyjeżdżasz), przyjechać** *perf* **(przyjadę, przyjedziesz)** to come, arrive (by transport)

rodzić się *imperf* **(rodzę się, rodzisz się), urodzić się** *perf* **(urodzę się, urodzisz się)** to be born

skończyć *perf* see **kończyć**

szansa *f* chance, opportunity

szpital *m* hospital

w szpitalu in hospital

temu ago

5 lat temu 5 years ago

umierać *imperf* **(umieram, umierasz), umrzeć** *perf* **(umrę, umrzesz)** to die

dziadek umarł/babcia umarła 2 lata temu grandfather/grandmother died 2 years ago

urodzić się *perf* see **rodzić**

wcześniej *adv* earlier

wieś *f* village, country

na wsi in the country

wychodzić za mąż *imperf* **(wychodzę, wychodzisz), wyjść za mąż** *perf* **(wyjdę, wyjdziesz)** to get married (*for a woman*)

Caroline wyszła za mąż Caroline got married

wyjechać *perf see* **wyjeżdżać**

wyjeżdżać *imperf* **(wyjeżdżam, wyjeżdżasz), wyjechać** *perf* **(wyjadę, wyjedziesz)** to leave, go away

zadowolony, -a, -e *adj* satisfied, contented, happy

zawał *m* (heart) attack

zeszły, -a, -e *adj* last

znajdować *imperf* **(znajduję, znajdujesz), znaleźć** *perf* **(znajdę, znajdziesz)** + *acc* to find

żenić się *imperf* **(żenię się, żenisz się), ożenić się** *perf* **(ożenię się, ożenisz się)** + **z** + *instr* to get married (*for a man*)

życie *n* life

takie jest życie such is life

GRAMATYKA

THE PAST TENSE IN THE SINGULAR

The past tense is constructed from the infinitive (dictionary form) of the verb (**mieszkać**), removing the final **-ć** (mieszka) and adding past tense endings to the stem (ja mieszka**łem**). We met these endings when we looked at the past tense of the verb **być** (lesson 8).

masculine	feminine	neuter
ja mieszka**łem**	ja mieszka**łam**	–
ty mieszka**łeś**	ty mieszka**łaś**	–
on mieszka**ł** pan	ona mieszka**ła** pani	ono mieszka**ło**

Here are some other examples in 1st person masculine and feminine:
pracować – (ja) pracowałem, (ja) pracowałam
studiować – (ja) studiowałem, (ja) studiowałam
urodzić się – (ja) urodziłem się, (ja) urodziłam się

Both imperfective and perfective verbs form their past tenses in the same way although keeping their characteristic difference in meaning. (This will be dealt with in lesson 20).

In this lesson's dialogue we met both imperfective and perfective verbs in the past. Imperfective (robić, pracować, mieszkać) – used for contiunous, not necessarily completed actions and perfective (ożenić się, wyjechać, wyjść za mąż) – used for single, completed actions.

OŻENIĆ SIĘ – WYJŚĆ ZA MĄŻ

In Polish, different verbs are used for getting married, depending on whether the subject is a man or a woman.

man	woman
żenić się (*imperf*)	**wychodzić za mąż** (*imperf*)
ożenić się (*perf*)	**wyjść za mąż** (*perf*)

present tense

żenić się	**wychodzić za mąż**
ja żenię się	ja wychodzę za mąż
ty żenisz się	ty wychodzisz za mąż
on żeni się	ona wychodzi za mąż

past tense

ożenić się	**wyjść za mąż**
ja ożeniłem się	ja wyszłam za mąż
ty ożeniłeś się	ty wyszłaś za mąż
on ożenił się	ona wyszła za mąż

5 LAT TEMU – time expressions (6) – talking about the past

Note that **zeszły** takes the locative with names of time periods **w zeszłym tygodniu, miesiącu, roku**, but for the names of days the accusative is used, e.g.: **w zeszły piątek**, **w zeszłą sobotę.**
The word **temu** is invariable.

Wczoraj miałem spotkanie z klientami.
2 lata temu wyjechałem do Kanady.

3 miesiące temu wyszłam za mąż.
W zeszłym roku ożeniłem się.
W zeszłym miesiącu miałam egzamin.
W zeszłym tygodniu kupiłam samochód.
W zeszłą sobotę był dobry koncert jazzowy.
W zeszły piątek była konferencja.

TERAZ, PRZEDTEM – sequences of events (2)

When comparing events or actions in the present with those in the past, we use the adverbs: **teraz, obecnie, przedtem, wcześniej**.

Teraz pracuję w firmie „Logo", **przedtem** pracowałem w firmie „Gala".	Now I work for "Logo", before I worked for "Gala".
Teraz jestem politykiem, **wcześniej** byłem informatykiem.	Now I am politician, before (*lit* earlier) I was computer scientist.
Obecnie mieszkam w Warszawie, **wcześniej** mieszkałem w Krakowie.	At present I live in Warsaw, before (*lit.* earlier) I lived in Kraków.

W KTÓRYM ROKU SIĘ URODZIŁEŚ? – talking about dates

When giving dates, cardinal numbers are used for the thousands and hundreds, and ordinal numbers for the tens and units.

Który to był rok? — **What year was it?**

To był rok **1989** (**tysiąc dziewięćset osiemdziesiąty dziewiąty**).
Jest rok **1956** (**tysiąc dziewięćset pięćdziesiąty szósty**).
Jest rok **2003** (**dwa tysiące trzeci**).

W którym roku...? — **In what year...?**

After the preposition **w** ordinal numbers (pięćdziesiąty szósty) appear in the locative case.

– W którym roku się urodziłeś?	What year were you born in?
– Urodziłem się **w 1956 roku** (tysiąc dziewięćset pięćdziesiąt**ym** szóst**ym** roku).	I was born in 1956.
Wyjechałem do Kanady **w 1989 roku** (tysiąc dziewięćset osiemdziesiąt**ym** dziewiąt**ym** roku).	I went (away) to Canada in 1989.

When saying dates out loud, we only need to say the last two numbers (urodziłem się w **pięćdziesiątym szóstym** roku).

ROZMAWIAMY

EXPRESSING HAPPINESS

Jestem zadowolony **z** urlop**u**. (genitive)	I'm happy with my holiday.
Jestem zadowolona **z** prac**y**. (genitive)	I'm happy with my work.
Jestem zadowolony **z** now**ego** biur**a**. (genitive)	I'm happy with my new office.
– Cieszę się, **że** cię widzę. – Ja też się cieszę.	I'm really happy to see you. Me too.
Cieszę się, **że** dostałaś stypendium.	I'm really happy that you got your scholarship.
Cieszę się, **że** jesteś tu.	I'm really happy you're here.

ASKING HOW FRIENDS AND ACQUAINTANCES ARE

Co słychać **u** Adam**a**? (genitive)	Jak się ma Adam? (nominative)
Co słychać **u** Monik**i**? (genitive)	Jak się ma Monika? (nominative)
Co słychać **u** twoj**ej** siostr**y**? (genitive)	Jak się ma twoja siostra? (nominative)

ĆWICZENIA

Put the following verbs into the past tense, e.g.: (Ja) **mieszkałem** w Krakowie.

masculine

pracować

1. (Ja) 5 lat temu .... w firmie „Gala".
2. Gdzie (ty) .... 5 lat temu?
3. Adam .... w banku.

mieszkać

4. Czy (ty) .... w Warszawie 4 lata temu?
5. Tak, (ja) .... w Warszawie.
6. Artur .... w Krakowie.

ożenić się

7. Michał .... 2 lata temu.
8. Kiedy (ty) ....?
9. (Ja) .... w zeszłym roku.

urodzić się

10. Gdzie (ty) ....?
11. (Ja) .... w Krakowie.
12. Mój syn .... w Polsce.

feminine

pracować

1. Gdzie (ty) przedtem ....?
2. (Ja) .... przedtem w firmie „Molo".
3. Patrycja ....wcześniej w firmie „Sto".

mieszkać

4. Gdzie (ty) .... 10 lat temu?
5. 10 lat temu (ja) .... w Krakowie.
6. Krysia 2 lata temu .... w Londynie.

wyjść za mąż

7. Kiedy (ty) .... za mąż?

8. (Ja) ....w zeszłym roku.

9. A Dorota? Dorota .... 2 lata temu.

urodzić się

10. Kiedy (ty) ....?

11. (Ja) .... w tysiąc dziewięćset siedemdziesiątym roku (1970).

12. Gdzie .... twoja córka?

neuter

urodzić się

1. Gdzie .... twoje dziecko?

mieszkać

2. Czy wasze dziecko .... z wami?

pracować

3. Moje dziecko nigdy nie ....

2

Choose one of the following verbs: **mieć, chcieć, musieć, wiedzieć** and write it in the past tense.

1. In the 1st person singular: (ja) chciałem... etc.

   Kilka lat temu .... pracować w firmie „Nokia". 2 lata temu .... okazję tam pracować, ale .... wyjechać do Kanady do ojca. Nie ...., że to była prawdziwa szansa.

2. In the 3rd person singular:

   Paweł Nowak trzy lata temu .... zawał. .... wrócić do pracy, ale .... iść na emeryturę. Teraz jest jednak zadowolony. Ma nową pasję – ogród i kwiaty.

Ania .... studiować psychologię. W zeszłym roku umarł jej ojciec i Ania .... iść do pracy i zarabiać pieniądze. A potem nie .... już czasu na studia.

3 Complete the following sentences, using your imagination, e.g.: Teraz mieszkam w Warszawie, **przedtem mieszkałam w Krakowie**.

1. Teraz pracuję w firmie „Kora", przedtem ....
....
2. Piotr teraz mieszka w Warszawie, przedtem ....
....
3. Magda teraz studiuje prawo, wcześniej ....
....
4. Adam teraz ma duże mieszkanie, wcześniej ....
....
5. Michał teraz jest kelnerem, przedtem ....
....

4 Write the time expressons in brackets in the appropriate form, e.g.: **W zeszłą sobotę** był dobry koncert; **W zeszłym roku** dostałam stypendium.

1. (zeszły tydzień) .... miałem trzy lekcje angielskiego.
2. (zeszły piątek) .... było ważne spotkanie z klientami.
3. (zeszła środa) .... chciałam iść do kina, ale nie miałam czasu.
4. (zeszły miesiąc) .... dużo pracowałem.
5. (zeszły rok) .... nie miałam urlopu.

Answer the following questions about yourself, e.g.: **Urodziłem/łam się w roku 1956.**

5

1. W którym roku się urodziłeś/łaś? ....
2. W którym roku skończyłeś/łaś szkołę/studia? ....
3. W którym roku wyjechałeś/łaś do Francji/Anglii/Rosji? ....
4. W którym roku przyjechałeś/łaś do Polski? ....
5. W którym roku się ożeniłeś/wyszłaś za mąż? ....
6. W którym roku urodził się twój syn/urodziła się twoja córka? ....
7. W którym roku umarł twój dziadek/umarła twoja babcia? ....

Put the words in brackets into the genitive, e.g.: Jestem zadowolona z **urlopu**.

6

a) 1. Czy jesteś zadowolony z (praca) ....?

2. Czy jesteś zadowolona z (hotel) ....?

3. Jestem bardzo zadowolona z (lekcja) ....

4. Czy jesteś ze (ja) .... zadowolona? – Tak, bardzo.

b) Make up sentences:

5. Cieszę się, że ....

6. Cieszę się, ...

7. Cieszę się, ...

Put the words in brackets into the genitive, e.g.: Co słychać u **twojej żony**?

7

1. Co słychać u (twój brat) ....?
2. Co słychać u (Piotr) ....?
3. Co słychać u (twoja siostra) ....?
4. Co słychać u (Magda) ....?

19. JAK BYŁO W KRAKOWIE?

Basia:	Jak było w Krakowie?
Alice:	Było świetnie! Zwiedziliśmy Wawel, byliśmy na wystawie w muzeum, spacerowaliśmy po Rynku i po Kazimierzu, piliśmy dobre wino i jedliśmy pyszne dania.
Basia:	A gdzie mieszkaliście?
Alice:	W hotelu „Gala". Hotel taki sobie, ale obsługa bardzo miła.
Basia:	Mieliście przytulny apartament?
Alice:	Jaki apartament? Mieliśmy osobne pokoje.
Basia:	Jestem zaskoczona i rozczarowana. No dobrze, mniejsza z tym. Czy podobał ci się Kraków?
Alice:	Tak, bardzo.
Basia:	A byliście w Zakopanem?
Alice:	Tym razem nie, zostaliśmy dzień dłużej w Krakowie.
Basia:	A jaka była pogoda?
Alice:	Pierwszego dnia było ciepło, drugiego padało, a trzeciego znów było słonecznie. A ty co robiłaś w weekend?
Basia:	Byłam w pubie i poznałam atrakcyjnego mężczyznę. To było tak: siedzę przy barze, podchodzi facet i pyta mnie, jakie polskie piwo mogę mu polecić. Pomyślałam, że to cudzoziemiec i że chyba próbuje mnie poderwać, no bo dlaczego nie pyta o to barmana? Był wyjątkowo przystojny, zaczęliśmy rozmawiać – o jego pobycie w Polsce, o pracy...
Alice:	Kim on jest?

19. HOW WAS IT IN CRACOW?

Basia: How was it in Kraków?

Alice: It was excellent! We visited Wawel, went to an exhibition at the museum and went for a walk round the Market Square and round Kazimierz, we drank some really good wine and ate some delicious food.

Basia: And were did you stay?

Alice: In the hotel "Gala". The hotel was so-so, but the service was really friendly.

Basia: Did you have a nice suite?

Alice: What suite? We had separate rooms.

Basia: I'm surprised and disappointed. O.K. never mind that, did you like Kraków?

Alice: Yes, very much.

Basia: And were you in Zakopane?

Alice: Not this time. We stayed a day longer in Kraków.

Basia: What was the weather like?

Alice: On the first day it was warm, on the second it rained and on the third it was sunny again. And what about you? What did you do at the weekend?

Basia: I was in a pub and I met an attractive man. It was like this: I'm sitting at the bar, a guy comes up and asks me what Polish beer I can recommend him. I thought that he was a foreigner and that he was probably wanting to pick me up, otherwise why not ask the barman. He was exceptionally handsome, we started talking, about his stay in Poland, about work…

Alice: Where's he from? What does he do?

Basia:	On jest Anglikiem polskiego pochodzenia. Jest bardzo szczęśliwy, bo właśnie odnalazł wujka gdzieś koło Konina. Wiesz, autentyczny Anglik.
Alice:	Niezupełnie, pół Polak, pół Anglik.
Basia:	Mniejsza z tym. Spędziliśmy razem cudowny wieczór. Byliśmy na spacerze, potem na kolacji w restauracji. Wiesz, zrozumiałam, że najbardziej podobają mi się dojrzali mężczyźni. Czuję, że to jest to.
Alice:	A czy już wiesz, jaki ma samochód?

Basia: He's English, of Polish origin. He's very happy, because he's just been to see his uncle who lives somewhere near Konin. A real Englishman.

Alice: Not exactly, half Polish, half English.

Basia: Anyway, we spent a wonderful evening together. We went for a walk, and after that to a restaurant for dinner. You know I've just discovered that I like mature men the most. I have a feeling this is it.

Alice: And do you know what kind of car he has yet?

SŁOWNICTWO

apartament *m* suite
atrakcyjny, -a, -e *adj* attractive
autentyczny, -a, -e *adj* authentic
cudowny, -a, -e *adj* wonderful, miraculous
cudzoziemiec *m* foreigner (*m*)
cudzoziemka *f* foreigner (*f*)
czuć *imperf* **(czuję, czujesz), poczuć** *perf* **(poczujesz, poczujesz)** + *acc* to feel
dojrzały, -a, -e *adj* mature, ripe
facet *m* guy
gdzieś somewhere
mniejsza z tym anyway, never mind that (when changing the subject)
niezupełnie *adv* not exactly
odnajdować *imperf* **(odnajduję, odnajdujesz), odnaleźć** *perf* **(odnajdę, odnajdziesz)** + *acc* to find
Brown odnalazł wujka Brown found his uncle
odnaleźć *perf* see **odnajdować**
osobny, -a, e *adj* separate
pobyt *m* (*loc* **o pobycie**) stay
pochodzenie *n* origin, descent
podchodzić *imperf* **(podchodzę, podchodzisz), podejść** *perf* **(podejdę, podejdziesz)** to approach, come up
podrywać *imperf* **(podrywam, podrywasz), poderwać** *perf* **(poderwę, poderwiesz)** + *acc* to pick up
powód *m* reason, cause
pół Polak, pół Anglik half Polish, half English
próbować *imperf* **(próbuję, próbujesz), spróbować** *perf* **(spróbuję, spróbujesz)** to try
przy by, at

przyjemny, -a, -e *adj* pleasant
przystojny, -a, -e *adj* handsome, good-looking
przytulny, -a, -e *adj* cosy
pyszny, -a, -e *adj* delicious
rozczarowany, -a, -e *adj* disappointed
rynek *m* marketplace
spacerowaliśmy po Rynku we went for walks round the Market Square
siedzieć (siedzę, siedzisz) *imperf* to sit
słonecznie *adv* sunny
spacer *m* (*loc* **na spacerze**) walk
szczęśliwy, -a, -e *adj* happy, lucky
taki sobie, taka sobie, takie sobie so-so
temat *m* subject, topic, theme
ten raz this time
tym razem this time (on this occasion)
wyjątkowo *adv* exceptionally
zacząć *perf* see **zaczynać**
zaczynać (zaczynam, zaczynasz), zacząć *perf* **(zacznę, zaczniesz),** + *acc* to begin, start
(my) zaczęliśmy rozmawiać we started talking
zaskoczony, -a, -e *adj* surprised

GRAMATYKA

MIESZKALIŚMY W HOTELU „GALA"
– the past tense in the plural

We have already seen that the past tense has two plural forms: virile and non-virile (see lesson 8).
Remember that we use the virile form when the subject noun is masculine and represents people (**panowie byli**).
For everything else (women, children, animals and things) we use non-virile (**panie były, dzieci były, koty były, domy były**).

mieszkać – past tense plural

virile	non-virile
my mieszka**liśmy**	my mieszka**łyśmy**
wy mieszka**liście**	wy mieszka**łyście**
oni mieszka**li**	one mieszka**ły**

CZY MIELIŚCIE APARTAMENT? – the past tense of the verbs **mieć, chcieć, musieć** and **jeść**

In the past tense of verbs where the infinitive ends in **-eć**, in the virile plural forms there is a stem change **e:a**.

mieć – past tense

singular		
masculine	**feminine**	**neuter**
ja miałem	ja miałam	–
ty miałeś	ty miałaś	–
on miał	ona miała	ono miało
plural		
virile	**non-virile**	
my mieliśmy	my miałyśmy	
wy mieliście	wy miałyście	
oni mieli	one miały	

chcieć – past tense

singular		
masculine	**feminine**	**neuter**
ja chciałem	ja chciałam	–
ty chciałeś	ty chciałaś	–
on chciał	ona chciała	ono chciało
plural		
virile	**non-virile**	
my chcieliśmy	my chciałyśmy	
wy chcieliście	wy chciałyście	
oni chcieli	one chciały	

musieć – past tense

singular		
masculine	**feminine**	**neuter**
ja musiałem	ja musiałam	–
ty musiałeś	ty musiałaś	–
on musiał	ona musiała	ono musiało
plural		
virile	**non-virile**	
my musieliśmy	my musiałyśmy	
wy musieliście	wy musiałyście	
oni musieli	one musiały	

The same change occurs in the following verbs: **wiedzieć, rozumieć, siedzieć, widzieć**.

In the past tense of the verb **jeść** there is also a stem change **a:e**, but note that the stem itself is different from the infinitive.

jeść – past tense

singular		
masculine	**feminine**	**neuter**
ja jadłem	ja jadłam	–
ty jadłeś	ty jadłaś	–
on jadł	ona jadła	ono jadło
plural		
virile	**non-virile**	
my jedliśmy	my jadłyśmy	
wy jedliście	wy jadłyście	
oni jedli	one jadły	

BYŁAM W PUBIE – the locative case

The locative case is most often used in answer to the question: **gdzie**? (jesteś, byłeś, mieszkasz, pracujesz, etc.). Its characteristic prepositions are:

w (byłem w pubie)
na (byłam na kolacji)
przy (szafa stoi przy oknie)

As with prepositions with verbs of motion, we can notice a certain pattern;
w is mostly used for spaces we visualise as three-dimensional: byłem **w kinie, w biurze**, **w parku**;
na – is mostly used for "flat" open spaces: byłem **na ulicy, na placu, na lotnisku** (but note also: na dworcu, na poczcie);
na is also used with nouns representing "events" and meals, e.g.: byłem **na kolacji, na koncercie, na filmie**.

Compare these examples:
walizka jest **w** szafie – the suitcase is **in** the cupboard.
walizka jest **na** szafie – the suitcase is **on** the cupboard.

The locative endings of nouns:

masculine, feminine, neuter		
-e	for nouns of all three genders where the stem ends in a hard consonant. Before the ending **-e** there is often a softening of the consonant, by the addition of **i** or a change of consonant	
	(pub, klub, ślub) – w pubi**e**, w klubi**e**, na ślubie	**b:bi**
	(samochód, sad, ogród) – w samochodzi**e**, w sadzie, w ogrodzi**e**	**d:dzi**
	(szafa) – w szafi**e**	**f:fi**
	(Praga, podłoga) – w Pradz**e**, na podłodz**e**	**g:dz**
	(Polska, szafka) – w Polsc**e**, na szafc**e**	**k:c**
	(szkoła, stół, krzesło) – w szkol**e**, na stol**e**, na krześl**e**	**ł:l**
	(Rzym, film) – w Rzymi**e**, na filmie	**m:mi**
	(Londyn, Lublin, salon, kino) – w Londyni**e**, w Lublinie, w saloni**e**, w kinie	**n:ni**
	(sklep, mapa, kanapa) – w sklepi**e**, na mapi**e**, na kanapie	**p:pi**
	(opera, teatr, biuro) – w operz**e**, w teatrz**e**, w biurz**e**	**r:rz**
	(kasa, trasa) – w kasi**e**, na trasie	**s:si**
	(Madryt, koncert, toaleta) – w Madryci**e**, na koncerci**e**, w toaleci**e**	**t:ci**
	(Warszawa, Kraków) – w Warszawi**e**, w Krakowi**e**	**w:wi**
	(Tuluza, wiza, Ibiza) – w Tuluzi**e**, w wizi**e**, na Ibizi**e**	**z:zi**

masculine and neuter	
-u	for masculine and neuter nouns, where the stem ends in a soft consonant or a "hardened" consonant (cz, c, sz, ż, dż, dz), and also after k, g, ch, l (koń, styczeń, tydzień) – na koni**u**, w styczni**u**, w tygodni**u** (śniadanie, spotkanie, mieszkanie) – na śniadani**u**, na spotkani**u**, w mieszkani**u** (hotel, spektakl, fotel) – w hotel**u**, na spektakl**u**, na fotel**u** (mecz, strych, kosz, miesiąc) – na mecz**u**, na strych**u**, w kosz**u**, w miesiąc**u** (park, bank, śnieg) – w park**u**, w bank**u**, na śnieg**u** (łóżko, biurko) – w łóżk**u**, na biurk**u** (pokój) – w pokoj**u**
feminine	
-i/-y	for feminine nouns, where the stem ends in a soft or "hardened" consonant (kuchnia, sypialnia, Hiszpania) – w kuchn**i**, w sypialn**i**, w Hiszpani**i**. (restauracja, kolacja, Francja, telewizja) – w restauracj**i**, na kolacj**i**, we Francj**i**, w telewizj**i** (ulica, noc, praca) – na ulic**y**, w noc**y**, w prac**y**

This system might seem somewhat complicated at first, but in practice you will gradually get a feel for these endings.

IDĘ DO... – BYŁEM W...

Certain prepositions (most often **do**, **na** – see lesson 13), are used with verbs of movement. Static verbs such as być, mieszkać, pracować also have specific prepositions (**w**, **na**).
These prepositions govern different cases, depending on whether they are used with verbs of motion or with static verbs. With verbs of motion **do** governs the genitive, and **na** the accusative. With static verbs the locative case is used with both **w** and **na**.

Idę do teatru. (genitive) **Byłem w teatrze.** (locative)
Jadę na lotnisko. (accusative) **Byłem na lotnisku.** (locative)
Idę na spotkanie. (accusative) **Byłem na spotkaniu.** (locative)

ROZMAWIALIŚMY O KINIE – the locative case (continued)

The preposition **o** usually takes the locative. It is often used with certain verbs where the noun following **o** appears in the locative: **myśleć, pamiętać, mówić, rozmawiać, dyskutować, wiedzieć**.
Myślę **o** urlopie.
Nie pamiętałem **o** spotkaniu.
Rozmawialiśmy **o** koncercie.

The locative case often answers the questions **o kim? o czym?**
– **O kim** teraz pomyślałaś? – (Pomyślałam) **o Adamie**.
– **O czym** rozmawialiście z Pawłem? – (Rozmawialiśmy) **o filmie**.

Here are the endings for adjectives and demonstrative and possessive pronouns in the locative singular:

masculine	
-ym/-im	(ten film, dobry koncert, mój dom) Myślę o t**ym** filmie, o dobr**ym** koncercie, o mo**im** domu.
feminine	
-ej	(ta kobieta, dobra kolacja) Myślę o t**ej** kobiecie, o dobr**ej** kolacji.
neuter	
-ym/-im	(nasze biuro, polskie kino) Rozmawialiśmy o nasz**ym** biurze, o polsk**im** kinie.

(**ten nasz nowy** dom) Byliśmy wczoraj w t**ym** nasz**ym** now**ym** domu.
(**ta wasza nowa** firma) Byliśmy w piątek w t**ej** wasz**ej** now**ej** firmie.
(**to twoje nowe** biuro) Byliśmy wczoraj w t**ym** two**im** now**ym** biurze.

PIERWSZEGO DNIA BYŁA ŁADNA POGODA – expressions of time (7)

Remember that when saying what date an event occurs on, we use the genitive (lesson 14), for example: koncert jest (15) **piętnastego maja**. We also use the genitive when describing events which took place over the course of several days (on the first day etc…) e.g.:

Pierwszego dnia była ładna pogoda, **drugiego dnia** padał deszcz, **trzeciego dnia** padał śnieg.	On the first day the weather was lovely, on the second day it rained, on the third day it snowed.
Pierwszego dnia byliśmy w restauracji, **drugiego** byliśmy w kawiarni, a **ostatniego** w pubie.	On the first day we went to a restaurant, on the second day we went to a café, and on the last day, to a pub.

TYM RAZEM, NASTĘPNYM RAZEM

Some time expressions (from **wieczór** or the seasons: **wiosna, lato, jesień, zima**) appear in the instrumental case. Note these examples:
wieczorem idę na kolację
wiosną gram w tenisa
latem pływam
jesienią często pada deszcz
zimą jeżdżę na nartach

Similarly:

(ten raz) **Tym razem** nie byliśmy w restauracji „Fiołek".	This time we didn't go to the "Fiołek" restaurant.
(następny raz) **Następnym razem** chciałabym zwiedzić Wawel.	Next time I would like to visit Wawel.
(ostatni raz) **Ostatnim razem** była piękna pogoda.	Last time the weather was beautiful.

ROZMAWIAMY

WHAT WAS YOUR TRIP TO KRAKÓW LIKE?

– Jak było? – (Było) Świetnie! /(Było) Wspaniale!	– How was it? – (It was) excellent! (it was) wonderful.
– Jak ci się podobało w Krakowie? – Bardzo mi się podobało.	– How did you like it in Kraków? – I liked it very much.

– Jak ci się podobał Wawel? – How did you like Wawel?
– (Wawel) bardzo mi się podobał. – I liked Wawel very much.

– Jak koncert? – Koncert był bardzo dobry. – How was the concert? – The concert was very good.

ĆWICZENIA

1

Put the verbs in brackets into the appropriate form of the past tense plural, e.g.: Gdzie (wy) **pracowaliście** 5 lat temu?

virile

1. (robić) – Co (wy) .... w zeszłą niedzielę wieczorem? – (My) (pisać) .... e-maile i (czytać) .... książki.
2. (mieszkać) – Gdzie Piotr i Ewa .... w zeszłym roku? – Oni .... w Poznaniu.
3. (mieszkać) – Gdzie państwo .... dwa lata temu? – Dwa lata temu (my) .... w Gdańsku.

non-virile

4. (robić) – Co (wy) .... w zeszłą sobotę? – (My) (robić) .... zakupy i (sprzątać) .... mieszkanie. Potem (oglądać) .... telewizję i (rozmawiać) ....
5. (studiować) – Co Jola i Tola .... w zeszłym roku? – One .... socjologię.

2

Answer the questions:

1. Co Alice i Waldek robili w Krakowie? ....
....
2. Gdzie oni mieszkali? ....
....

3 Choose one of these verb: **chcieć, mieć, musieć** and write it in the past tense plural.

1. virile

(My) wczoraj .... iść na piwo, ale niestety .... skończyć raport. Nie .... czasu, żeby iść na piwo.

2. non–virile

Wiesz, ... wczoraj z koleżanką iść do kina, ale przez 20 minut .... szukać parkingu i w końcu było za późno, żeby iść na film.

– .... trochę wolnego czasu, więc kupiłyśmy czerwone wino i pojechałyśmy do mnie.

4 Put the nouns in brackets into the locative, e.g.: Wczoraj byłem w **restauracji**:

1. – Wczoraj byliśmy w (pub) .... – A my byliśmy w (kino) ....
2. – Czy byliście w (opera) .... w zeszły weekend? – Nie, byliśmy w (teatr) ....
3. W zeszły piątek Ola i John byli w (restauracja) .... na (kolacja) ....
4. Wczoraj rano byłem na (spotkanie) .... z klientami.
5. – Gdzie jest Ania? – Ania jest w (salon) ....
6. – Co Marek robi w (kuchnia) ....? – (On) robi kawę.

5 Put the adjectives and pronouns in brackets into the locative, e.g.: W sobotę byłam na **dobrym** filmie.

1. W zeszłym tygodniu byliśmy na (dobry) .... koncercie.
2. W zeszłą sobotę byliśmy na (dobra) .... kolacji w (japońska) .... restauracji.

3. W (mój) .... pokoju nie ma ręczników.

4. Jeszcze nie byłam w (twoje) .... mieszkaniu.

6

Put the words in brackets into the locative, e.g.: Magda i Paweł rozmawiali o **teatrze**.

1. – O czym rozmawialiście? – Rozmawialiśmy o (dobry film) ....,
2. Myślałam o tym (nowy projekt) ....
3. Nie pamiętałem o (prezent) .... dla żony.
4. – O czym rozmawiałaś z dyrektorem? – Rozmawiałam z dyrektorem o (nasze spotkanie) ....

7

Put the words in brackets into the instrumental, e.g.: **Następnym razem** chciałabym zobaczyć tę wystawę.

1. (Ten raz) .... nie byliśmy w muzeum. Pójdziemy tam (następny raz) ....
2. (Ostatni raz) ...., kiedy byłam w Londynie, odwiedziłam moją przyjaciółkę.

8

Use your imagination to answer questions about your stay in Kraków/Warsaw/in…

Co robiliście w Krakowie/w Warszawie?/w ....?

– Pierwszego dnia ....

– Drugiego dnia ....

– Trzeciego dnia ....

Jaka była pogoda?

– Pierwszego dnia ....

– Drugiego dnia ....

– Trzeciego dnia ....

20. PECHOWY DZIEŃ

Wieczorem

Waldek:	Co słychać? (Czy) wszystko w porządku? Wyglądasz nie najlepiej.
Alice:	Miałam dzisiaj pechowy dzień.
Waldek:	Dlaczego? Co się stało?
Alice:	Rano pisałam e-maile. Napisałam dwa i zepsuł się komputer. Potem wysyłałam faksy. Wysłałam jeden i faks przestał działać.
Waldek:	I co jeszcze? Wyłączyli prąd i rura pękła?
Alice:	Nie, coś gorszego.
Waldek:	Co takiego?
Alice:	Robiłam zakupy w hipermarkecie, ale w końcu nie zrobiłam, bo ukradli mi torebkę. Miałam tam portfel i kartę kredytową. Nie mogłam nawet kupić chleba na kolację.
Waldek:	No to naprawdę pechowy dzień. (Czy) zablokowałaś kartę?
Alice:	Tak, zablokowałam. Byłam w banku i ta pani zapytała mnie, czy jestem pewna, że ukradli mi kartę, czy może zostawiłam ją w domu. Odpowiedziałam, że jestem pewna. Potem zapytała, czy mogę podać jej numer karty. Powiedziałam, że nie, bo nie pamiętam tego numeru.
Waldek:	I jak to się skończyło?
Alice:	W końcu poszukała numeru w komputerze. Chciałam zadzwonić do ciebie, ale nie mogłam, bo nie miałam telefonu.
Waldek:	A (czy) byłaś na policji, żeby zgłosić kradzież?
Alice:	Nie, jeszcze nie.
Waldek:	No to idziemy.

20. AN UNLUCKY DAY

In the evening

Waldek: How are things? Is everything all right? You're not looking at your best.
Alice: Today hasn't been my lucky day.
Waldek: Why not? What's happened?
Alice: This morning I was writing some e-mails. I wrote two and then the computer broke down. After that I was sending some faxes. I sent one and then the fax machine stopped working.
Waldek: And what else? Did they cut off the electricity? Did your water pipes burst?
Alice: No, something worse.
Waldek: Such as?
Alice: I was doing the shopping in the hypermarket, but in the end I didn't do it because my handbag was stolen. I had my wallet and credit card in it. I couldn't even buy bread for supper.
Waldek: It really has been your unlucky day, then. Have you cancelled your card?
Alice: Yes, I've cancelled it. I went to the bank and this woman asked me if I was sure that my card had been stolen, or if maybe I had left it at home. I told her that I was sure. Then she asked me if I could give her my credit card number. I said no, because I couldn't remember its number.
Waldek: And how did it end?
Alice: In the end she looked up the number in the computer. I wanted to call you but I couldn't, because I didn't have my telephone.
Waldek: And have you been to the police to report the theft?
Alice: No, not yet.
Waldek: Let's go, then.

Na policji

Waldek:	Dobry wieczór, chcieliśmy zgłosić kradzież torebki.
Policjant I:	Proszę tu poczekać. (*po chwili*) Proszę do pokoju numer 8 (osiem).
Alice:	Dzień dobry. Proszę pana, ukradli mi torebkę.
Policjant II:	Rozumiem. Muszę napisać protokół. Proszę powiedzieć, gdzie to się stało i kiedy.
Alice:	Dzisiaj w „Auchan" przy ulicy Puławskiej.
Policjant:	O której godzinie?
Alice:	Około godziny (18^{00}) osiemnastej.
Policjant:	Czy pani była sama, czy z mężem?
Alice:	To nie jest mój mąż. Byłam sama.
Policjant:	Proszę opisać, jak wygląda pani torebka?
Alice:	Czarna, ze skóry, z długim paskiem.
Policjant:	Co w niej było?
Alice:	Portfel, też czarny, ze skóry, karta kredytowa, kosmetyki i moja komórka.
Policjant:	Czy pani widziała, kto to był?
Alice:	Nie, nie widziałam.
Policjant:	Proszę podpisać się tutaj, dziękuję, to wszystko.

At the police-station

Waldek: Good evening, we'd like to report the theft of a handbag.

Policeman I: Please wait here. (*a moment later*) Please go to room number 8.

Alice: Good evening. My handbag has been stolen.

Policeman II: I understand. I have write a report. Please tell me where and when it happened.

Alice: Today, in Auchan on Puławska Street.

Policeman: At what time?

Alice: At about six o'clock.

Policeman: Were you on your own or with your husband?

Alice: He's not my husband. I was on my own.

Policeman: Can you describe the bag?

Alice: Black, leather, with a long stripe.

Policeman: What was in it?

Alice: Wallet, also black leather, my credit card, some cosmetics, and my mobile phone.

Policeman: Did you see who it was?

Alice: No, I didn't.

Policeman: Please sign here. Thank you, that's everything.

SŁOWNICTWO

blokować *imperf* **(blokuję, blokujesz), zablokować** *perf* **(zablokuję, zablokujesz)** to block, cancel

centrum handlowe *n* shopping centre

karta kredytowa *f* credit card

koniec *m* end

w końcu in the end, finally

kradzież *f* theft, robbery

kraść *imperf* **(kradnę, kradniesz), ukraść** *perf* **(ukradnę, ukradniesz)** + *acc* + *dat* to steal

ukradli mi torebkę someone has stolen my bag

mówić *imperf* **(mówię, mówisz), powiedzieć** *perf* **(powiem, powiesz) + o +** *loc* to say, tell

odpowiadać *imperf* **(odpowiadam, odpowiadasz), odpowiedzieć** *perf* **(odpowiem, odpowiesz) + na +** *acc + dat* to answer
opisywać *imperf* **(opisuję, opisujesz), opisać** *perf* **(opiszę, opiszesz)** + *acc* to describe
pasek *m* strap, stripe
pech *m* bad luck
mieć pecha to be unlucky
pechowy, -a, -e *adj* unlucky
pęknąć *perf* burst, to crack, rip
rura pękła a pipe burst
podpisywać się *imperf* **(podpisuję się, podpisujesz się), podpisać się** *perf* **(podpiszę się, podpiszesz się)** to sign
policja *f* police
na policji at the police-station
poszukać *perf* see **szukać**
powiedzieć *perf* see **mówić**
prąd *m* electricity
protokół *m* report
przestawać *imperf* **(przestaję, przestajesz), przestać** *perf* **(przestanę, przestaniesz)** to stop
pytać *imperf* **(pytam, pytasz), zapytać** *perf* **(zapytam, zapytasz)** + *acc* + **o** + *acc* to ask
rura *f* pipe
skóra *f* leather, skin
ze skóry of leather
stać się to happen, to get, become
co się stało? what happened?
szukać *imperf* **(szukam, szukasz), poszukać** *perf* **(poszukam, poszukasz)** + *gen* to look for
ukraść *perf* see **kraść**
wyłączać *imperf* **(wyłączam, wyłączasz), wyłączyć** *perf* **(wyłączę, wyłączysz)** + *acc* to disconnect
wypełniać *imperf* **(wypełniam, wypełniasz), wypełnić** *perf* **(wypełnię, wypełnisz)** + *acc* to fill in
wysyłać *imperf* **(wysyłam, wysyłasz), wysłać** *perf* **(wyślę, wyślesz)** + *acc* + *dat* to send
zepsuć się *perf* to break down
zepsuł się komputer the computer broke down
zgłaszać *imperf* **(zgłaszam, zgłaszasz), zgłosić** *perf* **(zgłoszę, zgłosisz)** + *acc* to report, submit
zostawiać *imperf* **(zostawiam, zostawiasz), zostawić** *perf* **(zostawię, zostawisz)** + *acc* to leave (e.g.: something)

W BANKU at the bank

bankomat *m* cash dispenser
debet *m* debit
karta kredytowa *f* credit card
konto *n* account
kredyt *m* credit
brać, wziąć kredyt to get credit
książeczka czekowa *f* cheque book

numer konta *m* account number
procent *m* percent
przelewać *imperf* **(przelewam, przelewasz), przelać** *perf* **(przeleję, przelejesz)** + *acc* to transfer
przelać pieniądze na konto to transfer money into sb's account
przekaz *m* **(pieniężny)** money order
przelew *m* transfer
wpłacać *imperf* **(wpłacam, wpłacasz), wpłacić** *perf* **(wpłacę, wpłacisz)** + *acc* to pay in
wpłacić pieniądze do banku/na konto pay money into the bank/sb's account
wypłacać *imperf* **(wypłacam, wypłacasz), wypłacić** *perf* **(wypłacę, wypłacisz)** + *acc* to withdraw **wypłacić pieniądze z banku/z konta** to withdraw money from bank

GRAMATYKA

THE QUESTION **CO SIĘ STAŁO?**

In the present tense we use the expression: **co się dzieje?**

– Dzieci! Co tu się dzieje? Co wy tu robicie?	Children! What's going on? What are you doing here?
– My tylko się bawimy.	We're (only) playing.

PISAŁAM E-MAILE, NAPISAŁAM DWA – using imperfective and perfective verbs in the past tense

The difference in meaning between imperfective and perfective verbs can most easily be seen in the past tense. Imperfective verbs describe actions lasting for a certain time, where the result, or whether the action has been completed, is not specified.

Ania wczoraj **pisała** listy.
(This means: Ania was writing a letters yesterday, but we don't know whether she completed them).

Perfective verbs describe actions in the past, which have been completed, focusing on their result.

Ania wczoraj **napisała** 3 listy.
(This means: Ania wrote 3 letters yesterday, and she completed them).

Here are some other examples:

Wczoraj **wysyłałam** faksy, ale **wysłałam** tylko dwa, bo faks się zepsuł.	Yesterday I was sending faxes, but I only sent two, because the fax machine broke down.
Dzisiaj rano **czytałem** książkę, ale **przeczytałem** tylko 10 stron.	This morning I was reading a book, but I only read 10 pages.
Wczoraj cały dzień **robiłem** bilans. **Skończyłem** go wieczorem.	All day yesterday I was doing the balance sheet. I finished it in the evening.

THE VERB **MÓC** – the past tense

The past tense form of **móc** is based on its present tense stem **mog-**:

singular		
masculine	**feminine**	**neuter**
ja mogłem	ja mogłam	–
ty mogłeś	ty mogłaś	–
on mógł	ona mogła	ono mogło

plural	
virile	**non-virile**
my mogliśmy	my mogłyśmy
wy mogliście	wy mogłyście
oni mogli	one mogły

Wczoraj nie **mogłam** iść do kina, bo musiałam zostać w pracy.
Nie **mogliśmy** wczoraj grać w tenisa, bo padał deszcz.
Adam nie **mógł** napisać e-maili, bo komputer się zepsuł.
Basia nie **mogła** wysłać faksów, bo nie było prądu.

UKRADLI MI TOREBKĘ someone has stolen my bag

When we don't know who has done an action, we can talk about it in the 3rd person plural: **ukradli** mi torebkę. Some unidentified person or persons has stolen it.

Rozbili mi samochód.	Someone has damaged my car.
Zepsuli mi hamulce.	Someone has ruined my brakes.
Wczoraj w Centrum w biały dzień **napadli** i **pobili** Michała.	Yesterday Michael was attacked and beaten up in the city centre in broad daylight.

TA PANI ZAPYTAŁA MNIE, CZY JESTEM PEWNA – indirect/reported speech

When talking about what someone said, we use the following construction with verbs of speech:

powiedzieć, że...	to tell (sb) that
odpowiedzieć, że...	to answer (sb) (that)
zapytać, czy...	to ask (sb) if
zapytać, gdzie... (jaki, który, ile, itp.)	to ask (sb) where... (what, which, how many etc.).

Urzędniczka: – Czy pani **jest pewna**, że **nie zostawiła** pani karty w domu?
Alice: – Jestem pewna.

Urzędniczka **zapytała, czy** Alice **jest pewna**, że **nie zostawiła** karty w domu,
Alice **odpowiedziała, że jest pewna**.

Adam: Czy Ania **ma** dziś spotkanie?
Piotr: Tak, Ania ma dziś spotkanie.

Adam **zapytał** Piotra, **czy** Ania **ma** dziś spotkanie,
Piotr **odpowiedział, że** tak.

Adam: Czy Ania **miała** dziś spotkanie?
Piotr: Tak, Ania miała dziś spotkanie.

Adam **zapytał** Piotra, **czy** Ania **miała** dziś spotkanie.
Piotr, **powiedział, że** tak.

Note that in the examples above, the tenses of what was actually said: Alice **jest pewna**; Ania **ma** spotkanie (direct speech) are kept the same when using indirect speech, unlike in English: urzędniczka zapytała, czy Alice **jest pewna**; Adam zapytał, czy Ania **ma** spotkanie.

ROZMAWIAMY

CALLING FOR HELP

Ratunku! Pomocy!	Help! Help!
Proszę wezwać policję.	Call the police! (tel. no. 997)
Proszę wezwać pogotowie (ratunkowe).	Call an ambulance! (tel. no. 999)
Proszę wezwać straż pożarną.	Call the fire brigade! (tel. no. 998)

ĆWICZENIA

1 Choose the correct form of the verb: imperfective or perfective, and put it in the past tense.

1. (czytać, przeczytać) Wczoraj wieczorem przez godzinę (ja) .... książkę. Była bardzo trudna, ... tylko kilka stron.
2. (pisać, napisać) W piątek po południu (ja) .... 2 e-maile do koleżanek .... je bardzo długo, prawie pół godziny.
3. (robić, zrobić) Wczoraj po południu Waldek .... na obiad pierogi z serem, ... dużo pierogów.
4. (wysyłać, wysłać) Wczoraj rano asystentka Moniki .... faksy .... tylko jeden, bo faks się zepsuł.

5. (wracać, wrócić) W piątek wieczorem w centrum był korek. Patrycja i Tomek .... do domu godzinę. .... o godzinie ósmej.

2

Choose a suitable time expression (**wczoraj, dziś, zwykle, codziennie, często**), depending on the verb.

1. .... robiłam zakupy w centrum, ale .... zrobiłam zakupy koło domu.
2. .... kupowałam wino francuskie .... kupiłam wino włoskie.
3. .... przeczytałam „Wprost" .... czytałam „Politykę".
4. .... wracałem o godzinie 7.00, ... wróciłem o 9.00.
5. .... dzwoniłem do matki, ... też zadzwoniłem.

3

Write the verb **móc** in the past tense.

1. Chciałam iść/pójść wczoraj do kina, ale nie ....
2. Chciałem zadzwonić do ciebie, ale nie .... znaleźć twojego numeru telefonu.
3. Adam nie .... w tym roku pojechać na urlop.
4. Gosia nie .... czytać książki, bo musiała pisać ćwiczenia.
5. Wiem, że chciałaś do mnie zadzwonić, ale nie ....
6. Wiem, że chciałeś do mnie napisać, ale nie ....
7. Ja i moja żona nie .... pojechać z tobą do Krakowa, bo mieliśmy dużo pracy.
8. Wiem, że ty i Marek nie .... iść/pójść na spacer.
9. Piotr i Ola nie .... oglądać telewizji, musieli iść/pójść spać.

10. Moja siostra i ja nie .... wczoraj iść/pójść na dobry koncert, bo musiałyśmy się uczyć.
11. Alice! Dlaczego ty i Ela nie .... iść/pójść z nami na kolację?

4

Complete the sentences, saying what happened? (use your imagination), e.g.: Chciałam jechać do centrum, ale nie pojechałam, **bo samochód mi się zepsuł.**

1. Wysyłałam faksy. Wysłałam dwa i ....
2. Pisałam e-maile do koleżanek. Napisałam jednego e-maila i ....
3. Chciałam zrobić pranie, ale ....
4. Chciałam zrobić zakupy, ale nie miałam pieniędzy, bo ....

5

Put **czy** or **że** into the following sentences.

1. Myślę, ... ta książka jest naprawdę bardzo ciekawa.
2. Nie pamiętam, ... spotkanie z nową panią prezes jest jutro .... w piątek.
3. Mój mąż powiedział, ... w tym roku chce jechać na urlop sam.
4. – Szefowa zapytała mnie wczoraj, ... to prawda, ... chcę zmienić pracę. – Odpowiedziałam, ... tak.
5. Nie wiem .... pociąg z Gdańska przyjeżdża na peron pierwszy .... drugi. Muszę to sprawdzić.
6. Ciekawe, ... Alice lubi „EB”? Jest Amerykanką, więc może woli Budweisera?

6

Put the following dialogues into indirect speech, e.g.: Ania: Czy lubisz piwo? Paweł: Tak. **Ania zapytała, czy Paweł lubi piwo, Paweł odpowiedział, że tak.**

1. Piotr: Czy masz czas jutro rano?
   Ewa: Tak, a dlaczego pytasz?
   Piotr: Jutro jest fajny koncert w „Tygmoncie". Chcesz iść?
   Ewa: Chętnie.
   Piotr zapytał, ...
   Ewa odpowiedziała, ...
   Piotr powiedział, ... i zapytał, ...
   Ewa powiedziała, ...
2. Michał: Czy lubisz muzykę klasyczną?
   Kasia: Raczej nie. Wolę jazz.
   Michał: A czy masz płyty Milesa Davisa?
   Kasia: Tak, mam.
   Michał ....
   Kasia ....
   Michał..
   Kasia..
3. Basia: Czy może pan wezwać policję?
   Marcin: Tak, oczywiście.
   Basia ....
   Marcin ....

7

Talking about money. Choose a suitable word and put it to the dialogues: **(przelać, bankomat, numer konta, wpłacić, wypłacić)**.

1. – Czy pani wie, gdzie jest ....? – Tak, najbliższy .... jest w centrum handlowym.
2. – Chciałbym/chciałabym .... pieniądze na to konto. – To jest .... – Jaką sumę pan/pani wpłaca? – 500 złotych. – Proszę o podpis.
3. Mam za mało pieniędzy, żeby kupić te meble, muszę .... pieniądze z banku.
4. – Chciałbym/chciałabym .... pieniądze na inne konto.– Do jakiego banku? – Do PKO BP. – Proszę wypełnić ten przekaz.

21. JUTRO PÓJDZIEMY DO OPERY

W weekend przyjeżdża matka Waldka. Zawsze kiedy przyjeżdża w odwiedziny, robią razem zakupy, chodzą do opery albo do teatru, jedzą kolację w dobrej restauracji.

Kasa w operze

Waldek: Poproszę 3 bilety na „Króla Rogera" na piętnastego.
Kasjerka: Są jeszcze miejsca na parterze i na balkonie.
Waldek: Ile kosztuje bilet na parterze, a ile na balkonie?
Kasjerka: Na parterze 60 złotych, na balkonie 35 złotych.
Waldek: Poproszę 3 bilety na parterze, w środku.

W mieszkaniu Waldka

Mama: Waldku, jakie mamy plany na jutro?
Waldek: Rano zrobię zakupy, wrócę i...

Mama: Ty zrobisz zakupy, a ja zrobię dla nas śniadanie.
Waldek: Jesteś wspaniała! Po śniadaniu pojedziemy do Centrum i poszukamy lampy dla ciebie, potem zjemy gdzieś lekki obiad. Po obiedzie wrócimy do domu, żeby trochę odpocząć, a wieczorem pójdziemy do opery.
Mama: Na co pójdziemy?
Waldek: Mam bilety na „Króla Rogera" Szymanowskiego w reżyserii Trelińskiego.
Mama: Nie pamiętam tego reżysera.
Waldek: To jest ten sam reżyser, który zrobił „Madame Butterfly".
Mama: A kto śpiewa w „Królu"?

21. TOMORROW WE'RE GOING TO THE OPERA

Waldek's mother is coming for the weekend. When she comes to visit, they always go shopping together, go to the opera or to the theatre, and have dinner in a good restaurant.

At the box office in the opera house

Waldek:	I'd like 3 tickets for "Król Roger" for the 15th, please.
Cashier:	There are still seats in the stalls and in the balcony.
Waldek:	How much is it for the stalls and how much for the balcony?
Cashier:	60 zl for the stalls, 35 zl for the balcony.
Waldek:	I'd like 3 tickets for the stalls, in the centre please.

In Waldek's flat

Mother:	Waldek, what plans do we have for tomorrow?
Waldek:	In the morning I'll do the shopping, then I'll come back and…
Mother:	You're going to do the shopping, and I'll make breakfast.
Waldek:	You're wonderful! After breakfast we'll go to the city centre and look for some lamps for you, then we'll eat a light lunch somewhere. After lunch we'll come back home to rest a bit, and in the evening we're going to the opera.
Mother:	What are we going to?
Waldek:	I've got tickets for "Król Roger" by Szymanowski, in Treliński's production.
Mother:	I don't remember him.
Waldek:	He's the same director who did "Madame Butterfly".
Mother:	And who's singing in it?

Waldek:	Adam Kruszewski i Izabella Kłosińska. A po spektaklu pójdziemy na jakąś kolację. Jak ci się podoba ten program?
Mama:	Dość intensywny, ale bardzo atrakcyjny.
Waldek:	No i mam jeszcze dla ciebie niespodziankę.
Mama:	Jaką niespodziankę?
Waldek:	Zobaczysz jutro.
Mama:	Umieram z ciekawości!

Wieczorem w operze

Waldek:	Mamo, to jest Alice.
Mama:	O! To jest ta niespodzianka! Bardzo mi miło.
Alice:	Mnie również.
Waldek:	Poproszę 2 programy. Proszę pani, o której godzinie kończy się spektakl?
Bileterka:	Spektakl kończy się o (22) dwudziestej drugiej.

Waldek: Adam Kruszewski and Izabella Kłosińska. And after the show we'll go for some supper somewhere. How do you like this plan?
Mother: A bit intensive, but very attractive.
Waldek: And I've also got a surprise for you.
Mother: What surprise?
Waldek: You'll see tomorrow.
Mother: I'm dying of curiosity.

In the evening, at the opera
Waldek: Mum, this is Alice.
Mother: Oh! This is the surprise! Pleased to meet you.
Alice: And you.

Waldek: I'd like 2 programmes, please. Could you tell me what time the show finishes?
Programme seller: The show finishes at 10 o'clock.

SŁOWNICTWO

balkon *m* balcony
bałagan *m* mess
ciekawość *f* curiosity
dostawać *imperf* **(dostaję, dostajesz), dostać** *perf* **(dostanę, dostaniesz)** + *acc* to get, receive
gaz *m* gas
gdzieś somewhere
intensywny, -a, -e *adj* intense, intensive
kiedyś sometime, once
kurtyna *f* curtain (in the theatre)
lekki, -a, -e *adj* light
loża *f* box (in a theatre)
ministerstwo *n* ministry
niespodzianka *f* surprise
odpoczywać *imperf* **(odpoczywam, odpoczywasz), odpocząć** *perf* **(odpocznę, odpoczniesz)** to rest, have a rest
odpowiedź *f* (*gen* **odpowiedzi**) answer, reply
odwiedziny *pl* visit
parter *m* stalls (in a theatre), ground floor
podpisywać *imperf* **(podpisuję, podpisujesz), podpisać** *perf* **(podpiszę, podpiszesz)** + *acc* to sign

rachunek *m* (*gen* **rachunku**) bill
reżyseria *f* direction
scena *f* scene, stage
spektakl *m* show
śpiewać *imperf* **(śpiewasz, śpiewasz), zaśpiewać** *perf* **(zaśpiewam, zaśpiewasz)** + *acc* to sing
środek *m* centre, middle
  w środku in the centre
ten sam, ta sama, to samo the same
umierać *imperf* **(umieram, umierasz), umrzeć** *perf* **(umrę, umrzesz) + na +** *acc* to die
  umieram z ciekawości I'm dying of curiosity.
widownia *f* audience, auditorium
wnuczka *f* granddaughter
wspaniały, -a, -e *adj* wonderful, splendid, magnificent
zawsze *adv* always

W OPERZE at the opera

aria *f* aria
balkon *m* balcony
choreografia *f* choreography
chór *m* chorus, choir
loża *f* box
miejsce *n* place, seat
orkiestra *f* orchestra
parter *m* the stalls
partia *f* (np. partia Rigoletta) part, role
przedstawienie *n* show
reżyseria *f* direction
rząd *m* row
scena *f* stage, scene
scenografia *f* stage design
solista *m* soloist (*male*)
solistka *f* soloist (*female*)
śpiewaczka *f* singer (*female*)
śpiewak *m* singer (*male*)
widownia *f* audience, auditorium

GRAMATYKA

ZROBIĘ ZAKUPY – the future simple tense

We can talk about the future in two different ways, depending on whether we use the imperfective or perfective form of the verb. We are now going to look at the future of perfective verbs. This uses the present tense endings which we already know. But it is very important to know that when perfective verbs are used with these endings, they are expressing the future, not the present. Perfective verbs in Polish

are not used to talk about the present, only the past and the future. Remember that there are three conjugation groups:
I **-ę, -esz**
II **-ę, -isz**
III **-m, -sz**.

If the perfective verb differs from the imperfective only by the addition of a prefix, the form of the endings is the same:

robić	**zrobić**
present	**future tense**
ja robię	ja zrobię
ty robisz	ty zrobisz
on, ona ono robi	on, ona, ono zrobi
my robimy	my zrobimy
wy robicie	wy zrobicie
oni, one robią	oni, one zrobią

The verbs **robić** and **zrobić** both belong to the same conjugation group **-ę, -isz**.

If the perfective and imperfective verbs differ in the stem, they usually belong to different conjugation groups:

zamawiać -m, -sz	**zamówić -ę, -isz**
present tense	**future tense**
ja zamawiam	ja zamówię
ty zamawiasz	ty zamówisz
on zamawia	on zamówi
my zamawiamy	my zamówimy
wy zamawiacie	wy zamówicie
oni zamawiają	oni zamówią

We use perfective verbs for the future, in the same way as we use them for the past (lesson 20), i.e. for single, complete actions (we assume that the action will be completed).

Below are two pairs of verbs belonging to the same conjugation groups, but which can present problems for the learner:

jechać present tense	**pojechać** future tense	**iść** present tense	**pójść** future tense
ja jadę	ja pojadę	ja idę	ja pójdę
ty jedziesz	ty pojedziesz	ty idziesz	ty pójdziesz
on jedzie	on pojedzie	on idzie	on pójdzie
my jedziemy	my pojedziemy	my idziemy	my pójdziemy
wy jedziecie	wy pojedziecie	wy idziecie	wy pójdziecie
oni jadą	oni pojadą	oni idą	oni pójdą

MAMO – the vocative case

The vocative is the case we use when addressing people. We use it with first names and with professional titles: (**Aniu, Waldku, panie dyrektorze, panie prezesie**). We also use it when addressing other members of the family (**mamo, tato, ciociu, wujku**).
Basiu, czy możesz kupić mi kanapkę?
Pani Kasiu, czy pani może przeczytać ten tekst?
Panie dyrektorze, czy może pan podpisać ten raport?

Nouns have the following endings in the vocative:

masculine

In the vocative, masculine nouns take the same endings as the locative (see lesson 19).

-u	(wujek, Marek, Darek, Włodek) wujku, Mark**u**, Dark**u**, Włodk**u**
-e	(Adam, pan dyrektor, szef) Adami**e**, pani**e** dyrektorz**e**, szefi**e** Careful! **Bóg** and **pan** are exceptions – in the vocative: **panie! Boże!**

feminine

Feminine nouns which end in **-a** in the nominative, can have one of two endings: **-o** or **-u**.

-o	this appears in nouns where the stem ends in a hard consonant (mama, Agnieszka, Monika, Ewa, Marzena) mamo, Agnieszk**o**, Monik**o**, Ew**o**, Marzen**o**
-u	this is used with nouns where the stem ends in a soft consonant. It very often appears with diminutive names (Ania, Basia, Kasia, babcia, ciocia,) Ani**u**, Bas**iu**, Kasi**u**, babci**u**, cioci**u**

Feminine nouns which end in **-i** in the nominative, use the same nominative form for the vocative.

-i	pan**i**, sprzedawczyn**i**

neuter	
voc=nom	The vocative form is the same as the nominative. **Dziecko!** Co ty tu robisz!

Notice that for addressing women whose professional title uses a masculine noun (prezes, minister, dyrektor), the vocative is the same as the nominative.
We say panie prezesie, but: **pani prezes**.
Panie ministrze, but: **pani minister**.
Panie dyrektorze, but: **pani dyrektor**.

The vocative form is always used for starting letters:

Droga Magdo! Drogi Andrzeju!	Dear Magda! – for friends and acquaintances.
Szanowny Panie! Szanowna Pani! Szanowni Państwo!	Dear Sir! Dear Madam! Dear Sirs! (more formal).

PO ŚNIADANIU... – the preposition **po**

Po is used with expressons of time and with nouns signifying events. It takes the locative case (see lesson 19 for locative endings).

(godzina) Adam zadzwonił do mnie **po** godzini**e**.
(rok) Odpowiedź z firmy „Agnus" dostałam **po** rok**u**.
(tydzień) Monika zadzwoniła do mnie **po** tygodni**u**.
(śniadanie) **Po** śniadani**u** pojedziemy do centrum.
(obiad) **Po** obiedzi**e** zrobię zakupy.
(kolacja) **Po** kolacj**i** pójdę na spacer.
(koncert) **Po** koncerci**e** był bankiet.
(spektakl) **Po** spektakl**u** chciałam iść na kolację.

GDZIEŚ, KIEDYŚ, KTOŚ – indefinite pronouns – summary

Here are all the indefinite pronouns, with their typical **–ś** ending, that you have met so far: **ktoś, coś, jakiś, gdzieś, kiedyś**.

Ktoś and **coś** have exactly the same case endings as **kto** and **co**. **Jakiś** changes in the same way as **jaki** – by case, number and gender. **Kiedyś** and **gdzieś** are invariable.

– **Ktoś** dzwonił do ciebie. – Kto? (nominative)
– Kogo znasz? – Znam **kogoś** z firmy „Ada". (accusative)
– Z kim masz spotkanie? – Mam spotkanie z **kimś** z firmy „Logo". (instrumental)
– Mam **coś** dla ciebie. – Co? (accusative)
– Czego szukasz? – Szukam tutaj **czegoś**. (genitive)
– Ewa ma **jakąś** pracę dla ciebie. (accusative)
Gdzieś tutaj jest mój portfel.
Kiedyś pracowałem w niemieckiej firmie „Jot".

TEN SAM

The pronoun **taki sam**, which we met in lesson 15, is used when talking about two separate but identical things (eg. the same brand, size, colour etc.). When talking about only one thing, which has been met or mentioned before, **ten sam** is used.
Mam **taki sam** komputer jak Adam. (talking about two computers)
To jest **ten sam** komputer, który naprawiałem wczoraj. (talking about one computer)

The pronoun **ten sam**, like **taki sam**, appears in three genders.
To jest **ten sam** pisarz, który napisał „Heban".
To była **ta sama** aktorka, która grała w „Niebieskim" Kieślowskiego.
To jest **to samo** dziecko, które widzieliśmy wczoraj.

Both **taki sami** and **ten sam** have one equivalent in English – the same.

REŻYSER, KTÓRY ZROBIŁ... – sentences with **który**

Treliński to ten reżyser, **który** zrobił „Madame Butterfly".

Here the clause: **który zrobił „Madame Butterfly"** refers to the noun **reżyser**, which comes immediately before it. Note that **który** appears in all three genders. Here we use the masculine form (**który**), because **reżyser** is a masculine noun.
Jak nazywa się **pisarz, który** napisał „Heban"? – Kapuściński.
To jest **aktorka**, **która** grała Lady Makbet.
Lubiłam nasze **biuro**, **które** było na ulicy Pięknej.

ROZMAWIAMY

WHAT ARE WE GOING TO SEE?

– Dziś wieczorem idę do kina. – Na co? – Na „Dantona" Andrzeja Wajdy.
– Idziemy do kina? – Dobry pomysł. Na co pójdziemy?/Na jaki film pójdziemy?

– Co grają dziś wieczorem?
– W „Muranowie" grają „Draculę", a w „Kulturze" grają „Pianistę".

– Co grają w teatrze? – w „Studio" grają „Tango" Mrożka, a w „Ateneum" „Mewę" Czechowa.

BUYING TICKETS FOR THE OPERA

– Poproszę 2 bilety na „Toscę" na (15) piętnastego maja.
– Na parterze czy na balkonie?
– Na parterze. Poproszę miejsca w środku.

– Chciałbym zarezerwować 3 bilety na „Halkę" na (6) szóstego kwietnia.
– Są jeszcze miejsca parterze i na balkonie.

– Poproszę 3 bilety na „Króla Rogera" na (22) dwudziestego drugiego stycznia, na parterze.
– Niestety, nie ma już miejsc na parterze, są tylko na balkonie.
– Poproszę.

ĆWICZENIA

1

Put the verbs in bold into the future, e.g.: Muszę **napisać** list. Dziś wieczorem **napiszę** list.

1. Muszę **zadzwonić** do Michała. Dziś wieczorem .... do niego.

2. Muszę **kupić** chleb. Dzisiaj po południu .... chleb.
3. Muszę **zrobić** zakupy. Jutro rano .... zakupy.
4. Muszę **pojechać** do Krakowa. W przyszłym tygodniu .... do Krakowa.
5. Muszę **zapłacić** rachunki za gaz i za telefon. W przyszłą sobotę .... rachunki.
6. Muszę **posprzątać** mieszkanie. W ten weekend .... mieszkanie.
7. Chcę **przeczytać** nową książkę Kapuścińskiego. W przyszły weekend .... tę książkę.

---

2 Use the perfective form of the imperfective verbs in bold in the future tense, e.g.: Teraz Piotr **sprząta** mieszkanie. Ania jutro **posprząta** mieszkanie.

1. Teraz **robię** kanapki. Jutro też (ja) .... kanapki.
2. Adam teraz **płaci** rachunki. Piotr jutro .... rachunki.
3. Dzisiaj **jedziemy** tramwajem do pracy. Jutro też .... tramwajem do pracy.
4. Ewa **czyta** gazetę. Jutro też .... gazetę.
5. W ten piątek Edyta **idzie** do kina. W przyszły piątek też .... do kina.
6. Kasia i Monika **piszą** raporty. Jutro .... raporty.
7. Michał **dzwoni** do szefa. Jutro też .... do szefa.
8. Ewa **rozmawia** z szefem. Monika jutro .... z szefem.
9. Adam dzisiaj **wraca** do Warszawy. Maciek jutro .... do Warszawy.
10. Waldek dziś **zamawia** wodę mineralną. Kuba jutro .... wodę mineralną.

3

Put the nouns in brackets into the locative, e.g.: – Kiedy zjesz kolację? – Po **filmie.**

a)

1. – Kiedy zrobisz zakupy? – Po (kolacja) ....
2. – Kiedy pójdziesz na spacer? – Po (śniadanie) ....
3. – Kiedy zjecie obiad? – Po (spotkanie) ....
4. – Kiedy mamy spotkanie? – Po (obiad) ....
5. – Kiedy pójdziemy na kolację? – Po (konferencja) ....

b)

1. – Gdzie są nasze miejsca? – (na parter) ....
2. – Gdzie jest teraz Adam? – (na widownia) ....
3. – Gdzie jest pani Monika? – (na scena) ....
4. – Czy wiesz, gdzie mamy miejsca? – (na balkon) ....

4

Put the words in brackets into the vocative, e.g.: (Basia) **Basiu**, czy wiesz, kiedy jest nasza konferencja?

1. (Ania) ...., czy możesz kupić mi kanapkę z serem?
2. (Mama) ...., czy chcesz iść ze mną do opery na „Straszny Dwór" Moniuszki?
3. Droga (Beata) „..! Mam dla ciebie dobrą wiadomość. W przyszłym tygodniu przyjeżdżamy do Polski".
4. (Pan prezes) ...., czy może pan podpisać te dokumenty?
5. (Pani prezes) ...., czy pani będzie na spotkaniu w ministerstwie?
6. (Pani Krysia) ...., chciałbym zaprosić panią na kolację.
7. (Pan Marek) ...., czy możemy spotkać się w tym tygodniu? Musimy porozmawiać.

5 Put the pronoun **który** in the appropriate gender, e.g.: Mój kolega, **który** tu pracuje, jest teraz na urlopie.

a)

1. To jest pani Monika, ... z nami pracuje.
2. Czy masz ten adres, ... dałem ci wczoraj?
3. To dziecko, ... teraz śpiewa, to nasza wnuczka Agnieszka.
4. Te owoce, ... tutaj mam, są dla ciebie.

b) Complete the sentences, using your imagination, e.g.: Czy pamiętasz, jak nazywa się ta aktorka, **która grała w filmie „Popiół i diament" Wajdy?**

1.Czy znasz tego reżysera, ...?
2. To jest ta znana reżyserka, ...
3. Czy to jest aktorka, ...?
4. Czy pamiętasz, jak nazywa się ten pisarz, ...?

6 Put the words in brackets into the genitive, e.g.: Nie znam (ten aktor) **tego aktora**.

1. Nie pamiętam (ten reżyser) .... Co on reżyserował?
2. Nie znam (ta śpiewaczka) .... Jak ona się nazywa?
3. Nie pamiętam (ta aktorka) .... Jak ona się nazywa?
4. Nie znam (ten śpiewak) .... Kto to jest?

7 Put the pronouns **ktoś** and **coś** into the appropriate form, e.g.: Czy znasz **kogoś** w firmie „Solo"?

1. Adam ma bałagan w pokoju i znowu (coś) .... szuka.
2. Czy znasz (ktoś) .... w Ministerstwie Pracy?

3. Pani prezes teraz z (ktoś) .... rozmawia, nie może iść na spotkanie.
4. Czy masz (coś) .... dla mnie?

8

Read out loud the following dates in the appropriate form, e.g.: Poproszę 2 bilety na „Rigoletto" na (24 styczeń) **dwudziestego czwartego stycznia**.

1. – Poproszę 3 bilety na „Halkę" na (17 czerwiec). – Są jeszcze miejsca na parterze i na balkonie. – Poproszę miejsca na balkonie.
2. – Poproszę 5 biletów na „Don Giovanniego" na (8 wrzesień). – Na parterze czy na balkonie? – Ile kosztują bilety na parterze, a ile na balkonie? – Na parterze 80 złotych, na balkonie 50 złotych.
3. – Chciałbym zarezerwować 2 bilety na „Straszny Dwór" na (22 styczeń), poproszę na parterze. – Nie ma już miejsc na parterze, są tylko na balkonie. – Dobrze, poproszę na balkonie.
4. Chciałabym zarezerwować 3 bilety na koncert Stinga na (25 luty). Czy są jeszcze miejsca na parterze? – Tak, są.

To kiss or not to kiss?

Some foreigners find this custom a little strange, others somehow simply distasteful. For Poles however, kissing a woman on the hand, which is the custom we are talking about, is an expression of respect, courtesy and finally – respect for tradition. This gesture has no sexual connotation and until quite recently was a general "everyday" custom. Today however, men usually reserve this greeting for the women in their family – their mother, grandmother, aunt, and of course the woman of their heart. In professional and business circles men sometimes greet women by kissing their hand, however shaking hands has become increasingly more common. It's important that it is the woman who first offers her hand to the man. If she does this in a certain characteristic way, raising it up, the man has no choice but to kiss it.

22. KUPUJEMY UBRANIA

Alice: Wiesz, niedługo są moje urodziny. Chciałabym kupić sobie jakąś nową sukienkę albo bluzkę.
Basia: Rozumiem, chcesz ładnie wyglądać dla niego.
Alice: Przede wszystkim dla siebie.
Basia: Twoje urodziny są w maju? Którego dokładnie?
Alice: (22) dwudziestego drugiego maja.

W sklepie

Basia: O, zobacz! Ładna bluzka!
Alice: Ładna, tylko trochę za droga. Ta też jest ładna i dużo tańsza. Proszę pani, chciałabym zobaczyć tę bluzkę.
Sprzedawczyni: Jaki rozmiar?
Alice: 38 (trzydzieści osiem) Czy mogę przymierzyć?
Sprzedawczyni: Oczywiście. Przymierzalnia jest tam, na prawo.
Alice: Basiu, potrzymaj, proszę, moją torebkę.

Alice przymierza bluzkę

Alice: I co?
Basia: Chyba za duża. Proszę pani, czy jest mniejszy rozmiar?
Sprzedawczyni: Tak, proszę.
Alice: Basiu, weź tę i podaj mi tę mniejszą. A teraz jak wyglądam?
Basia: Bardzo kobieco.
Alice: To co? Którą wziąć?
Basia: Weź tę. W tej jest ci ładniej.

22. BUYING CLOTHES

Alice: It's my birthday soon, you know. I'd like to buy myself a new dress or blouse of some sort.
Basia: I understand. You want to look pretty for him.
Alice: Above all for myself.
Basia: Your birthday is in May? When exactly?

Alice: The 22nd of May.

In the shop
Basia: O, look! What a pretty blouse!
Alice: Pretty, only a bit expensive. This one is pretty too, and much cheaper. Excuse me, I'd like to look at this blouse.
Assistant: What size (are you)?
Alice: 38. Can I try it on?

Assistant: Of course. The fitting room is over there, on the right.
Alice: Basia, hold my bag, please.

Alice tries on the blouse
Alice: And what do you think? How do I look?
Basia: I think It's too big. Excuse me, do you have a smaller size?
Assistant: Yes, here you are.
Alice: Basia, take this and give me the smaller one. And now how do I look?
Basia: Very sexy.
Alice: So which shall I take?
Basia: Take this one. You look prettier in this one.

Sprzedawczyni:	Bardzo dobry wybór, proszę pani. To jest pierwsza jakość, jedwab. Na pewno będzie pani zadowolona.
Alice:	Dziękuję.
Alice:	Zobacz, jakie ładne buty. Takie lekkie i takie eleganckie.
Basia:	Pasują i do spodni, i do spódnicy.
Alice:	Czy jest numer 39 (trzydzieści dziewięć)?
Sprzedawczyni:	Proszę.
Alice:	Są dobre. Bardzo wygodne, biorę je.
Sprzedawczyni:	Czy chce pani zapłacić kartą czy gotówką?
Alice:	Gotówką, zapomniałam karty. (*po chwili*) Oj! Nie mam tyle pieniędzy. Basiu, czy możesz pożyczyć mi 50 złotych? Oddam ci jutro.
Basia:	Nie ma sprawy. Chodźmy teraz napić się czegoś.
Alice:	Ale ja nie mam pieniędzy.
Basia:	To nic, ja dzisiaj stawiam drinka.

Assistant:	A very good choice. It's top quality, silk. You'll certainly be glad you bought it.
Alice:	Thank you.

Alice:	Look, what nice boots. So light and elegant.
Basia:	They would go with trousers or with a skirt.
Alice:	Do you have size 39?
Assistant:	Here you are
Alice:	They're fine, very comfortable, I'll take them.
Assistant:	Do you want to pay by card or by cash?
Alice:	By cash, I've forgotten my card. (*a moment later*) Oh! I don't have that much money. Basia, can you lend me 50 zloty? I'll give it back to you tomorrow.
Basia:	No problem. Now let's go and have something to drink.
Alice:	But I don't have any money.
Basia:	That's O.K. Today I'll stand you a drink.

SŁOWNICTWO

bluzka *f* blouse
brać *imperf* **(biorę, bierzesz), wziąć** *perf* **(wezmę, weźmiesz)** + *acc* to take
chodzić *imperf* **(chodzę, chodzisz)** to go
 chodźmy (*imperative*) let's go
dokładnie *adv* exactly, precisely
drink *m* (*acc, gen* **drinka**) cocktail, mixed drink
drobne *pl* (*gen* **drobnych**) small change
elegancki, -a, -e *adj* elegant
gotówka *f* cash
imieniny *pl* (*gen* **imienin**) nameday
jakość *f* quality
jedwab *m* (*gen* **jedwabiu**) silk
kobieco *adv* feminine
kupować *imperf* **(kupuję, kupujesz), kupić** *perf* **(kupię, kupisz)** + *acc* to buy
niedługo *adv* soon
oczywiście of course

oddawać *imperf* **(oddaję, oddajesz), oddać** *perf* **(oddam, oddasz)** + *acc* + *dat* to give (back), return
odwiedzać *imperf* **(odwiedzam, odwiedzasz), odwiedzić** *perf* **(odwiedzę, odwiedzisz)** + *acc* to visit
pamiętać *imperf* **(pamiętam, pamiętasz), zapamiętać** *perf* **(zapamiętam, zapamiętasz)** + **o** + *loc* to remember
pasować *imperf* **(pasuję, pasujesz)** + **do** + *gen* to fit
podawać *imperf* **(podaję, podajesz), podać** *perf* **(podam, podasz)** + *acc* + *dat* to pass, give
podaj (*imperative*) give/pass (it to me)
pożyczać *imperf* **(pożyczam, pożyczasz), pożyczyć** *perf* **(pożyczę, pożyczysz)** + *acc* + *dat;* + **od** + *gen* to lend, borrow
przede wszystkim above all
przymierzać *imperf* **(przymierzam, przymierzasz), przymierzyć** *perf* **(przymierzę, przymierzysz)** + *acc* to try on
przymierzalnia *f* fitting room
reszta *f* change, rest
rozmiar *m* size
siebie see **się**
się oneself
sobie see **się**
spać *imperf* **(śpię, śpisz)** to sleep
spodnie *pl* (*gen* **spodni**) trousers (pants U.S.)
spódnica *f* skirt
stawiać *imperf* **(stawiam, stawiasz), postawić** *perf* **(postawię, postawisz)** + *acc* to put, place, stand (a drink, etc.)
ja stawiam I'll stand you e.g. (a drink)
sukienka *f* dress
taki, taka, takie so, such
takie lekkie i takie eleganckie so light and so elegant
trzymać *imperf* **(trzymam, trzymasz), potrzymać** *perf* **(potrzymam, potrzymasz)** + *acc* to hold
tyle so much/many, *here* enough
urodziny *pl* birthday
weź (*imperative*) see **brać**
widzieć *imperf* **(widzę, widzisz), zobaczyć** *perf* **(zobaczę, zobaczysz)** + *acc* to see
wybór *m* choice
wziąć *perf* see **brać**
wysyłać *imperf* **(wysyłam, wysyłasz), wysłać** *perf* **(wyślę, wyślesz)** + *acc* + *dat* to send
zaczynać *imperf* **(zaczynam, zaczynasz), zacząć** *perf* **(zacznę, zaczniesz)** + *acc* to begin, start
zapominać *imperf* **(zapominam, zapominasz), zapomnieć** *perf* **(zapomnę, zapomnisz)** + *gen*; + **o** + *loc* to forget
zobacz (*imperative*) see **widzieć**

UBRANIA – clothes

bielizna *f* underwear
bluzka *f* blouse
but *m* (*pl* **buty**) shoe, boot
dres *m* track suit, shell suit
dżinsy *pl* (*gen* **dżinsów**) jeans, denims
garnitur *m* suit
golf *m* turtle-necked sweater
kostium *m* suit (skirt and jacket)
koszula *f* shirt
krawat *m* tie
kurtka *f* short coat
marynarka *f* jacket
płaszcz *m* (*gen* **płaszcza**) (over) coat
podkoszulek *m* (*gen* **podkoszulka**) vest, undershirt
rajstopy *pl* tights, pantihose
skarpeta *f* (*pl* **skarpety**) sock
spodnie *pl* (*gen* **spodni**) trousers (U.S. pants)
spódnica *f* skirt
sukienka *f* dress
sweter *m* (*gen* **swetra**) sweater, jumper
żakiet *m* jacket

GRAMATYKA

POTRZYMAJ MOJĄ TOREBKĘ – imperatives

O! **Zobacz**, jaka ładna bluzka.
Potrzymaj moją torebkę.
Chodźmy napić się czegoś.

The imperative is formed from the 3rd person singular. In the **-m, -sz** conjugation, **j** is added, in the other two conjugations the 3rd person singular ending is removed.

on potrzyma – (ty) **potrzymaj!**
on przeczyta – (ty) **przeczytaj!**
on da – (ty) **daj!**

on zobaczy – (ty) **zobacz!**
on pożyczy – (ty) **pożycz!**
on napisze – (ty) **napisz!**
on kupi – (ty) **kup!**
on zrobi – (ty) **zrób!**

Here are some examples of irregular imperatives:

(zacząć) – **zacznij!**	(wziąć) – **weź**
(wysłać) – **wyślij!**	(zjeść) – **zjedz!**
(spać) – **śpij!**	(być) – **bądź!**

Imperatives can be created from both imperfective and perfective verbs in the same way:

Czytaj więcej książek.	Read more books. (you don't read enough – generally)
Przeczytaj tę książkę, jest bardzo ciekawa.	(this book – specifically)
Dzwoń do mnie częściej.	(in general)
Zadzwoń do mnie jutro.	(specifically – tomorrow)

Imperatives are most often used in the 2nd person singular or plural for appeals, orders or requests:

(ty) zobacz, (wy) **zobaczcie**
(ty) przeczytaj (wy) **przeczytajcie**
(ty) zrób, (wy) **zróbcie**

Imperatives in the 1st person plural are often used to propose actions to groups which include ourselves.

(My) **zobaczmy**	(let's see)
(My) **przeczytajmy**	(let's read)

There is also a form of imperative in the 3rd person singular and plural. This is created in a different way – the word **niech** is used with the 3rd person form of the verb.
This form is usually used when asking or telling someone to get someone **else** to do something.

(Mówi dyrektor do asystentki): Pani Basiu, **niech** Adam Nowak **napisze** raport na jutro.	(the director is speaking to his assistant) Basia, get Adam Nowak to write a report for tomorrow.
Niech pani Kubicka **zadzwoni** do mnie jutro.	Tell Mrs. Kubicka to call me tomorrow.

(Mówi Agata do koleżanki Ewy): **Niech** Monika i Ania **kupią** te książki.	(Agata is speaking to her friend, Ewa) Tell Monika and Ania to buy these books.

We use this 3rd person form when using the polite forms: **pan, pani, państwo**. In this situation we don't use the 2nd person form of imperative.

Niech pani zadzwoni do mnie w piątek.	Call me on Friday.
Niech się pan z nami **napije** kawy.	Have coffee with us.
Niech państwo nas **odwiedzą** w niedzielę.	Come and see us on Sunday.

It's worth remembering that expressions using the form: **niech pan /pani/państwo** sound more polite than those of the type: **proszę... + infinitive**

Proszę zadzwonić w piątek.
Niech pan zadzwoni w piątek.

URODZINY, IMIENINY

The nouns **urodziny** and **imieniny** are only used in the plural. Any verbs, adjectives and pronouns used with them should therefore also be used in the plural:

Moje imieniny są jutro.
Czy **twoje urodziny będą** w przyszłym tygodniu?
Czterdzieste urodziny Jana **były** bardzo **sympatyczne**.

It is also worth remembering a few other nouns which only appear in the plural. Some of them have similar equivalents in English: **spodnie** (trousers), **nożyczki** (scissors), **wakacje** (holidays). Others however have singular equivalents in English: **drzwi** (door), **usta** (mouth).
The names of some countries and cities also only have a plural form: **Chiny, Czechy, Niemcy, Węgry, Włochy; Katowice, Tychy, Wadowice** (Pope John Paul II's home town).

MIESIĄCE months

Kiedy są twoje urodziny? – **W maju**.
Którego maja? – **5 (piątego) maja**.

After the preposition **w** the names of months appear in the locative case:

I styczeń – **w styczniu**
II luty – **w lutym**
III marzec – **w marcu**
IV kwiecień – **w kwietniu**
V maj – **w maju**
VI czerwiec – **w czerwcu**
VII lipiec – **w lipcu**
VIII sierpień – **w sierpniu**
IX wrzesień – **we wrześniu**
X październik – **w październiku**
XI listopad – **w listopadzie**
XII grudzień – **w grudniu**

As you can see these usually end in **-u.** Exceptions: **w listopadzie**, **w lutym.**

Note that when talking about dates, the name of the month appears in the genitive.

W styczniu zaczynamy promocję. (locative)
Moje urodziny są **15 (piętnastego) stycznia**. (genitive)

W marcu kończymy nowy projekt.
10 (dziesiątego) marca kończymy nowy projekt.

W listopadzie są moje urodziny.
22 (dwudziestego drugiego) listopada są urodziny mojej żony.

CZY CHCE PANI ZAPŁACIĆ KARTĄ CZY GOTÓWKĄ?

When talking about methods of payment, the verb **płacić** is used, followed by a noun in the **instrumental:**

płacić kartą, gotówką, czekiem

DUŻO TAŃSZA

The adverbs **dużo** and **trochę** can be used with comparatives of adjectives and adverbs.

Ta spódnica jest **dużo tańsza** niż ta.
Ten sweter jest **trochę większy** niż ten.
Nasze biuro jest **dużo mniejsze** niż wasze.

John mówi po polsku **dużo lepiej** niż Marek.
Ania pracuje **dużo więcej** niż Monika.
Agata czyta **trochę mniej** niż Dorota.

CHCIAŁABYM KUPIĆ SOBIE – the reflexive pronoun **się**

Where English uses several different pronouns: myself, yourself, herself etc., Polish only uses one, independent of person or number. Like other pronouns, **się** has different case forms. Note that it is not used in the nominative.

(genitive) Teraz mam czas dla **siebie**.	Now I have time for myself.
(dative) Chcesz kupić **sobie** nową sukienkę?	Do you want to buy yourself a new dress.
(accusative) Agata lubi **siebie**.	Agata likes herself.
(instrumental) (My) pracujemy nad **sobą**.	We are working on (improving) ourselves.
(locative) Dlaczego myślicie tylko **o sobie?**	Why do you only think about yourself.

ROZMAWIAMY

IN THE SHOP

– Chciałabym zobaczyć tę bluzkę/te buty.
– Jaki rozmiar/jaki numer?

– 40 (czterdzieści)
– Czy mogę przymierzyć?
– Oczywiście. Przymierzalnia jest tam, na prawo.

– Proszę pani, czy jest mniejszy/większy rozmiar?
– Tak, jest/proszę. Niestety, nie ma.

– Czy jest rozmiar 40 (czterdzieści)?/numer 39 (trzydzieści dziewięć)?
– Tak, jest/Proszę bardzo.

– Czy chce pani zapłacić kartą czy gotówką?/Płaci pani kartą czy gotówką?
– Gotówką.

MAKING COMPLIMENTS (2)

Ładnie ci w tej spódnicy.
Dobrze ci w tej bluzce.
Ładnie ci w tym swetrze.
Ładniej ci w kolorze czerwonym niż różowym.
Podobasz mi się w tym kapeluszu.
Pięknie wyglądasz w tej sukience.
Lepiej wyglądałaś w tamtym płaszczu.

ĆWICZENIA

1 Make imperatives, choosing from the following verbs **potrzymać, podać, przeczytać, zrobić, napisać, wziąć,** e.g.: **zadzwonić** – **zadzwoń** do mnie jutro wieczorem.

1. To jest bardzo ciekawy artykuł .... ten fragment.
2. – Masz teraz czas? – Tak. – To .... ten raport.
3. .... mi, proszę, cukier.

4. .... moją torebkę.

5. Pada deszcz .... parasol.

6. .... mi kanapkę z szynką, proszę.

Make imperatives, choosing the correct verb.

2

pisać/napisać

1. .... do mnie szybko.

2. .... do mnie codziennie!

czytać/przeczytać

3. Ten reportaż jest bardzo ciekawy .... go.

4. Czytasz za mało .... więcej.

dzwonić/zadzwonić

5. Dlaczego rozmawiamy tak rzadko? .... do mnie częściej.

6. .... jutro wieczorem.

wracać/wrócić

7. Wracasz za późno do domu .... wcześniej.

8. .... dziś na kolację.

Change the sentence, using 3rd person imperatives, e.g.: Proszę napisać ten artykuł na piątek. **Niech pan napisze ten artykuł na piątek.**

3

1. Proszę zadzwonić jutro po południu.

....

2. Proszę przeczytać ten artykuł.

....

3. Proszę iść już do domu.

....

4. Proszę przymierzyć tę sukienkę.

....

5. Proszę zobaczyć tę bluzkę.

....

4

You are in a shop. Complete the sentences. e.g.: Ten płaszcz jest za duży. Czy jest **mniejszy?**

1. Ta bluzka jest za mała. Czy jest trochę ....?
2. Ten sweter jest za duży. Czy jest ....?
3. Ta spódnica jest za długa. Czy jest trochę ....?
4. Ta sukienka jest za krótka. Czy jest ....?

5

Write the pronoun **się** in the correct case, e.g.: Czy masz przy **sobie** numer telefonu informacji PKP?

1. Ewa chciałaby kupić .... nową sukienkę.
2. Nie mam czasu dla ....
3. Nie mam przy .... telefonu komórkowego.
4. Adam myśli tylko o ....
5. Piotr weźmie ze .... paszport Adama.

6

Choose one of the words in brackets and put it into the appropriate form **(drobne, reszta, karta, gotówka, czek)**.

1. Czy pani płaci ....?
2. Czy pan ma ....?
3. Proszę ....
4. Czy mogę zapłacić ....?
5. Chciałabym zapłacić ....

7

Write the names of the months in the appropriate form, e.g.: Urodziny Adama są **w maju**.

1. (lipiec, wrzesień) Moje urodziny są ....,

   a urodziny Piotra są ....
2. (listopad) – Czy pamiętasz, kiedy są imieniny Beaty? – Tak,

   ....
3. (grudzień) Urodziny Ani są ....
4. (sierpień, maj) Urodziny mojej starszej córki są ....

   ...., a młodszej ....
5. (styczeń) Dlaczego nie pamiętasz, że imieniny naszej mamy są

   ....?
6. (marzec) Urodziny mojego brata są ....
7. (luty) Urodziny Agnieszki, mojej koleżanki są ....
8. (kwiecień) Czy imieniny pani Basi są ....?
9. (czerwiec) Pamiętaj, że imieniny naszej pani prezes są

   ....
10. (październik) Nie pamiętam, kiedy są urodziny twojego męża –

    ....

8

Complete the dialogue, using the structures and words that you have learned in this lesson.

A: Chciałabym .... te spodnie.

B: Jaki ....?

A: 40 (czterdzieści). Czy mogę ....?

B: Oczywiście. Przymierzalnia jest tam, na prawo.

A: Poproszę te spodnie.

B: Czy chce pani zapłacić kartą czy ....?

A: ....

23. URODZINY ALICE

Rano

Alice: Czy mógłbyś mi pomóc?
Waldek: Jasne. Co trzeba zrobić?
Alice: Trzeba postawić tutaj stół, o tu, na środku, a kanapę tu.
Waldek: To kto będzie dzisiaj wieczorem?
Alice: Na pewno będzie Piotr, przyjdą John i Margaret, no i oczywiście Basia.
Waldek: A Magda?
Alice: Chyba jej nie będzie. Jej córka jest chora, więc Magda musi zostać w domu.
Waldek: A Agata?
Alice: Przyjdzie na pewno. Czy powiedziałeś Piotrowi i Agacie, że domofon jest zepsuty?
Waldek: Tak, powiedziałem. To mamy 5 osób, plus ty i ja, to jest 7 osób.

Po południu

Alice: O Boże! Nie! To niemożliwe!
Waldek: Co się stało?
Alice: Nie ma ryżu! A ja robię pilaw. I co teraz będzie? Potrzebny mi ryż do pilawu!
Waldek: Na pewno gdzieś jest, musisz dobrze sprawdzić.
Alice: Nie, nigdzie nie ma!
Waldek: (Czy) Wszędzie sprawdzałaś?
Alice: Tak. Waldek! Czy możesz iść do sklepu?
Waldek: Jasne, że mogę, tylko sklep jest już zamknięty. Wiesz co, pojadę do hipermarketu.

23. ALICE'S BIRTHDAY

In the morning

Alice:	Could you help me?
Waldek:	Of course. What needs doing?
Alice:	We need to put the table here, or here in the middle, and the sofa here.
Waldek:	Who'll be here this evening?
Alice:	Piotr will definitely be here, John and Margaret are coming, and of course Basia.
Waldek:	And Magda?
Alice:	She probably won't be here. Her daughter is ill, so she has to stay at home.
Waldek:	And Agata?
Alice:	She's definitely coming. Did you tell Piotr and Agata that the entryphone is broken?
Waldek:	Yes, I told them. So we have 5 people, plus you and me, that's 7.

In the afternoon

Alice:	Oh my God! No! It's not possible!
Waldek:	What's happened?
Alice:	There's no rice! And I'm making pilau. What shall I do now? I need rice for the pilau!
Waldek:	It's definitely somewhere, you have to check properly.
Alice:	No, it isn't anywhere.
Waldek:	Have you checked everywhere?
Alice:	Yes. Waldek! Can you go to the shop?
Waldek:	Of course I can, only the shop's already closed. O.K. I'll go to the hypermarket.

Alice: Jesteś kochany!
Waldek: Ale ja nie mam dziś samochodu!
Alice: Weź taksówkę! Szybko!

Wieczorem
Piotr: Wszystkiego najlepszego, Alice!
Margaret: Życzę ci zdrowia! Szczęścia!
Agata: Radości i miłości!
Alice: Dziękuję i zapraszam do stołu.

Waldek: Proponuję toast: zdrowie Alice!
Goście: Zdrowie!
Wszyscy (*śpiewają*):
Sto lat, sto lat, niech żyje żyje nam! :
Sto lat, sto lat, niech żyje żyje nam!
Jeszcze raz, jeszcze raz niech żyje nam!
Niech żyje nam!
Agata: Pyszny pilaw! Sama robiłaś?
Alice: Tak! Nie! Z Waldkiem!
Waldek: Basiu, czy to twój kieliszek?
Basia: Nie, ten jest mój.
Waldek: Piotrze, jeszcze wina?
Piotr: Tak, poproszę. Czy widzieliście już najnowszy film Polańskiego?
John: Nie, jeszcze nie.
Piotr: Mówię wam, jest świetny!

Po wyjściu gości
Alice: Zobacz, co dostałam! Kosmetyki od Basi, CD od Piotra, album od Johna i Margaret, a to pluszowy miś od Agaty.
Waldek: Mało praktyczny prezent.
Alice: Nie wszystko musi być praktyczne. Jest śliczny.

Alice: You're a dear!
Waldek: But I don't have my car today!
Alice: Take a taxi! Quick!

In the evening

Piotr: All the best, Alice!
Margaret: I wish you health and happiness!
Agata: Joy and love!
Alice: Thank you, and please come and sit at the table.
Waldek: I propose a toast: to Alice's health!
Guests: To Alice's health!
Everyone (*singing*):
Sto lat, sto lat, niech żyje żyje nam!
Sto lat, sto lat, niech żyje żyje nam!
Jeszcze raz, jeszcze raz niech żyje nam!
Niech żyje nam!
Agata: Delicious pilau. Did you make it yourself?
Alice: Yes! No! With Waldek!
Waldek: Basia, is this your glass?
Basia: No, this is mine.
Waldek: Piotr, more wine?
Piotr: Yes, please. Have you seen Polański's latest film yet?
John: No, not yet.
Piotr: It's excellent, I tell you.

After the guests have gone

Alice: Look what I got! Cosmetics from Basia, a CD from Piotr and a photo album from John and Margaret, and this teddy bear from Agata.
Waldek: Not a very practical present.
Alice: Not everything has to be practical. It's sweet.

SŁOWNICTWO

Bóg *m* (*gen* **Boga**) God
o Boże! Oh God!
czynny, -a, -e *adj* open (shops, etc.)
poczta jest czynna w sobotę the post office is open on Saturdays
domofon *m* entryphone
dostawać *imperf* **(dostaję, dostajesz), dostać** *perf* **(dostanę, dostaniesz)** + *acc* + **od** + *gen* to receive, get
jasny, -a, -e *adj* clear, bright, pale, light
jasne! of course, clearly
kanapa *f* couch, sofa
kieliszek *m* (*gen* **kieliszka**) wine glass
kochany, -a, -e *adj* dear
miłość *f* (*gen* **miłości**) love
miś *m* bear
pluszowy miś teddy bear
mógłbyś you could
niemożliwy, -a, -e *adj* impossible
nigdzie nowhere
negocjować *imperf* **(negocjuję, nogocjujesz), wynegocjować** *perf* **(wynegocjuję, wynegocjujesz)** + *acc* + **z** + *instr* to negociate from
otwarty, -a, -e *adj* open
pilaw *m* pilau
plaża *f* beach
pomagać *imperf* **(pomagam, pomagasz), pomóc** *perf* **(pomogę, pomożesz)** + *dat* + **w** + *loc* to help

potrzebny, -a, -e *adj* necessary, needed
potrzebować *imperf* **(potrzebuję, potrzebujesz)** + *gen* to need
proponować *imperf* **(proponuję, proponujesz), zaproponować** *perf* **(zaproponuję, zaproponujesz)** + *acc* + *dat* to propose, suggest
praktyczny, -a, -e *adj* practical
prezent *m* present
przychodzić *imperf* **(przychodzę, przychodzisz), przyjść** *perf* **(przyjdę, przyjdziesz)** to come, arrive (on foot)
przyglądać się *imperf* **(przyglądam się, przyglądasz się), przyjrzeć się** *perf* **(przyjrzę się, przyjrzysz się)** + *dat* to observe, watch
pyszny, -a, -e *adj* delicious, scrumptious
radość *f* (*gen* **radości**) happiness, joy
samodzielny, -a, -e *adj* independent, self-reliant
słuchać *imperf* **(słucham, słuchasz), posłuchać** *perf* **(posłucham, posłuchasz)** + *gen* to listen (to)
sprawdzać *imperf* **(sprawdzam, sprawdzasz), sprawdzić** *perf* **(sprawdzę, sprawdzisz)** + *acc* to check
stawiać *imperf* **(stawiam, stawiasz), postawić** *perf* **(postawię, postawisz)** + *acc* to put, place
stół *m* (*gen* **stołu**) table
szczęście *n* (good) luck, happiness
śliczny, -a, -e *adj* lovely, pretty, sweet
toast *m* toast (with drinks)
twarz *f* (*gen* **twarzy**) face
uczyć się *imperf* **(uczę się), nauczyć się** *perf* **(nauczę się, nauczysz się)** + *gen* to learn
warunek *m* (*pl* **warunki**) condition
wersja *f* version
wszędzie everywhere
wszyscy everybody
wszystko everything
wszystkiego najlepszego all the best
zabawka *f* toy
zamknięty, -a, -e *adj* closed
zdrowie *n* health
znajdować *imperf* **(znajduję, znajdujesz), znaleźć** *perf* **(znajdę, znajdziesz)** + *acc* to find
życzyć *imperf* **(życzę, życzysz)** + *gen* + *dat* to wish

NACZYNIA kitchen cooking utensils

filiżanka *f* cup, cupful
kieliszek *m* (*gen* **kieliszka**) glass
kieliszek do szampana champagne glass

kieliszek do wódki vodka glass
kieliszek do wina wine glass
kubek *m* (*gen* **kubka**) mug
kufel *m* (*gen* **kufla**) beer glass (pint)
łyżeczka *f* teaspoon, teaspoonful
łyżka *f* spoon, spoonful
miseczka *f* small bowl
miska *f* bowl
nóż *m* (*gen* **noża**) knife
półmisek *m* (*gen* **półmiska**) oval shaped dish
szklanka *f* glass, cupful
sztućce *pl* cutlery
talerz *m* (*gen* **talerza**) plate
talerz głęboki deep plate
talerz płytki shallow plate
talerzyk *m* (*gen* **talerzyka**) saucer, small plate
widelec *m* (*gen* **widelca**) fork

GRAMATYKA

CZY MÓGŁBYŚ MI POMÓC? – the conditional of the verb móc

Note that the endings are the same as for the conditional of the verb **chcieć** (chciałbym etc. lesson 10).

singular		
masculine	**feminine**	**neuter**
ja mógł**bym**	ja mogła**bym**	–
ty mógł**byś**	ty mogła**byś**	–
on mógł**by**	ona mogła**by**	ono mogło**by**
plural		
virile	**non-virile**	
my mogli**byśmy**	my mogły**byśmy**	
wy mogli**byście**	wy mogły**byście**	
oni mogli**by**	one mogły**by**	

Czy **mógłbyś** przyjść jutro do mnie?
Czy **mogłabyś** kupić mi kanapkę?

THE VERBS **POTRZEBOWAĆ** and **ŻYCZYĆ**

Potrzebować and **życzyć** are used with the genitive. There is a small group of verbs which always take the genitive, both in positive and negative sentences.
Potrzebuję czas**u** na tę decyzję.
Życzę ci zdrowi**a**.
Słucham muzyk**i**.
Teraz **nie słucham** muzyk**i**.
Szukam torebk**i**.
Uczę się języka polski**ego**.
Nie uczę się języka polski**ego**.

POWIEDZIAŁEM PIOTROWI – the dative case

In lesson 17 we met the construction **chciałbym pokazać ci obraz**. Note that verbs like **dawać/dać, kupować/kupić, pokazywać/pokazać, pożyczać/pożyczyć** can have an indirect object as well as a direct object.
pokazać + (who to?) **ci +** (what?) **obraz**
In these situations indirect object nouns and pronouns appear in the dative case.

Dative case endings for nouns:

masculine

-owi (Adam, szef, prezes, syn) Pokazałem Adam**owi**, sze**fowi**, prezes**owi**, syn**owi** nowy projekt.

Most masculine nouns take this ending in the singular. There is a small group of masculine nouns which have the ending **-u**. Included in this group are: ojciec, brat, pan, Bóg, pies, kot.

-u (brat, ojciec, pan) Pokazałem brat**u**, ojc**u**, pan**u** swój nowy dom.

feminine

The dative singular form of feminine nouns is the same as their locative form (see lesson 19).

-e nouns whose stems end with a hard consonant, take the ending **-e**, before which softening or consonant change occurs. (Monika, Agnieszka, Agata, Magda) Pożyczyłem Monic**e**, Agnieszc**e**, Agaci**e**, Magdzi**e** książkę.

-i	after soft consonants they take the ending **-i**. (Basia, Kasia, pani, Ania) Dałam Bas**i**, Kas**i**, pan**i**, An**i** nową płytę.
-y	after hardened consonants (c, cz, sz, rz, ż, dz, dż), they take the ending **-y**. (twarz, plaża, noc) Przyglądam się twarz**y**, plaż**y**, noc**y**.
neuter	
-u	– all neuter nouns have the dative singular ending **-u**. (dziecko) Dałem dzieck**u** nową książkę.
plural – masculine, feminine and neuter:	
-om	in the plural, all nouns have the same dative ending: **-om**. (obraz) Przyglądam się obraz**om**. (koleżanka) Pożyczyłam płyty koleżank**om**. (dziecko – *pl* dzieci) Dałam zabawki dzieci**om**.

The dative case can also appear with verbs: **mówić/powiedzieć, życzyć, pomagać/pomóc, przyglądać się/przyjrzeć się.**

Powiedziałam Piotrowi, że przyjdę do niego w piątek.
Adam **życzył Monice** wszystkiego najlepszego z okazji urodzin.
Marku, czy możesz **pomóc mamie** sprzątać mieszkanie?
Kasia przyglądała się **chłopakowi** z długimi włosami.

Dative case endings for adjective and pronouns:

singular	
masculine	
-emu	(**nowy** szef) Pożyczyłem pieniądze now**emu** szefowi.
feminine	
-ej	(**nowa** koleżanka) Pożyczyłem książkę now**ej** koleżance.
neuter	
-emu	(**małe** dziecko) Dałam zabawki mał**emu** dziecku.

(**ten mój nowy** dyrektor) Dałem raport t**emu** moj**emu** now**emu** dyrektorowi.
(**ta twoja nowa** studentka) Pokazałem dobre książki t**ej** twoj**ej** now**ej** studentce.
(**to twoje małe** dziecko) Dałem zabawkę t**emu** twoj**emu** mał**emu** dziecku.

plural	
masculine, feminine and neuter:	
-ym/-im	(**nowe** obrazy) Przyglądam się now**ym** obrazom. (**nowe** koleżanki) Pożyczyłem książki now**ym** koleżankom. (**małe** dzieci) Kupiłam zabawki mał**ym** dzieciom.

(**te moje nowe** obrazy) Przyglądam się t**ym** mo**im** now**ym** obrazom.
(**te nasze nowe** koleżanki) Pożyczyłam płyty t**ym** nasz**ym** now**ym** koleżankom.
(**te twoje małe** dzieci) Dałam zabawki **tym** two**im** mał**ym** dzieciom.

POTRZEBNY MI RYŻ

In everyday language this construction is used more often than the verb: **potrzebować**, when talking about things.

Potrzebny mi długopis.
Potrzebna mi nowa kurtka.
Potrzebne mi nowe biuro.
Potrzebny mi samochód na popołudnie.

However with abstract ideas like time, love, etc. **potrzebować** is more often used.

Potrzebujemy miłości.
Potrzebuję czasu na te decyzję.

THE VERB **PRZYJŚĆ** – the future simple tense

Notice the consonant change **d:dzi** in the stem.

singular		plural	
ja przyjd**ę**		my przyjdzi**emy**	
ty przyjdzi**esz**		wy przyjdzi**ecie**	
on (pan) ona (pani) ono	przyjdzi**e**	oni (panowie, państwo) one (panie)	przyjd**ą**

SKLEP JEST ZAMKNIĘTY

When talking about shops, we can use the synonyms:

Sklep jest **otwarty** – sklep jest **czynny**.	The shop is open.
Sklep jest **zamknięty** – sklep jest **nieczynny**.	The shop is closed.

When speaking about other institutions, we usually use the words: **czynny** or **nieczynny**:

Bank jest **nieczynny** w sobotę.	The bank is closed on Sundays.
Poczta jest **czynna** przez całą dobę.	The post office is open 24 hours a day.

CZY WIDZIELIŚCIE NAJNOWSZY FILM POLAŃSKIEGO?

When talking about films and TV programs, we usually use the verb **oglądać** (and not **widzieć**). However you will often hear: czy **widziałeś** ten film? (especially when referring to a film in the cinema). Czy **oglądałeś** ten film? – is also used, more especially for films or programs broadcast on television.

– Czy widzieliście już najnowszy film Polańskiego?
  – Tak, widzieliśmy już.
  – Nie, jeszcze nie widzieliśmy.

NIGDZIE NIE MA RYŻU

wszyscy – nikt
każdy – nikt
wszystko – nic
wszędzie – nigdzie
zawsze – nigdy

The pronoun **wszyscy** is followed by verbs in the 3rd person plural. In the past tense it takes the virile form of the verb.

Wszyscy lubią koty.
Wszyscy chcą mieć duże mieszkanie.
Wszyscy lubili koty.
Wszyscy chcieli mieć duże mieszkanie.

The pronouns **każdy** and **nikt** are followed by verbs in the 3rd person singular (using the masculine gender in the past tense and the conditional).

Każdy kocha kogoś.
Każdy chce mieć dom.
Każdy chciałby studiować w Paryżu.

Nikt nie lubi czekać.
Nikt nie lubił czekać.
Nikt nie chce tu pracować.
Nikt nie chciał pracować.

Notice the difference in use between the pronouns **wszyscy** and **każdy**. The first treats people as a group, the second speaks of specific people separately.

The pronouns **nic** and **wszystko** are used with verbs in the 3rd person singular (using the neuter gender in the past tense).

Nic nie jest łatwe.
Nic nie było łatwe.
Wszystko ma sens.
Wszystko miało sens.

BĘDZIE 7 OSÓB

As you know, the numbers above 5 take the genitive case in accompanying nouns (see lesson 16).

Consequently we have changes for the noun **osoba**:

nominative sg	**nominative pl**	**genitive pl**
1 osoba	2 osoby	5 osób

DOSTAŁAM PREZENT OD AGATY – the prepositions **od** and **z**

The English preposition **from** has two equivalents in Polish:

z – is used with places:
Wracam **z** Krakowa.
Dostałem list **z** Hiszpanii.
Z biura idę prosto do domu.

od – is used with people and time:
Dostałem list **od** Adama.
Mam wiadomość **od** Moniki.
Wracam **od** lekarza, **od** fryzjera.
Pracuję **od** środy **do** piątku.

ROZMAWIAMY

EXCLAMATIONS

O Boże!	Oh God!
To niemożliwe!	That's impossible!
Jak to możliwe?	How is it/that possible?
Nie, to niemożliwe!	No, it's not possible!
Naprawdę?	Really?
Mówisz poważnie?	Are you serious?

SUGGESTING AND PERSUADING

Musisz sprawdzić to jeszcze raz.
Musisz iść do lekarza.
Musisz jechać na urlop.

REQUESTS

We can use the verb **móc** for making requests, in which case it is used in the form of a question:

Czy możesz iść do sklepu?
Czy możesz to sprawdzić?
Czy mógłbyś iść do sklepu?
Czy mogłabyś to sprawdzić?
Czy mógłby pan jutro do mnie zadzwonić?
Czy mogliby państwo chwilę poczekać?

ALL THE BEST! ETC.

When wishing someone a happy birthday or nameday we usually say:

Wszystkiego najlepszego!	All the best!
Zdrowia!	Good health!
Szczęścia!	*lit*. happiness!
Pomyślności!	When wishing someone good fortune.
Sto lat!	When wishing someone a happy birthday *lit.* 100 years i.e. I hope you live to be a hundred.

Other greetings:
– For Christmas we wish people: **Wesołych Świąt!**
– For New Year: **Szczęśliwego Nowego Roku!**
– For Easter: **Wesołych Świąt! Smacznego jajka!** (*lit*. tasty egg)

You will notice that most of these expressions are in the genitive. This is because the verb **życzyć** (to wish), which takes the genitive, is implied, even when not said:
(życzę ci) wszystkiego najlepszego.

TOASTS

Zdrowie! Twoje zdrowie!	Good health! Your health!
Zdrowie solenizanta/ solenizantki!	Said when toasting someone's health on their nameday.
Za nasze spotkanie!	Here's to us!
Za naszą współpracę!	Here's to our working together!

ĆWICZENIA

1 Choose the correct verb: **szukać, potrzebować, uczyć się, życzyć** putting it into the appropriate form.

1. Adam jest bardzo zmęczony. On .... urlopu.
2. Codziennie (ja) .... matematyki.
3. Cały dzień (ja) .... klucza. Gdzie on może być?
4. (Ja) .... ci wszystkiego najlepszego.
5. (My) .... więcej pieniędzy.

2 Use the verb **móc** in the conditional (masculine singular, feminine singular, virile plural, non-virile plural), e.g.: Czy (ty) **mogłabyś** mi pomóc?

masculine sg

1. – Czy (ty) .... mi pomóc? – Oczywiście, że (ja) ....
2. – Czy Piotr.......................... kupić mi kanapkę?

feminine sg

3. – Czy ty .... przyjść do mnie jutro? – Naturalnie, że (ja) ....
4. – Czy Ewa .... mi pomóc? – Myślę, że tak.

virile pl

5. – Czy (wy).............................. nam pomóc? – Oczywiście, że (my) ....
6. – Czy Piotr i Łukasz .... nam pomóc?

non-virile pl

7. – Czy (wy) .... przyjść wcześniej do biura? – Oczywiście, że (my) ....
8. – Czy Ola i Jola .... nam pomóc? – Myślę, że tak.

Put the words in brackets into the dative, e.g.: Dałem (Basia) **Basi** kwiaty na urodziny.

3

1. Kupiłem (moja żona) .... prezent na imieniny.
2. Powiedziałam (Agnieszka) ...., że nie mogę przyjść na jej urodziny.
3. Chciałbym pokazać (swój syn) .... i (swoja córka) .... wystawę w muzeum archeologicznym.
4. Pomogłem (Piotr) .... znaleźć mieszkanie.
5. Pokazałam (Monika) .... swój nowy aparat fotograficzny.
6. Z okazji urodzin życzyłem (szef) .... wszystkiego najlepszego.
7. Dałam (Ania) .... ostatnią wersję naszego projektu.
8. Czy powiedziałeś (Michał) ...., że nasze spotkanie będzie nie jutro, tylko w piątek?

Read out loud the opening times of these shops, restaurants, etc., e.g.: Poczta jest otwarta od (6) **szóstej** do (22) **dwudziestej drugiej**.

4

1. Sklep spożywczy koło mojego domu jest otwarty od godziny 7.00 do 18.00.
2. Restauracja „U Greka" jest otwarta od godziny 11.00 do 24.00.
3. Ta poczta jest czynna od godziny 8.00 do 20.00.
4. Kawiarnia „Forsycja" jest otwarta od godziny 12.00 do 22.00.
5. Nasze biuro jest czynne od godziny 9.00 do 19.00.

Make suggestions to these people about what they have to do, e.g.: – Nie pamiętam twojego adresu. – **Musisz go zapisać.**

5

1. – Nie mam dzisiaj samochodu. – ....

2. – Nie ma ryżu. – ....

3. – Nie wiem, kiedy są urodziny Moniki. – ....

4. – Nie pamiętam, gdzie jest ulica Solec. – ....

6

Put the words in brackets into the genitive, e.g.: Uczę się **języka rosyjskiego**.

1. Ja naprawdę potrzebuję (urlop) ....
2. Lubię słuchać (muzyka klasyczna) ....
3. Codziennie słucham (radio) ....
4. Często szukam (paszport) ....
5. Piotr uczy się (język francuski) ....

7

Choose which is more suitable, the verb **potrzebować**, or the construction **potrzebny mi**. Change the ending of the noun where necessary.

1. .... urlop
2. .... numer telefonu do Adama
3. .... nowy sweter
4. .... twoja miłość
5. .... czas
6. .... ostatni raport

8

Write opposites to the words in bold, e.g.: Nikt nie lubi Agaty. **Wszyscy** lubią Agatę.

1. – **Nigdzie** nie ma okularów. – Czy szukałaś ....?
2. – **Nigdy** nie pytam mężczyzny o wiek. – A ja .... pytam mężczyznę o wiek.
3. – **Nikt** nie mówi po francusku. – To nieprawda, ... mówią po francusku.
4. – **Nic** nie rozumiem. – A ja .... rozumiem.

5. – **Nikt** nie chciałby tu pracować. – Ja myślę, że .... chciałby tu pracować.

9

Use the pronoun **sam** in the correct gender.

1. Adam wszystko robi ....:............ gotuje obiady, ... sprząta, ... płaci rachunki. On nie ma wyboru – mieszka ....
2. Moja asystentka wszystko robi ....:.............. pisze listy, ... czyta korespondencję, ... negocjuje warunki z klientami. A co ja robię? Organizuję jej pracę.
3. Moje dziecko jest bardzo samodzielne: .... robi sobie śniadanie, ... idzie do szkoły, ...wraca. A ma tylko 9 lat.

10

What do you say when:

1. Wishing someone Happy Christmas?
2. Wishing someone a happy birthday.
3. Wishing someone a happy nameday.
4. Toasting your friend.

Birthdays and namedays

Poles do not only celebrate birthdays, but also namedays (the day of the Saint whose name they share). For some, namedays are even more important than birthdays. Until recently this occasion was not only celebrated at home, but also with noisy parties at work with colleagues. We wish people a happy nameday in the same ways as we wish people a happy birthday – wszystkiego najlepszego, zdrowia, szczęścia etc.

24. NA POCZCIE, W PRALNI, U FRYZJERA

Basia: Może pójdziemy do „Lolka" dzisiaj wieczorem?
Alice: Nie mogę, mam kilka spraw do załatwienia. Muszę iść na pocztę po list polecony, do pralni odebrać pranie, no i w końcu chcę pójść do fryzjera. Już nie mogę na siebie patrzeć.

Basia: Przesadzasz.

Na poczcie
Alice: Dostałam awizo.
Urzędniczka: Poproszę dowód osobisty.
Alice: Jestem Amerykanką, mam paszport.
Urzędniczka: Może być paszport. Proszę tu podpis z dzisiejszą datą.
Alice: Poproszę jeden znaczek na list do Anglii, 4 koperty i kartę telefoniczną, 25 jednostek.
Urzędniczka: To w okienku numer 5 (pięć).

W pralni
Alice: Chciałabym odebrać pranie.
Pani: Poproszę kwit. Co to było?
Alice: Żakiet i płaszcz.
Pani: Jakiego koloru?
Alice: Żakiet jest beżowy, a płaszcz ciemnozielony.
Pani: O, mam tutaj. Czy to ten płaszcz?
Alice: Tak.

U fryzjera
Recepcjonista: Czy pani jest umówiona?
Alice: Tak, jestem umówiona do pani Kasi na godzinę (18) osiemnastą.
Recepcjonista: Proszę usiąść. Czy napije się pani kawy albo herbaty?

24. AT THE POST OFFICE, AT THE CLEANER'S, AT THE HAIRDRESSER'S

Basia: Shall we go to "Lolek" this evening?
Alice: I can't, I've got some things to do. I have to go to the post office to pick up a registered letter, to the cleaners to collect some laundry and I really must go to the hairdresser. Right now I can't even look at myself.
Basia: You're exaggerating.

At the post office
Alice: I got this note from the postman.
Assistant: Could I have your identity card?
Alice: I'm American, I have a passport.
Assistant: A passport will be fine. Please sign here with today's date.
Alice: I'd like one stamp for a letter to England, four envelopes and a telephone card, 25 units.
Assistant: Please go to window number 5.

At the cleaners
Alice: I'd like to collect some laundry.
Assistant: Can I have your ticket? What was it?
Alice: A jacket and a coat.
Assistant: What colour?
Alice: The jacket is beige, and the coat dark green.
Assistant: Oh, here it is. Is this your coat?
Alice: Yes.

At the hairdresser's
Receptionist: Do you have an appointment?
Alice: Yes, I have an appointment with Kasia for 6 o'clock.
Receptionist: Please have a seat. Would you like some coffee or tea?

Alice:	Bardzo chętnie. Poproszę kawę. O! Ania! Cześć!
Ania:	Alice! Co za spotkanie! Co u ciebie słychać?
Alice:	Nic nowego, ciągle pracuję w „Warsaw Voice" i jak zwykle mam dużo pracy. Ale niedługo wyjeżdżam na stypendium do Paryża.
Ania:	Gratuluję!
Alice:	A u ciebie?
Ania:	Ja zmieniłam pracę. Teraz pracuję w dużej, międzynarodowej firmie, w dziale marketingu. Robię coś nowego i dużo się uczę.
Alice:	To świetnie!
Ania:	I, co najważniejsze, ludzie są bardzo sympatyczni. Przepraszam cię, ale spieszę się, jestem umówiona. Musimy się kiedyś spotkać i pogadać.
Alice:	Koniecznie.
Ania:	Zadzwonię do ciebie w środę. Pa! Muszę lecieć.
Alice:	Pa! I do zobaczenia!
Pani Kasia:	Co robimy? Strzyżenie? Farbowanie?
Alice:	Tym razem tylko strzyżenie.
Pani Kasia:	Jak obcinamy?
Alice:	Tak samo jak zwykle. Z przodu nie za krótko, tutaj dotąd (*pokazując ręką*), z tyłu trochę krócej.
Wieczorem	
Waldek:	Świetnie wyglądasz! (Czy) Byłaś u fryzjera?
Alice:	Tak, spędziłam tam trochę za dużo czasu, ale spotkałam koleżankę, której dawno nie widziałam. Umówiłyśmy się na środę.
Waldek:	(Czy) Znam ją?
Alice:	Chyba nie. Ostatnio nie miałam z nią kontaktu. To taka trochę zwariowana dziewczyna.

Alice: I'd love some. I'll have some coffee, please. Oh! Ania! Hello!
Ania: Alice! Fancy meeting you here! How are things with you?
Alice: Nothing new. I'm still working at "Warsaw Voice" and as usual have lots of work. But soon I'm going off to Paris on a scholarship.
Ania: Congratulations!
Alice: And you?
Ania: I've changed my job. I'm now working in a large international company, in the marketing department. I'm doing something new and I'm learning a lot.
Alice: That's excellent!
Ania: And what's most important, the people are really friendly. I'm sorry, but I'm in a hurry. I have an appointment. We must meet sometime and have a chat.
Alice: Definitely.
Ania: I'll call you this Wednesday. Bye! Must fly!
Alice: Bye! See you!
Kasia: How would you like it? Would you like it cut, would you like it coloured?
Alice: Just a cut this time.
Kasia: How would you like it cut?
Alice: The same as usual. At the front not too short, down to here (*pointing*), a bit shorter at the back.

In the evening

Waldek: You look great! Have you been to the hairdresser?
Alice: Yes. I spent a bit too much time there, but I met a friend who I haven't seen for a long time. We've arranged to meet on Wednesday.
Waldek: Do I know her?
Alice: Probably not. We haven't been in contact recently. She's a slightly crazy girl.

SŁOWNICTWO

awizo *n* advice note (e.g.: of undelivered letter)
ciągle still
ciemnozielony, -a, -e *adj* dark green
dostawać *imperf* **(dostaję, dostajesz), dostać** *perf* **(dostanę, dostaniesz)** + *acc* + **od** + *gen* to get, receive
dotąd to here
dowód osobisty *m* personal identity document
dział *m* department, branch, section
dzisiejszy, -a, -e *adj* today's
farbować *imperf* **(farbuję, farbujesz), ufarbować** *perf* **(ufarbujesz, ufarbujesz)** + *acc* to colour
farbowanie *n* colouring
fryzjer *m* hairdresser *(male)*
fryzjerka *f* hairdresser *(female)*
gadać *imperf* **(gadam, gadasz), pogadać** *perf* **(poga-**

dam, pogadasz) + **z** + *instr*; + **o** + *loc* to talk, chat
jednostka *f* unit, individual
karta telefoniczna *f* telephone card
kartka *f* postcard
koniecznie *adv* necessarily
kontakt *m* contact
koperta *f* envelope
kwit *m* receipt, ticket
list *m* letter
list polecony *m* registered letter
ludzie *pl* (*gen* **ludzi**) people
marketing *m* marketing
międzynarodowy, -a, -e *adj* international
moda *f* fashion
może być is O.K., is fine
myć *imperf* **(myję, myjesz), umyć** *perf* **(umyję, umyjesz)** + *acc* to wash
obcinać *imperf* **(obcinam, obcinasz), obciąć** *perf* **(obetnę, obetniesz)** + *acc* to cut, clip
odbierać *imperf* **(odbieram, odbierasz), odebrać** *perf* **(odbiorę, odbierzesz)** + *acc* to pick up, get, collect
okienko *n* window, counter
ostatnio *adv* recently, lately
paczka *f* parcel, package
podpis *m* signature
pralnia *f* laundry (the place)
pranie *n* laundry, washing
przesadzać *imperf* **(przesadzam, przesadzasz), przesadzić** *perf* **(przesadzę, przesadzisz)** to exaggerate
przód *m* front
z przodu in front of, in the front
przygotowywać *imperf* **(przygotowuję, przygotowujesz), przygotować** *perf* **(przygotuję, przygotujesz)** + *acc* to prepare
siadać *imperf* **(siadam, siadasz), usiąść** *perf* **(usiądę, usiądziesz)** to sit down
spieszyć się *imperf* **(spieszę się, spieszysz się), pospieszyć** *perf* **(pospieszę się, pospieszysz się)** to rush, be in a hurry
sprawa *f* business, affair (*pl.* things)
strata *f* waste
strzyżenie *n* hair-cutting
tył *m* back
z tyłu at the back, in the back
umawiać się *imperf* **(umawiam się, umawiasz się), umówić się** *perf* **(umówię się, umówisz się)** + **z** + *instr* to make an appointment
umówiony, -a, -e *adj* booked (i.e. having an appointment)
załatwiać *imperf* **(załatwiam, załatwiasz), załatwić** *perf* **(załatwię, załatwisz)** + *acc* to do, take care of
mam kilka spraw do załatwienia I have a few things to do
zmieniać *imperf* **(zmieniam, zmieniasz), zmienić** *perf* **(zmienię, zmienisz)** + *acc* to change
znaczek *m* (*gen* **znaczka**) stamp
zwariowany, -a, -e *adj* mad, crazy (keen)

U FRYZJERA

balejaż *m* highlights, streaks
farba *f* tint, colour
farbować *imperf* **(farbuję, farbujesz), ufarbować** *perf* **(ufarbujesz, ufarbujesz)** + *acc* to colour
farbowanie *n* colouring
fryzura *f* hairstyle, haircut
golić *imperf* **(golę, golisz), ogolić** *perf* **(ogolę, ogolisz)** + *acc* to shave
golenie *n* shaving
grzywka *f* fringe
myć *imperf* **(myję, myjesz), umyć** *perf* **(umyję, umyjesz)** + *acc* to wash
mycie *n* wash, washing
obcinać *imperf* **(obcinam, obcinasz), obciąć** *perf* **(obetnę, obetniesz)** + *acc* to cut, clip
obcinanie *n* cut, cutting
odżywka *f* conditioner
pasemka *pl* highlights, streaks
strzyc *imperf* **(strzygę, strzyżesz), ostrzyc** *perf* **(ostrzygę, ostrzyżesz)** + *acc* to cut (sb's) hair
strzyżenie *n* hair-cutting
szampon *m* shampoo
trwała *f* perm

GRAMATYKA

FARBOWANIE, STRZYŻENIE – nouns derived from verbs

Farbowanie and **strzyżenie** are examples of nouns derived from verbs. They are created with the help of suffixes:

-anie czytać – **czytanie**, oglądać – **oglądanie**
-enie robić – **robienie**, mówić – **mówienie**
-cie pić – **picie**, myć – **mycie**

These forms are neuter and have the normal neuter case endings. They can appear in the nominative as the subject of the sentence.

Oglądanie telewizji jest stratą czasu. (nominative)	Watching TV is a waste of time.

Or after prepositions (z, do, na).

Mam problem **z czytaniem** po polsku. (instrumental)	I have a problem reading Polish.

Mam jeszcze coś **do zrobienia**. (genitive)	I've still got something I have to do.
Czy masz coś **do jedzenia**? (genitive)	Do you have anything to eat?
Czy coś **do picia** dla państwa? (genitive)	(waiter): Something to drink?
Mamy coś **do załatwienia** w ministerstwie finansów. (genitive)	I have some business to attend to at the ministry of finance.
Teraz jest czas **na przygotowanie** projektu. (accusative)	Now is the time to prepare the project.

Note that these verbal nouns govern the genitive in nouns following them, even when the verb they are derived from usually takes another case.
Oglądam **telewizję.** (accusative)
But: oglądanie **telewizji.** (genitive)

JESTEM UMÓWIONY

Jestem umówiony, jestem umówiona (I'm meeting someone).	We often say this when we are going to meet friends.
We can also use the verb:	
Umówiłam się z Anią. (instrumental).	I'm meeting Ania.

We can also use this expression when we have an appointment booked at the hairdresser's or the doctor's, for example.

Jestem umówiona **do fryzjera /do pani Doroty**. (genitive)	I've got an appointment at the hairdresser's/with Dorota.
Na jutro jestem umówiona **do fryzjera / do pana Marka**. (genitive)	I've got an appointment for tomorrow at the hairdresser's/with Marek.
Jestem umówiona **do lekarza** na (6) szóstą. (genitive)	I've got an appointment at the doctor's for 6 p.m.

For official or business meetings we usually use the form:

Mam spotkanie z klientem dzisiaj po południu. (instrumental)	I've got a meeting with a client this afternoon.

BYŁAM U FRYZJERA – the preposition u

When saying we have been visiting someone (whether friends, customers, the hairdresser, the doctor, etc.), we use the verb **być** with the preposition **u** and the genitive.

Idę do fryzjera.	I'm going to the hairdresser's
Byłam **u fryzjera**.	I went to the hairdresser's.
Idę do koleżanki.	I'm going to see a friend.
Byłam **u koleżanki**.	I went to see a friend.
Nie lubię chodzić do lekarza.	I don't like going to the doctors.
Wczoraj byłem **u lekarza**.	Yesterday I went to the doctor's.

Remember that when talking about places, we use the prepositions **w** or **na** and the locative: byłem w kinie, jestem w restauracji, jestem na lotnisku (see lesson 19).

ROZMAWIAMY

A PASSPORT WILL BE FINE

Urzędniczka: Poproszę dowód osobisty.
Alice: Jestem Amerykanką, mam paszport.
Urzędniczka: Może być paszport.

Basia: – Poproszę zupę pomidorową.
Kelner: – Nie ma już zupy pomidorowej. Czy może być ogórkowa?
Basia: – Tak, może być.

In the examples above **może być** means something like: "will be fine, will be O.K."
But be careful! **być może** means something different, something like "maybe, perhaps".

Adam: – Czy będziesz jutro na spotkaniu?
Ania: – Być może.

AT THE POST OFFICE

Poproszę jeden znaczek na list do Francji.
Poproszę dwa znaczki na kartkę.

– Chciałbym wysłać list polecony/paczkę.
– Proszę wypełnić druk.

– Chciałabym odebrać paczkę/list polecony.
– Poproszę awizo/dowód osobisty.

AT THE HAIRDRESSERS'

Z recepcjonistką:
– Chciałabym obciąć włosy/umyć włosy/ufarbować włosy.
– Czy pani jest umówiona?
– Nie, nie jestem umówiona.
– Proszę poczekać.
– Ile kosztuje strzyżenie/obcięcie/mycie/farbowanie?

– Jestem umówiona do... (pani Kasi) na godzinę... (osiemnastą).

Z fryzjerem/z fryzjerką:
– Co robimy? Strzyżenie? Farbowanie? – Strzyżenie/obcinanie
– Jak obcinamy/strzyżemy? – Z przodu nie za krótko, z tyłu krócej...

SHALL WE GO OUT?

– Może pójdziemy do „Lolka"? – Świetny pomysł!	Shall we go to "Lolek"? – Excellent idea!
– Może pójdziemy do kina? – A na jaki film?	Shall we go to the cinema? – What film?
– Może pójdziesz ze mną do teatru? – Chętnie, a na co? /Na jaki spektakl?	Would you like to go with me to the theatre? – I'd love to. What to? /what show?
– Czy masz ochotę na spacer? – Dobry pomysł!	Do you fancy going for a walk? – Good idea

ĆWICZENIA

1

Make verbal nouns from the following verbs as appropriate, and use them in their correct form. (**pisać, zrobić, oglądać, chodzić, farbować, strzyc, przygotować, załatwić**), e.g.: **Czytanie** jest moją pasją.

1. .... telewizji jest stratą czasu.
2. .... do pubów jest nową modą w Polsce.
3. Mam problem z .... po polsku.
4. Nie mogę iść na piwo, mam jeszcze coś do ....
5. Mam kilka spraw do ....
6. Teraz jest czas na .... się do lekcji.
7. (U fryzjera) – Co to będzie? ....? ....?

2

Rewrite the sentences using verbal nouns, e.g.: Muszę coś napisać. Mam coś do **napisania**.

1. Pływać jest łatwo. .... jest łatwe.
2. Trudno jest pisać po polsku. Mam problem ....
3. Muszę coś zrobić. Mam coś ....
4. Muszę załatwić kilka spraw w ministerstwie. Mam coś ....

3

Put the words in brackets into the accusative, e.g.: Czy masz **dobrą fryzjerkę?**

1. – Czy masz (dobry fryzjer) ....? – Tak, mam. Pani Monika w salonie „Anna" jest świetną fryzjerką. Polecam ci ją.
2. – Czy masz (dobra kosmetyczka) ....?
   – Nie nie mam. Też szukam dobrej kosmetyczki.
3. – Czy znasz (dobry dentysta) ....?
   – Wiem, że mój ojciec ma bardzo ....
   Jutro dam ci jego numer telefonu.
4. – Czy znasz (dobry prawnik) ....? – Ja nie, ale moja znajoma pracuje w kancelarii prawniczej i mogę ją zapytać.

Complete with the appropriate prepositions: **do, u, na**.

4

1. Dziś po południu idę .... fryzjera. 2 miesiące temu byłam .... fryzjera.
2. – Gdzie jest Adam? – .... spotkaniu .... szefa.
3. Piotr nie ma własnego mieszkania. Mieszka teraz .... kolegi.
4. Jadę .... mojej koleżanki .... kolację. Ostatnio byłam .... niej 2 tygodniu temu.

Write in a suitable preposition.

5

1. Poproszę znaczek .... list lotniczy .... Anglii.
2. Poproszę 2 znaczki .... kartkę .... Francji.
3. Poproszę 5 znaczków .... list .... Krakowa.

Complete the sentences choosing the appropriate person, and using the correct prepositions and cases. (**Piotr, fryzjer, dyrektor, klient, koleżanka**).

6

1. Dzisiaj wieczorem mam spotkanie ....
2. Umówiłam się ....
3. Jestem umówiony ....
4. W przyszłym tygodniu mam spotkanie ....
5. Jestem umówiona ....

Complete these dialogues, using the structures and words that you have learned in this lesson.

7

U fryzjera:

1. – Czy pani jest umówiona? – ....
2. – Co to będzie? Strzyżenie? Farbowanie? – ....
3. – Czy pan był umówiony? – ....
4. – Co chciałby pan zrobić? – ....

W pralni:

5. – ....
 – Co to było?
 – Płaszcz i żakiet.
 – Jakiego koloru?
6. – ....

Na poczcie:

7. – .... paczkę. – Proszę wypełnić druk.
8. – .... list polecony. – Poproszę awizo.

25. U LEKARZA

W mieszkaniu Alice i Basi

Alice: On jest naprawdę wyjątkowy.
Basia: Kto?
Alice: Waldek. Zauważył, że byłam u fryzjera.
Basia: No widzisz, jakie masz szczęście. Ja też mam szczęście. Mój John jest... ach, on jest po prostu wspaniały – taki czuły i taki męski, zdecydowany. Wiesz, jestem z nim naprawdę szczęśliwa.

2 godziny później

Basia: Posłuchaj, opowiem ci dowcip: Przychodzi baba do lekarza i mówi: Panie doktorze, nikt mnie nie zauważa. A lekarz mówi: Następny, proszę. Dobre, co?
Alice: Takie sobie.
Basia: Coś nie masz dziś humoru.
Alice: Źle się czuję.
Basia: Co ci jest?
Alice: Boli mnie głowa i mięśnie.
Basia: Może to grypa? Powinnaś iść do lekarza. Zaraz zadzwonię do przychodni. (*przez telefon*) Dzień dobry, chciałabym zapisać koleżankę do internisty na dzisiaj.
Rejestratorka: Dziś to niemożliwe, nie ma już numerków*.
Basia: Ale moja koleżanka ma wysoką temperaturę!
Rejestratorka: Dobrze, do doktora Pietrzaka, numerek piętnasty. Jak nazywa się pani koleżanka?
Basia: Alice Harward.
Rejestratorka: Proszę powtórzyć.
Basia: Harward.
Rejestratorka: Proszę przeliterować.

25. AT THE DOCTOR'S

In Alice's and Basia's flat.

Alice: He's really exceptional.
Basia: Who?
Alice: Waldek. He noticed that I'd been to the hairdresser.
Basia: You see how lucky you are. I'm lucky too. My John is...oh! oh! he's simply wonderful – so tender and so manly and decisive. You know, I'm really happy with him.

Two hours later

Basia: Listen, I'll tell you a joke. This old granny goes to the doctor and says: "Doctor, nobody notices me." The doctor says: "Next please." Good, yes?
Alice: So-so.
Basia: You're not in a very good mood today.
Alice: I don't feel well.
Basia: What's the matter with you?
Alice: My head and muscles ache.
Basia: Perhaps it's flu. You should go to the doctor. I'll call the health centre right now (*on the phone*) Hello, I'd like to make an appointment for my friend to see a GP today.
Receptionist: Today it isn't possible, there are no appointments left.
Basia: But my friend has got a high temperature!
Receptionist: O.K. Doctor Pietrzak, appointment number 5. What's your friend's name?
Basia: Alice Harward.
Receptionist: Can you repeat that, please?
Basia: Harward.
Receptionist: Can you spell it, please?

Basia:	„ha" jak Henryk, „a" jak Anna, „er" jak Ryszard, „wu"jak Waldek, „a" jak Anna, „er" jak Ryszard, „de"jak Danuta.
Rejestratorka:	Ona nie jest Polką?
Basia:	Nie, ale świetnie mówi po polsku.
Rejestratorka:	To dobrze.

U lekarza

Lekarz:	Słucham panią? Co pani dolega?
Alice:	Bolą mnie mięśnie i głowa.
Lekarz:	Czy ma pani gorączkę?
Alice:	37, 5 (trzydzieści siedem i pięć).
Lekarz:	Czy ma pani kaszel, katar?
Alice:	Nie mam ani kataru ani kaszlu.
Lekarz:	Muszę panią zbadać. Proszę się rozebrać. Proszę oddychać głęboko. Teraz proszę nie oddychać. Może się pani ubrać. Proszę otworzyć usta, pokazać język i powiedzieć „aaa". Dziękuję. To grypa. Proszę brać wapno 3 razy dziennie, aspirynę rano i wieczorem. Na razie nie daję pani antybiotyku. Proszę przyjść za 6 dni na kontrolę.
Alice:	Czy mogę chodzić do pracy?
Lekarz:	Wykluczone. Musi pani leżeć w łóżku przynajmniej 5 dni.
Alice:	Ale ja teraz kończę bardzo ważną pracę.
Lekarz:	Praca nie zając, nie ucieknie, a grypa to jest poważna choroba i nie należy jej lekceważyć.

W mieszkaniu Alice i Basi dzwoni telefon

Waldek:	Cześć Basia, czy mogę rozmawiać z Alice?
Basia:	Nie ma jej, poszła do lekarza.
Waldek:	Co się stało?
Basia:	Nie denerwuj się, nic poważnego, to chyba grypa.

* When we make an appointment at the health centre, a receptionist tells us the time of the visit and usually adds that it's number 7, for example, in the order of appointments – numerek 7.

Basia:	"H" for Henryk, "A" for Anna, "R" for Ryszard, "W" for Waldek, "A" for Anna, "R" for Ryszard, "D" for Danuta.
Receptionist:	She's not Polish?
Basia:	No, but she speaks Polish excellently.
Receptionist:	That's fine.

At the doctor's

Doctor:	What's the matter?
Alice:	My muscles and head ache.
Doctor:	Do you have a temperature?
Alice:	37,5.
Doctor:	Do you have a cough or a runny nose?
Alice:	I don't have either a runny nose or a cough.
Doctor:	I'll have to examine you. Please get undressed, breathe deeply. Now hold your breath. You can get dressed. Please open your mouth, put out your tongue and say "aaah". Thank you. It's flu. Please take calcium 3 times a day and aspirin in the morning and in the evening. For the moment I won't give you any antibiotics. Please come back in six days for a check-up.
Alice:	Can I go to work?
Doctor:	Definitely not. You must stay in bed for at least five days.
Alice:	But I'm just finishing a very important project.
Doctor:	„Work is not a hare, it won't run away", and flu is a serious illness, you shouldn't ignore it.

In Alice's and Basia's flat, the telephone is ringing

Waldek:	Hello Basia, can I speak to Alice?
Basia:	She's not here, she's gone to the doctor's.
Waldek:	What's happened?
Basia:	Don't worry, it's nothing serious, probably flu.

SŁOWNICTWO

antybiotyk *m* antibiotic
aspiryna *f* aspirin
baba *f* simple old woman
badać *imperf* **(badam, badasz), zbadać** *perf* **(zbadam, zbadasz)** + *acc* to examine, look into
biedny, -a, -e *adj* poor
bogaty, -a, -e *adj* rich
boleć *imperf* to hurt, ache
  boli mnie głowa I have a headache
choroba *f* illness, disease
chory, -a, -e ill, sick
co ci jest? what's the matter, what's up with you?
czuć się *imperf* **(czuję się, czujesz się), poczuć się** *perf* **(poczuję się, poczujesz się)** to feel
czuły, -a, -e *adj* tender
denerwować się *imperf* **(denerwuję się, denerwujesz się), zdenerwować się** *perf* **(zdenerwuję się, zdenerwujesz się)** to annoy, irritate
dolegać *imperf* to bother, trouble
  co panu/pani dolega? what seems to be the trouble?
dowcip *m* joke
głęboko *adv* deeply
głowa *f* head
gorączka *f* (high) temperature, fever
grypa *f* flu
humor *m* mood
internista *m* general practitioner (GP)
iść *imperf* **(idę, idziesz), pójść** *perf* **(pójdę, pójdziesz)** to go

język *m* tongue
kaszel *m* (*gen* **kaszlu**) cough
katar *m* catarrh, runny nose
kontrola *f* check-up
kraj *m* country
lekarz *m* doctor
lekceważyć *imperf* **(lekceważę, lekceważysz), zlekceważyć** *perf* **(zlekceważę, zlekceważysz)** + *acc* to scorn, disregard
leżeć *imperf* **(leżę, leżysz)** to lie
literować *imperf* **(literuję, literujesz), przeliterować** *perf* **(przeliteruję, przeliterujesz)** + *acc* to spell
męski, -a, -e *adj* manly, masculine
mięsień *m* (*pl* **mięśnie**) muscle
należy you should
następny, a, -e *adj* next
numerek *m* (*gen* **numerka**) *here* -appointment
oddychać *imperf* **(oddycham, oddychasz), odetchnąć** *perf* **(odetchnę, odetchniesz)** to breathe
opowiadać *imperf* **(opowiadam, opowiadasz), opowiedzieć** *perf* **(opowiem, opowiesz)** + *acc* + *dat* to tell, to talk (about)
otwierać *imperf* **(otwieram, otwierasz), otworzyć** *perf* **(otworzę, otworzysz)** + *acc* to open
pokazywać *imperf* **(pokazuję, pokazujesz), pokazać** *perf* **(pokażę, pokażesz)** + *acc* + *dat* to show
pójść *perf* see **iść** to go
Alice poszła do lekarza Alice went to the doctor's
poważny, -a, -e *adj* serious
powinien he should
powinnaś iść do lekarza you (*female*) should
praca *f* work, job
praca nie zajac, nie ucieknie work is not a hare, it won't run away (idiom)
przeliterować *perf* see **literować**
przychodnia *f* medical centre, clinic
przyjmować *imperf* **(przyjmuję, przyjmujesz), przyjąć** *perf* **(przyjmę, przyjmujesz)** + *acc* to accept, admit, receive
przynajmniej at least
rozbierać się *imperf* **(rozbieram się, rozbierasz się), rozebrać się** *perf* **(rozbiorę się, rozbierzesz się)** to get undressed
siłownia *f* fitness club
szczęście *n* luck, happiness
mieć szczęście to be lucky
szczęśliwy, -a, -e *adj* luckily, happily
taki sobie, taka sobie, takie sobie so-so
temperatura *f* temperature
ubierać się *imperf* **(ubieram się, ubierasz się), ubrać się** *perf* **(ubiorę się, ubierzesz się)** to get dressed
uciekać *imperf* **(uciekam, uciekasz), uciec** *perf* **(ucieknę, uciekniesz)** to run away

usta *pl* mouth
wapno *n* calcium
wykluczone out of the question
zając *m* hare
zapisywać *imperf* **(zapisuję, zapisujesz), zapisać** *perf* **(zapiszę, zapiszesz)** + *acc* + **do** + *gen* to make an appointment with the doctor
zauważać *imperf* **(zauważam, zauważasz), zauważyć** *perf* **(zauważę, zauważysz)** + *acc* to notice, observe
zepsuty, -a, e *adj* broken

CZĘŚCI CIAŁA I NARZĄDY parts and organs of the body

brzuch *m* stomach
dłoń *f* hand, palm
gardło *n* throat
głowa *f* head
nerki *pl* kidneys
noga *f* leg
nos *m* nose
oko *n* (*pl* **oczy**) eye
oskrzela *pl* bronchial tubes
plecy *pl* back
płuca *pl* lungs
ręka *f* (*pl* **ręce**) arm, hand
serce *n* heart
stopa *f* foot
szyja *f* neck
ucho *n* (*pl* **uszy**) ear
usta *pl* mouth
wątroba *f* liver
ząb *m* (*pl* **zęby**) tooth, teeth
żołądek *m* stomach

CHOROBY illnesses

choroba *f* illness
  poważna choroba serious illness
chory, -a, -e *adj* ill, sick
angina *f* strep throat
grypa *f* flu
przeziębienie *n* cold
rak *m* cancer
zapalenie oskrzeli *n* bronchitis
zapalenie płuc *n* pneumonia
zawał *m* (heart) attack
zdrowie *n* health
zdrowy, -a, -e *adj* healthy

LEKARZE SPECJALIŚCI medical specialists

chirurg *m* surgeon
dermatolog *m* dermatologist
ginekolog *m* gynaecologist
internista *m* general practitioner
laryngolog *m* throat specialist
lekarz rodzinny *m* family doctor
okulista *m* eye specialist
psychiatra *m* psychiatrist
stomatolog/dentysta *m* dentist

GRAMATYKA

BOLI MNIE GŁOWA – the verb boleć

Boleć only appears in 3rd person singular and plural forms.
Boli mnie głowa. **Bolą** mnie oczy. (*lit.* – the head hurts me, the eyes hurt me).

The noun representing the person "suffering" appears in the accusative. The noun for the thing "doing the hurting" appears in the nominative, and the verb agrees with it in number.

Adama bolą dzisiaj zęby.
Ewę boli żołądek.

Czy boli **cię** głowa?
Czy boli **pana** serce?
Czy boli **panią** głowa?

THE VERBS IŚĆ, POJŚĆ – the past tense

Note that these verbs have irregular stems in the past, and have different stems for masculine singular and for the other forms.

iść

singular		
masculine	**feminine**	**neuter**
ja szed**łem**	ja sz**łam**	–
ty szed**łeś**	ty sz**łaś**	–
on szed**ł**	ona sz**ła**	ono sz**ło**
plural		
virile	**non-virile**	
my sz**liśmy**	my sz**łyśmy**	
wy sz**liście**	wy sz**łyście**	
oni sz**li**	one sz**ły**	

pójść

	singular	
masculine	**feminine**	**neuter**
ja poszed**łem**	ja posz**łam**	–
ty poszed**łeś**	ty posz**łaś**	–
on poszed**ł**	ona posz**ła**	ono posz**ło**
	plural	
virile	**non-virile**	
my posz**liśmy**	my posz**łyśmy**	
wy posz**liście**	wy posz**łyście**	
oni posz**li**	one posz**ły**	

Here are some examples of sentences with **iść** and **pójść** in the past tense.

Wczoraj zepsuł mi się samochód i musiałem iść pieszo do pracy. **Szedłem** 20 minut.

W sobotę wieczorem **poszedłem** do kina na bardzo dobry polski film.

Dzisiaj rano padał deszcz, a ja **szłam** pieszo do pracy. Nie miałam parasola, więc zmokłam.

– Gdzie jest Ania? – **Poszła** na obiad.

THE VERB **POWINIEN**

This special verb has no infinitive, and notice that there are different gender forms in the singular as well as the plural.

	singular	
masculine	**feminine**	**neuter**
ja powinienem	ja powinnam	–
ty powinieneś	ty powinnaś	–
on powinien	ona powinna	ono powinno
	plural	
virile	**non-virile**	
my powinniśmy	my powinnyśmy	
wy powinniście	wy powinnyście	
oni powinni	one powinny	

It is always used with the infinitive of another verb.

Powinnaś iść do lekarza.	You should go to the doctor's.

It usually has the meaning **should.**

We use this verb for giving advice:

Powinieneś mniej palić.	You should smoke less.
Powinnaś porozmawiać z mężem.	You should talk to your husband.

It is used for things that we are expecting to happen, or think should happen.

Jan **powinien** przyjechać tu za godzinę.	Jan should come here in one hour.
Adam **powinien** studiować medycynę.	Adam should study medicine.

It is used for expressing moral rules.

Ludzie **powinni** mówić prawdę.	People should tell the truth.
Kraje bogate **powinny** pomagać krajom biednym.	Rich countries should help poor countries.

We can also use **powinien** for talking about things that should happen in the future, or should have happened in the past (but didn't). Note that powinien is used for the past and for the future in its normal form with an infinitive, so we have to infer the time from the context.

Powinienem go odwiedzić i zrobię to w przyszłym tygodniu.	I should visit him and I'll do it next week.
Powinienem go odwiedzić w zeszłym tygodniu, ale nie odwiedziłem. Teraz widzę, że źle zrobiłem.	I should have visited him last week, but I didn't. Now I see that I was wrong. (*lit.* I did badly).

UBIERAĆ SIĘ – reflexive verbs

Ubierać się and rozbierać się are examples of reflexive verbs. The reflexive pronoun **się** tells us that the subject of the verb is doing the action to themself. The reflexive pronoun **się** has the same form for all persons, singular and plural. Note that the verbs in these examples can also be used non reflexively, when the direct object is a different person from the subject.

Ubieram dziecko. Ubieram się.	I'm getting the child dressed. I'm getting dressed.
Rozbieram dziecko. Rozbieram się.	I'm getting the child undressed. I'm getting undressed.
Paweł myje samochód. Paweł myje się.	Paweł is washing the car. Paweł is getting washed.

CO CI JEST?

We ask this question about someone's health when we think something is wrong with them.

Co ci jest?
Co panu/pani jest?

A doctor usually asks the question:
Co panu/pani dolega?

For a more general question about health we ask:

Jak się czujesz?
Jak pan/pani się czuje?

DWA RAZY DZIENNIE – expressions of time (8)

Here are some constructions for saying how often we do things:

Codziennie kupuję kwiaty.	Every day I buy flowers.
Proszę brać aspirynę **3 razy dziennie**.	Take an aspirin 3 times a day.
Co trzy dni chodzę do kosmetyczki.	Every three days I go to the beautician.

Muszę pić kawę **co 4 godziny**.	I have to have a coffee every 4 hours.
Proszę brać antybiotyk **co 6 godzin**.	Take the antibiotics every 6 hours.
Raz w tygodniu chodzę do kina.	Once a week I go to the cinema.
Dwa razy w miesiącu chodzę do teatru.	Twice a month I go to the theatre.
Raz w roku chodzę do opery.	Once a year I go to the opera.

ROZMAWIAMY

TALKING ABOUT YOUR HEALTH

– Źle się czuję.
– Co ci jest?
– Boli mnie gardło. Chyba mam gorączkę.

– Jak się czujesz? Lepiej niż wczoraj?
– Tak, dużo lepiej.
– A czy boli cię jeszcze gardło?
– Nie, już nie.

AN APPOINTMENT AT THE DOCTOR'S

– Kiedy przyjmuje doktor Pietrzak? – Doktor Pietrzak przyjmuje w środy i piątki.	– When are Doctor Pietrzak's visiting hours? – Dr Pietrzak's visiting hours are on Wednesdays and Fridays.
– Chciałabym zapisać się do lekarza. – Na kiedy? – Na jutro.	– I would like to make an appointment to see the doctor. – When for? – For tomorrow.

Chciałabym zapisać koleżankę do doktora Pietrzaka.	I would like to make an appointment for my friend to see the doctor.
Chciałabym zamówić wizytę domową.	I would like to arrange for a home visit.
– Co panu/pani dolega?	– What's the matter?
– Boli mnie głowa, mam katar.	– I've got a headache, I've got catarrh.
– A czy boli pana/panią gardło?	– And do you have a sore throat?

TELLING JOKES

Opowiem ci dowcip.	I'll tell you a joke.
Czy znasz ten dowcip?	Do you know this joke?
Czy znasz ten dowcip o blondynce?	Do you know this joke about the blonde?
Czy słyszałeś już ten dowcip o policjancie?	Have you heard this joke about the policeman.

ĆWICZENIA

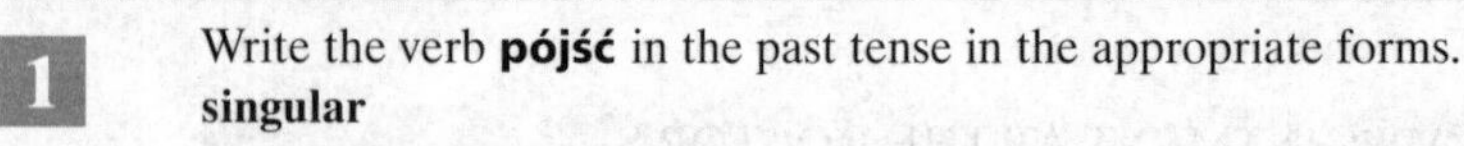

1 Write the verb **pójść** in the past tense in the appropriate forms.
singular

1. Piotrze, dokąd/gdzie (ty) .... po filmie?
2. W sobotę byłem na koncercie. Po koncercie .... na Stare Miasto.
3. Czy wiesz, gdzie/dokąd .... Piotr?
4. Aniu, gdzie/dokąd (ty) .... po kolacji?
5. Już nie mogłam na siebie patrzeć, więc dziś po śniadaniu .... do fryzjera.
6. Dokąd/gdzie .... Ewa?

plural

7. W sobotę byłem u kolegi. Po meczu (my) .... do pubu.
8. Dokąd/gdzie (ty) i Piotr .... po filmie?
9. Dokąd/gdzie .... Michał i Tomek?
10. W piątek byłam u koleżanki. Po kolacji (my) .... do kina.
11. Kasiu, dokąd/gdzie ty i Magda .... po filmie?
12. Dokąd/gdzie .... Magda i Edyta?

2

Complete the sentences, e.g.: Boli mnie **ząb**.

1. – Co ci jest? – Boli mnie ....
2. Dzisiaj bardzo długo pracowałem na komputerze. Bolą mnie ....
3. – Panie doktorze, boli mnie......................... – A czy boli pana/panią ....?
4. – Jak się czujesz? – Niedobrze. Boli mnie/bolą mnie ....
5. – Jak pan/pani się dzisiaj czuje? – Lepiej, już nie boli mnie ....

3

Advise these people what to do, using **powinieneś**, in the correct form e.g.: – Nie jestem zadowolona z mojej nowej pracy. – **Powinnaś poszukać innej pracy.**

1. – Jestem zmęczona. – ....
2 – Bolą mnie mięśnie i głowa. – ....
3. – Adam mnie nie rozumie. – ....
4. – Czy masz papierosa? – Za dużo palisz, ...
5. – Nasz samochód znowu jest zepsuty. – ....

4 You are a doctor, tell your patients how often to take these medicines.

1. Proszę brać antybiotyk ....
2. Proszę brać calcium (wapno) ....
3. Musi pan/pani brać aspirynę ....

5 Give suitable answers to these questions, e.g.: – Jak często chodzisz do teatru? – (Chodzę do teatru) **raz w miesiącu**.

1. Jak często chodzisz do fryzjera? ....
2. Jak często chodzisz do siłowni? ....
3. Czy często chodzisz do kina? ....
4. Jak często kupujesz kwiaty? ....
5. Czy często chodzisz do kosmetyczki? ....

6 Put the words in brackets into the accusative, e.g.: Czy znasz (dobry lekarz) **dobrego lekarza?**

1. Czy masz (dobry dentysta) ....?
2. Czy możesz mi polecić (dobry ginekolog) ....?
3. Czy możecie polecić (dobry okulista) ....?
4. Chyba mam (angina) ...., a mój mąż ma (grypa) ....
5. Nasz szef miał (zawał) ....

7 Write the names of these doctors in the appropriate forms e.g.: Chciałabym zapisać się do doktora **Kubiaka**/do doktora **Dąbrowskiego**.

1. Chciałabym zapisać się do doktora (Nowak) ....
2. Chciałbym zapisać się na środę do doktora (Jaworski) ....

3. Chciałabym zapisać swoją córkę do pani doktor (Kunicka) ....

4. Chciałbym zapisać mamę do pani doktor (Kubiak) ....

Complete the following dialogues, choosing the appropriate verb: **zbadać, rozebrać się, oddychać, dolegać, boleć, ubrać się, zapisać się**.

8

W rejestracji

A: Chciałabym .... do doktora Nowaka na jutro.

B: Ma pan/pani (7) siódmy numerek./Dobrze, proszę przyjść na godzinę (12) dwunastą.

U lekarza

A: Co panu ....?

B: .... mnie mięśnie i głowa.

A: Muszę pana .... Proszę ....

B: Proszę .... głęboko, teraz proszę nie ....

Dziękuję, może się pan ....

26. ALICE I WALDEK JADĄ NA MAZURY

Waldek:	(Czy) Wolisz odpoczywać nad wodą czy w górach?
Alice:	To zależy od pory roku. Latem jeżdżę nad morze, a jesienią i zimą w góry.
Waldek:	Jest taka ładna pogoda. Wiesz, mógłbym wziąć kilka dni urlopu i moglibyśmy pojechać na Mazury.
Alice:	Świetny pomysł!
Waldek:	Ja bardzo lubię tamte okolice: lasy, jeziora. Jeśli będzie ładna pogoda, to będziemy pływać kajakiem.
Alice:	A gdzie będziemy mieszkać?
Waldek:	Znam bardzo miły pensjonat w Mikołajkach.
Alice:	Już nie mogę się doczekać.
Waldek:	Codziennie będziemy jeść świeże ryby, będziemy spacerować...
Alice:	A czy będziemy tańczyć?
Waldek:	Jeśli tylko znajdziemy jakąś dobrą dyskotekę.

W drodze

Alice:	Którędy będziemy jechać?
Waldek:	O, tędy. Przez Łomżę i przez Pisz, drogą nr 11 (jedenaście). Ja będę prowadzić, a ty będziesz moim pilotem.
Alice:	Nie wiem, czy dam sobie radę, ale spróbuję. Teraz jedziemy drogą na Nowy Dwór, za Jabłonną trzeba skręcić w prawo.
Waldek:	Świetnie ci idzie.
Alice:	O! Jaki piękny widok! Czy możemy się tu zatrzymać?

26. ALICE AND WALDEK GO TO THE MAZURIAN LAKES

Waldek: Do you prefer relaxing by the water or going to the mountains?

Alice: It depends on the time of year. In the summer I go to the seaside and in the autumn and winter to the mountains.

Waldek: It's such lovely weather. Look, I could take a few days holiday and we could go to Mazury.

Alice: Excellent idea!

Waldek: I really like that area: forests, lakes. If the weather is good, we'll go kayaking.

Alice: And where will we stay?

Waldek: I know a really nice guest house in Mikołajki.

Alice: I can't wait!

Waldek: Every day we'll eat fresh fish, and go for walks.

Alice: And will we go dancing?

Waldek: Only if we find a good discotheque.

On the way

Alice: Which way are we going?

Waldek: This way. By Konin and Pisz, road number 11. I'll drive and you'll be my navigator.

Alice: I don't know if I'll manage, but I'll try. We're now on the road to Nowy Dwór, we need to turn to the right after Jabłonna.

Waldek: You're doing very well.

Alice: Oh! What a beautiful view! Can we stop here?

Waldek:	Tutaj nie wolno się zatrzymywać, ale nie martw się, jeszcze zobaczysz wiele pięknych widoków.
Alice:	Zobacz! Co on robi? To wariat! Jak on jedzie?
Waldek:	To się nazywa po polsku „wyprzedzanie na trzeciego".
Alice:	Dlaczego Polacy jeżdżą tak niebezpiecznie?
Waldek:	No, nie uogólniajmy. Czy wszyscy Amerykanie są sympatyczni i jeżdżą bezpiecznie?
Alice:	Może nie wszyscy, ale większość. Wiesz, chyba zacznę jeździć pociągiem.
Waldek:	Proszę bardzo, zacznij, tylko może nie od dzisiaj ani nie od jutra.

Waldek:	We're not allowed to stop here, but don't worry, you'll still see lots of beautiful views.
Alice:	Look! What's he doing? He's crazy! The way he's driving!
Waldek:	It's called in Polish "overtaking on the third".
Alice:	Why do Poles drive so dangerously?
Waldek:	Let's not generalize. Are all Americans nice and do they all drive safely?
Alice:	Perhaps not all, but the majority. I think I'll probably start going by train.
Waldek:	Please do, only perhaps not from today or tomorrow.

SŁOWNICTWO

bezpiecznie *adv* safely
bezpieczny, -a, -e *adj* safe
bogaty, -a, -e *adj* rich
gracz *m* player
góry *pl* mountains
  lubię odpoczywać w górach I like relaxing in the mountains
doczekać się *perf* **(doczekam się, doczekasz się)** + *gen* wait until
jezioro *n* lake
jeździć *imperf* **(jeżdżę, jeździsz)** to go
kajak *m* kayak
  pływać kajakiem to go kayaking
którędy which way
las *m* forest
martwić się *imperf* **(martwię się, martwisz się), zmartwić się** *perf* **(zmartwię się, zmartwisz się)** + *instr* to worry
nad above, by
nauczyciel *m* teacher
niebezpiecznie *adv* dangerously
niebezpieczny, -a, -e *adj* dangerous
nieostrożnie *adv* carelessly
odpowiedzialny, -a, -e *adj* responsible
okolica *f* (*pl* **okolice**) area, region
ostrożnie *adv* carefully
pensjonat *m* guest-house, boarding-house

pieszo on foot
pilot *m* navigator
pisarz *m* writer
prowadzić *imperf* **(prowadzę, prowadzisz), poprowadzić** *perf* **(poprowadzę, poprowadzisz)** + *acc* to drive, lead
skręcać *imperf* **(skręcam, skręcasz), skręcić** *perf* **(skręcę, skręcisz)** to turn
świetnie *adv* excellently
świetnie ci idzie you're doing excellently
świeży, -a, -e *adj* fresh
tańczyć *imperf* **(tańczę, tańczysz), zatańczyć** *perf* **(zatańczę, zatańczysz)** + *acc;* + **z** + *instr* to dance
Edyta lubi tańczyć salsę z Arturem Edyta likes dancing salsa with Artur
tędy this way
uogólniać *imperf* **(uogólniam, uogólniasz), uogólnić** *perf* **(uogólnię, uogólnisz)** + *acc* to generalize
wariat *m* madman, lunatic
widok *m* view
wiele a lot of, many, much
większość *f* majority
woda *f* water
lubię odpoczywać nad wodą I like relaxing by the water
wolno, nie wolno it is allowed, it is not allowed
wyprzedzać *imperf* **(wyprzedzam, wyprzedzasz), wyprzedzić** *perf* **(wyprzedzę, wyprzedzisz)** + *acc* to pass, overtake
zaczynać *imperf* **(zaczynam, zaczynasz), zacząć** *imperf* **(zacznę, zaczniesz)** + *acc* to begin, start
zatrzymywać się *imperf* **(zatrzymuję się, zatrzymujesz się), zatrzymać się** *perf* **(zatrzymam się, zatrzymasz się)** to stop
znajdować *imperf* **(znajduję, znajdujesz), znaleźć** *perf* **(znajdę, znajdziesz)** + *acc* to find

RUCH ULICZNY traffic

wyprzedzać *imperf* **(wyprzedzam, wyprzedzasz), wyprzedzić** *perf* **(wyprzedzę, wyprzedzisz)** to overtake
hamować *imperf* **hamuję, hamujesz), zahamować** *perf* **(zahamuję, zahamujesz)** to brake
hamulce *pl* brake
zatrzymywać się *imperf* **(zatrzymuję się, zatrzymujesz się), zatrzymać się** *perf* **(zatrzymam się, zatrzymać się)** to stop
ruszać *imperf* **(ruszam, ruszasz), ruszyć** *perf* **(ruszę, ruszysz)** to start
korek *m* traffic-jam
kierowca *m* driver
ruch uliczny *m* traffic
silnik *m* engine, motor

GRAMATYKA

BĘDZIEMY PŁYWAĆ – the compound future tense (1)

Imperfective verbs form their future in a different way to perfective verbs. They use the verb **być** in the appropriate person with their infinitive.

– Co (ty) **będziesz robić** w sobotę?	What will you be doing on Saturday?
– (Ja) **będę robić** zakupy.	I'll be shopping.
Na urlopie (my) **będziemy grać** w tenisa.	During our holidays we'll be playing tennis.
– Co (wy) **będziecie robić** w weekend?	What will you be doing at the weekend?
– (My) **będziemy oglądać** telewizję.	We'll be watching TV.

As with the past tense, there is a difference in meaning between imperfective and perfective verbs: the future tense of imperfective verbs describes lasting or repeated actions (remember that for single complete actions we use perfective verbs).
Będę czytać – I will be reading, for a certain period of time or repeatedly, in the future.

Jutro **będę czytać** „Pana Tadeusza" Adama Mickiewicza.
Na urlopie codziennie **będę czytać** książkę.

JEŚLI BĘDZIE ŁADNA POGODA, (TO) BĘDZIEMY PŁYWAĆ KAJAKIEM

You will remember the construction **jeśli..., to...,** which we met in lesson 9, when it was used in the present tense. It can also be used in the future tense.

Jeśli będę mieć czas w przyszłym tygodniu, **to** pójdę do kina.	If I have time next week, I'll go to the cinema.

Jeśli będziesz pływać 2 razy w tygodniu, **to** będziesz zdrowy całą zimę.	If you go swimming twice a week, you'll be healthy all winter.
Jeśli pożyczysz mi tę książkę, **to** przeczytam ją w weekend.	If you lend me this book, I'll read it at the weekend.
Jeśli kupisz mi telefon komórkowy, **to** będę dzwonić do ciebie codziennie.	If you buy me a mobile phone, I'll call you every day.

Note that the future is used in both parts of the sentence. It can be the simple future from a perfective verb (pożyczysz), or the compound future from an imperfective verb (będziesz pływać), depending on whether we are talking about single complete actions or lasting or repeating ones.

CHODZIĆ, JEŹDZIĆ – a reminder about verbs of motion

Below is a table showing the relationships between the main verbs of movement:

imperfective		perfective
	on foot	
chodzić	**iść**	**pójść**
ja chodzę	ja idę	ja pójdę
ty chodzisz	ty idziesz	ty pójdziesz
	by means of transport	
jeździć	**jechać**	**pojechać**
ja jeżdżę	ja jadę	ja pojadę
ty jeździsz	ty jedziesz	ty pojedziesz

Remember that the verbs **chodzić/iść/pójść** refer to movement on foot, whereas **jeździć/jechać/pojechać** – refer to movement using some means of transport.
These verbs usually combine with a suitable preposition (do, na) and a noun defining the destination of the movement (see lesson 13).

The imperfective verbs **chodzić** and **iść**, although both meaning to go (on foot), differ in meaning from each other, as do the related pair **jeździć** and **jechać**.

The verbs **chodzić** and **jeździć** are used when speaking generally about the method of movement (by foot or by means of some form of transport), and for repeated actions, regular or otherwise, in the present, past and future.

Adam **chodzi** do biura pieszo. (Here *pieszo* simply emphasizes that he goes on foot).
W zeszłym miesiącu Piotr **chodził** do pracy pieszo.
W przyszłym miesiącu Monika **będzie chodzić** pieszo z pracy do domu.
Często **chodzę** do kina.
Nie lubię **chodzić** do cyrku.

Jeżdżę do biura tramwajem.
W zeszłym tygodniu **jeździłem** do biura autobusem.
W przyszłym tygodniu **będę jeździć** samochodem.
Raz w miesiącu **jeżdżę** do Krakowa.
Lubię **jeździć** pociągiem.
Agata świetnie **jeździ** na nartach.

The verbs **iść** and **jechać** are used when speaking about single actions extended in time, i.e. continuous, not necesarily completed, or how long something takes (in the present, past and future):

Dzisiaj **idę** do teatru na „Tango" Mrożka.
Dzisiaj po południu **jadę** do Gdańska.
Wczoraj **szedłem** do pracy 20 minut.
Dzisiaj w centrum był korek, Monika **jechała** z pracy do domu dwie godziny.

The perfective verbs **pójść** and **pojechać** are used for single, completed actions in the past, and for single actions we expect to be completed in the future (see lessons 21 and 25).

W przyszłym tygodniu **pójdę** do fryzjera.
W przyszłym miesiącu **pojadę** na urlop.
– Gdzie jest Alice? – Alice **poszła** do lekarza.
Wczoraj **pojechałem** do pracy taksówką.

WOLNO, MOŻNA

Tutaj **nie wolno** się zatrzymywać.

This expression is used to say that something is not allowed. **Nie wolno** is an impersonal construction without a subject.

Nie wolno tu palić.	You can't smoke here.
Matka mówi do dziecka: **Nie wolno** tego ruszać! **Nie wolno** tak mówić!	Mother speaking to her child: "You musn't touch it! You musn't speak like that!"

This is the form that is most often used in spoken language.
On signs and information boards forbidding things we often see a different construction: **zakaz** + noun (verbal nouns are often used in these situations):

zakaz palenia	no smoking
zakaz parkowania	no parking
zakaz wstępu	no entry
zakaz wjazdu	no entry
zakaz kąpieli	no bathing

We can also see the following: **palenie zabronione**, **wstęp wzbroniony.** (**no smoking** – lit. forbidden, **no entry** – lit. forbidden).
These forms tend to be used by official bodies.

Czy można tu palić?	Can you smoke here?

To ask if something is allowed, we can use another impersonal construction: **czy można**...? We can also ask: **Czy wolno tu palić?** but the **czy można**... construction is used more often in spoken language. **Nie można tu palić** is less categorical than **nie wolno** tu palić.

POLACY – the virile plural of nouns and adjectives

Virile nouns (masculine personal nouns) have four possible endings in the nominative plural: -i, -y, -e, -owie.

-i is used where the stem ends in a hard consonant, and involves softening the consonant, which sometimes leads to a consonant change.

kuzyn – kuzyn**i**	**n:ni**
student – studen**ci**	**t:ci**
dentysta – denty**ści**	**t:ci**
Włoch – Wło**si**	**s:si**
Szwed – Szwe**dzi**	**d:dzi**

-y is used where the stem ends in k, g, r, and causes a consonant change. **-y** also appears with masculine nouns which end in **-c**:

chłopiec – chłopc**y**
Polak – Polac**y** **k:c**
kolega – koledz**y** **g:dz**
aktor – aktorz**y** **r:rz**
Niemiec – Niemc**y**

-e is used where the stem ends in a soft or hardened consonant (sz, rz, cz, dz):

lekarz – lekarz**e**
gracz – gracz**e**
nauczyciel – nauczyciel**e**

-owie is used with a small group of nouns signifying:

relationship

syn – syn**owie**
ojciec – ojc**owie**
dziadek – dziadk**owie**

some titles, positions, and professions

profesor – profesor**owie**
generał – generał**owie**
minister – ministr**owie**

with names which behave gramatically like nouns (see lesson 17)

Nowak – (państwo) Nowak**owie**
Kościuszko – (państwo) Kościuszk**owie**
Wałęsa – (państwo) Wałęs**owie**

Notice this exception: **brat – bracia**

A similar softening takes place when forming the virile plural of adjectives and pronouns. Adjectives have the virile plural endings: **-i** and **-y**:

-i is used where the stem ends in a hard consonant and can involve consonant change:

sympatyczny – sympatyczn**i** **n:ni**
szczęśliwy – szczęśliw**i** **w:wi**
bogaty – bogac**i** **t:ci**
młody – młodz**i** **d:dzi**
miły – mil**i** **ł:l**
bogatszy – bogats**i** **sz:si**

	zmęczony – zmęczen**i**	**n:ni**
	zadowolony – zadowolen**i**	**n:ni**
-y	is used where the stem ends in the consonants k, g, r, c, cz:	
	wysoki – wysoc**y**	**k:c**
	niski – nisc**y**	**k:c**
	dobry – dobrz**y**	**r:rz**

Pronouns form their virile plural in the same way:

mój – **moi**	(Mój kolega jest sympatyczny. **Moi** koledzy są sympatyczni)
twój – **twoi**	(Twój szef jest inteligentny. **Twoi** szefowie są inteligentni)
nasz – **nasi**	(Nasz syn jest młody. **Nasi** synowie są młodzi)
wasz – **wasi**	(Wasz brat jest wysoki. **Wasi** bracia są wysocy)
ten – **ci**	(Ten student jest bardzo sympatyczny. **Ci** studenci są bardzo sympatyczni)
tamten – **tamci**	(Tamten dyrektor jest bardzo młody. **Tamci** dyrektorzy są bardzo młodzi)

The question words: **jaki?** and **który?** also have virile plural forms:

jaki – **jacy?**	(Jaki jest twój kolega? **Jacy** są twoi koledzy?)
który – **którzy?**	(Który aktor gra w tym spektaklu? **Którzy** aktorzy grają w tym spektaklu?)

WSZYSCY AMERYKANIE – the virile plural of pronouns

In lesson 23 we met the pronoun **wszyscy** (everybody), which appeared by itself as the subject of the sentence.
Wszyscy śpiewają.
Wszyscy lubią małe dzieci.

Wszyscy (all) can also be used with nouns in the virile plural.
Wszyscy biznesmeni noszą ciemne garnitury.
Wszyscy Amerykanie są dumni ze swojej konstytucji.
Wszyscy Polacy znają bohaterów Henryka Sienkiewicza.
Nie **wszyscy** Anglicy są lordami.

Remember that there is also the non-virile form which we met in lesson 17.

Wszystkie domy tutaj są białe.
Wszystkie koty są czarne.
Wszystkie asystentki są szczupłe.
Wszystkie biura są duże.

The pronoun **każdy, każda, każde** can also appear either by itself or with a noun

Każdy chciałby studiować w Paryżu.
Każdy Amerykanin ma duży samochód.

Remember that **wszyscy/wszystkie** are always used with nouns in the plural, and **każdy, każda, każde** with nouns in the singular.

JADĘ NAD MORZE – the prepositions **nad** and **w**

Remember that when talking about being in the mountains, the preposition **w** is used with the noun in the locative case. Similarly when talking about areas of water **nad** is used with the instrumental case. However, when used with verbs of motion with the meaning of **to**, both prepositions take the accusative case. Compare the examples below:

Jadę **nad morze**. (accusative)
Byłem **nad morzem**. (instrumental)
Jadę **w góry**. (accusative)
Byłem **w górach**. (locative)

ZA MŁAWĄ – prepositions with the instrumental

The prepositions **za, przed, między**, when describing spacial relationships, take the instrumental.

Poczta jest **za** stacj**ą** benzynow**ą**.
Szpital jest **między** bank**iem** a hotel**em**.
Poczekaj na mnie **przed** kin**em**.
Za Mław**ą** trzeba skręcić w prawo.
Września jest **między** Konin**em** a Poznani**em**.
Przed Gdańsk**iem** zatrzymamy się na kawę.

ROZMAWIAMY

WHICH WAY ARE WE GOING?

– Jak dojść do poczty? – Tędy /Tamtędy.	– How do you get to the post office? – This way/That way.
– Którędy jedziemy do Gdańska? – Przez Toruń i przez Malbork.	– Which way are we going to Gdańsk? – By Toruń and Malbork.
– Jak dojechać do Łodzi? – Trzeba jechać prosto, potem skręcić w pierwszą ulicę w lewo.	– How do you get to Łódź? – You have to go straight on, then take the first street or the left.
– Którą drogą jedziemy do Kutna? – Drogą numer 8 (osiem).	– Which road are we taking to Kutno? – Road number 8.
– Jak dojść do ambasady? – Trzeba iść ulicą Piękną.	– How do you get to the embassy? – You need to go by Piękna Street.

ĆWICZENIA

Put the verbs in brackets into the appropriate form of the future tense, e.g.: (pracować) Jutro Adam **będzie pracować.**

robić

1. Co (ty) .... w sobotę?
2. Co (wy) .... dzisiaj po południu?
3. Co Monika i Sylwek .... w Poznaniu?

grać w tenisa

4. W niedzielę rano (ja) ....
5. Czy (ty) .... w ten weekend?
6. Renata dzisiaj po południu ....

oglądać

7. Jutro wieczorem (my) .... telewizję.

8. Czy (wy) też .... jutro telewizję?

czytać

9. W weekend Agata i Wojtek .... gazety i książki.

słuchać

10. Dziś wieczorem Kasia .... muzyki.

11. Czy (wy) .... teraz koncertu Czajkowskiego?

pisać

12. Jutro od 9.00 (dziewiątej) do 13.00 (pierwszej) (ja) .... raport.

mieć

13. Kiedy (wy) .... czas na brydża?

2

Complete the sentences, eg.: Jeśli w piątek będę w centrum, **to kupię sobie buty.**

1. Jeśli w sobotę będzie ładna pogoda, to (ja) ....
2. Jeśli w weekend będzie padać, to (my) ....
3. Jeśli będziesz mieć czas jutro po południu, to ....
4. Jeśli będę w Warszawie, to ....

3

Write the words in brackets in the correct form, e.g.: Jedziemy przez **Warszawę**. Jedziemy **drogą** numer 32.

1. – Którędy jedziemy? – Tędy, przez (Warszawa) .... i przez (Poznań) ....
2. – Którędy jedziemy do Radomia? – (Droga) .... nr 25.
3. – Którędy jedziemy do Paryża? – Najpierw (autostrada) ...., a potem (droga) .... nr 30.
4. – Jak dojść do hotelu „Globus”? – Trzeba iść (ulica) .... Miłą.

4 Put the nouns in brackets into the plural, e.g.: (Anglik) **Anglicy** są dżentelmenami.

1. (Polak) .... jeżdżą nieostrożnie.
2. (Włoch) .... pięknie śpiewają.
3. (profesor) .... nie mają czasu na urlopy.
4. (student) .... lubią się bawić.
5. (aktor) .... zarabiają mało.
6. (kolega) Moi .... grają w karty.
7. (lekarz) .... mają bardzo odpowiedzialną pracę.
8. (pisarz) .... są ciekawymi ludźmi.
9. (syn) .... zwykle uczą się prowadzić samochód od swoich ojców.

5 Put these adjectives and nouns into the plural, e.g.: niski Anglik – **niscy Anglicy:**

1. wysoki Polak – ....
2. młody Szwed – ....
3. bogaty student – ....
4. dobry aktor – ....
5. tęgi kolega – ....
6. sympatyczny kuzyn – ....

6 Choose the correct pronoun: **wszyscy** or **wszystkie**.

1. .... duże samochody są szybkie.
2. Czy myślisz, że .... profesorowie czytają dużo książek?
3. Czy to prawda, że .... Szwedzi są blondynami?
4. Myślę, że .... wysokie kobiety są atrakcyjne.
5. .... małe psy są miłe.

Complete the sentences, using a suitable preposition: **nad, w, do**

7

1. W tym roku jedziemy na urlop ....

2. Wolimy spędzać urlop ....

3. – Gdzie państwo jadą na urlop w tym roku? – Jedziemy ....

....

4.– Dokąd jedziesz na urlop? – ....

Give positive and negative answers to these questions:

8

1. – Czy tutaj wolno parkować? – Tak, ...

– Nie, ...

2. – Czy tu można palić? – Tak, ...

– Nie, ...

3. – Czy tu można zatrzymać się? – Tak, ...

– Nie, ...

4.– Czy tu wolno spacerować? – Tak, ...

– Nie, ...

Put the names of these cities into the instrumental, e.g.: Za **Poznaniem** trzeba skręcić w prawo.

9

1. Jedziemy drogą nr 18. Za (Szczecin) .... musimy skręcić w prawo.

2. Najpierw jedziemy drogą nr 6, a potem jedziemy drogą nr 15. Między (Łódź) .... a (Żyrardów) .... trzeba skręcić w lewo.

3. Jedziemy drogą nr 28. Przed (Olsztyn) .... trzeba skręcić w lewo.

4. Chcemy jechać drogą nr 23. Za (Konin) .... musimy skręcić w prawo.

27. MOŻE POPŁYWAMY?

Alice:	O! Tu są korty! (Czy) Grasz w tenisa?
Waldek:	Tak.
Alice:	Może pogramy dzisiaj po południu?
Waldek:	Prawdę mówiąc, wolę grać w ping-ponga.
Alice:	To może popływamy?
Waldek:	Nie umiem pływać.
Alice:	Żartujesz!
Waldek:	Wcale nie.
Alice:	No to musisz się nauczyć. Będę twoją instruktorką. Możemy zacząć od razu.
Waldek:	To bardzo miła propozycja, ale może jednak nie dzisiaj.
Alice:	Jak chcesz.
Waldek:	O patrz! Mają tu kajaki. (Czy) masz ochotę popływać teraz kajakiem?
Alice:	Nigdy nie pływałam kajakiem. Pływałam łódką, jachtem, ale nie kajakiem.
Waldek:	Chodź, zobaczysz, to nic trudnego.
	(*po chwili*)
Waldek:	Chcielibyśmy wypożyczyć kajak.
Właściciel wypożyczalni:	Proszę bardzo.
Waldek:	Ile kosztuje godzina?
Właściciel:	8 złotych. Na jak długo chcą państwo wypożyczyć?
Waldek:	Na jakieś 3 godziny.
Alice:	Tak długo? Poprosimy to (*wskazując na kapok*). Jak to się nazywa po polsku?
Właściciel:	Kapok.

Wieczorem w pensjonacie

Waldek:	Jesteś smutna. O czym myślisz?

27. SHALL WE GO SWIMMING FOR A BIT?

Alice: Oh! Here are some tennis courts. Do you play tennis?
Waldek: Yes.
Alice: Shall we play for a bit this afternoon?
Waldek: To tell the truth, I prefer playing ping-pong.
Alice: Shall we go swimming for a bit, then?
Waldek: I can't swim.
Alice: You're joking!
Waldek: Not at all.
Alice: You must learn, then. I'll be your instructor. We can start straight away.
Waldek: That's a really nice suggestion, but maybe not today however.
Alice: As you like.
Waldek: O look! They've got kayaks here. Do you fancy going kayaking for a bit now?
Alice: I've never been kayaking. I've been in a boat, and in a yacht, but not in a kayak.
Waldek: Come on, you'll see, it's not at all difficult.
(*a moment later*)
Waldek: We'd like to hire a kayak.
Boat-hire man: Certainly.

Waldek: How much does it cost per hour?
Man: 8 zloty. How long do you want to hire it for?

Waldek: For 3 hours or so.
Alice: That long? And we'll take this (*pointing at a life jacket*). What's it's called in Polish?
Man: Kapok.

In the evening, in the guest house
Waldek: You look sad. What are you thinking about?

Alice:	Nie jestem smutna. Myślę o wakacjach w dzieciństwie. Wiesz, kiedy byłam mała, często jeździłam z rodzicami nad morze.
Waldek:	Opowiedz mi o tym.
Alice:	Tam, gdzie mieszkaliśmy, była piękna plaża. Często chodziłam na spacery nad morze. Pewnego razu poszłam w swoje ulubione miejsce i nagle zobaczyłam, że na brzegu leży jakiś stary wrak. Był podobny do łodzi Wikingów. Bałam się trochę, bo byłam zupełnie sama, więc pobiegłam do domu po koleżankę. Kiedy wróciłyśmy, wraku już tam nie było. Szukałyśmy wszędzie. Byłam pewna, że to jest właśnie to miejsce. Jednak nigdzie nie mogłyśmy go znaleźć. Tylko na piasku zauważyłam ledwie widoczny ślad. Moja koleżanka nie chciała mi uwierzyć. A ty mi wierzysz?
Waldek:	Oczywiście, że ci wierzę. Wierzę ci, bo cię kocham.
Alice:	Czy możesz powiedzieć to jeszcze raz?

Alice:	I'm not sad. I'm thinking about holidays when I was a child. You know when I was small, I often used to go to the seaside with my parents.
Waldek:	Tell me about it.
Alice:	Where we lived, there was a beautiful beach. I often used to go for a walks by the sea. Once I went to my favourite place and suddenly I saw that there was an old wreck lying on the shore. It was like a Viking boat. I was a bit afraid, because I was completely alone, so I ran home to get my friend. When we came back, the wreck wasn't there any more. We looked everywhere. I was sure that this was the right place. However we couldn't find it anywhere, but I noticed some barely visible traces in the sand. My friend didn't want to believe me. And you? Do you believe me?
Waldek:	Of course I believe you. I believe you because I love you.
Alice:	Sorry? Can you say that again?

SŁOWNICTWO

bać się *imperf* **(boję się, boisz się)** + *gen* to be afraid
biec *imperf* **(biegnę, biegniesz), pobiec** *perf* **(pobiegnę, pobiegniesz)** to run
brzeg *m* shore, bank (of a river)
dzieciństwo *n* childhood
instruktor *m* instructor (*male*)
instruktorka *f* instructor (*female*)
jacht *m* yacht
jakieś some, *here* about
kapok *m* life jacket
kort *m* court
ledwie barely, hardly
  ledwie widoczny barely visible
łódka *f* boat
patrzeć *imperf* **(patrzę, patrzysz)** + **na** + *acc* to look
pewny, -a, -e *adj* certain, sure
piasek *m* sand

plaża *f* beach
pływać *imperf* **(pływam, pływasz)** to swim
pobiec *perf* see **biec**
podobny, -a, -e *adj* similar
prawda *f* truth
prawdę mówiąc to tell the truth
propozycja *f* suggestion, proposition
raz *m* time
  od razu at once, immediately
  pewnego razu once, on a certain occasion
rodzice *pl* parents
smutny, -a, -e *adj* sad
stanowisko *n* position, post
swobodnie *adv* fluently
ślad *m* trace
umieć *imperf* **(umiem, umiesz)** to know how to, to be able to, can
uwierzyć *perf* see **wierzyć**
wcale nie not at all
widoczny, -a, -e *adj* visible
wierzyć *imperf* **(wierzę, wierzysz), uwierzyć** *perf* **(uwierzę, uwierzysz)** + *dat*; + **w** + *acc* to believe
Wiking *m* Viking
właściciel *m* owner
właśnie just
wrak *m* wreck
wypożyczać *imperf* **(wypożyczam, wypożyczasz), wypożyczyć** *perf* **(wypożyczę, wypożyczysz)** + *acc* to rent, hire
zespół *m* group, band
zauważać *imperf* **(zauważam, zauważasz), zauważyć** *perf* **(zauważę, zauważysz)** + *acc* to notice, observe
znajdować *imperf*, **znaleźć** *perf* **(znajdę, znajdziesz)** + *acc* to find
zupełnie *adv* completely, utterly
żartować *imperf* **(żartuję, żartujesz), zażartować** *perf* **(zażartuję, zażartujesz)** to joke

GRAMATYKA

MOŻE POPŁYWAMY? shall we swim for a bit?

As you remember the prefix **po-** can be used to create perfective verbs, e.g.: podziękować, poinformować (see lesson 12).
We will now meet another of its functions.

Added to imperfective verbs it often creates a verb suggesting "a bit" or "for a bit". It often suggests a fairly relaxed attitude to the action.

Although their meaning is similar to imperfective verbs, they behave gramatically like perfective verbs, so are used only for the future and the past.

Poczytam dziś wieczorem, ale na pewno nie przeczytam całej książki.	I'm going to read for a bit this evening, but I certainly won't read the whole book.
Może chcesz teraz trochę **popisać**?	Perhaps you want to do a bit of writing now?
Popracowałem nad tym raportem w sobotę przez pół godziny, ale go nie skończyłem.	I did a little bit of work on this report on Saturday, but I didn't finish it.
Byliśmy wczoraj na urodzinach u Ani i **potańczyliśmy** trochę.	We were at Ania's birthday party yesterday and we did a bit of dancing.

Verbs created in this way are often used for proposing doing something together.

Może **potańczymy**?	Shall we go and dance for a bit?
Może **pogramy** w tenisa?	Shall we play a bit of tennis?
Może **pooglądamy** telewizję?	Shall we watch television for a bit?

Careful! Remember that not all verbs starting with **po-** have this meaning. Many regular perfective verbs also start with **po-: podziękować, poprosić, posprzątać, pobiec**.

NIE UMIEM PŁYWAĆ – the verbs umieć and znać

Umieć describes the ability to do something, and is followed by a verb in the infinitive.e.g.:

Umiem pływać. I can (know how to) swim.

Nie **umiem gotować**.
Umiem grać w tenisa.
Umiem grać na pianinie.
Umiem szybko **pisać** na komputerze.
Umiem mówić po polsku.

Znać means to know somebody or something, in the sense of being familiar with. It is used with a noun in the accusative. We have already met it in lesson 5, when we were talking about people.

Znam język polski.	I know Polish.
Znam historię Anglii.	I know the history of England.
Znam przepisy ruchu drogowego.	I know the Highway Code (*lit.* road traffic regulations).

Umieć belongs to the conjugation **-m, -sz**.

singular		plural	
ja	umie**m**	my	umie**my**
ty	umie**sz**	wy	umie**cie**
on (pan) ona (pani) ono	umie	oni (panowie, państwo) one (panie)	umie**ją**

MYŚLĘ O WAKACJACH – the locative case in the plural

The locative ending for plural nouns of all three genders is **-ach**.

masculine, feminine, neuter	
-ach	(samochód) Adam myśli tylko o samochod**ach**. (książka) Rozmawialiśmy o książk**ach**. (dziecko – *pl* dzieci) Myślę o dzieci**ach**. Careful! You should remember these three exceptions: w Niemcz**ech**, we Włosz**ech**, na Węgrz**ech**.

Adjectives and variable pronouns have the same plural ending for all three genders:

-ych/-ich	(**nowi, niscy** pracownicy) Rozmawialiśmy o now**ych,** nisk**ich** pracownikach. (**nowe, tanie** domy) Byliśmy w now**ych**, tan**ich** domach. (**nowe, tanie** firmy) Byłam w now**ych,** tan**ich** firmach. (**nowe, tanie** mieszkania) Byliśmy w now**ych,** tan**ich** mieszkaniach.

(**ci moi nowi** pracownicy) Rozmawialiśmy o t**ych** mo**ich** now**ych** pracownikach.
(**te wasze dobre** koncerty) Byliśmy w sobotę na t**ych** wasz**ych** dobr**ych** koncertach.
(**te wasze dobre** restauracje) Byliśmy w t**ych** wasz**ych** dobr**ych** restauracjach.
(**te twoje nowe** biura) Byłem w zeszły piątek w t**ych** two**ich** now**ych** biurach.

KIEDY BYŁAM MAŁA, MIESZKALIŚMY...
– time and place clauses

You will remember from lessons 4 and 5 the questions about place and time: **gdzie?** and **kiedy**? These words can also be used to introduce time and place clauses.

Kiedy mieszkałem w Barcelonie, pracowałem w „Seacie".	When I lived in Barcelona, I worked at "Seat".
Lubiłem jeździć rowerem, **kiedy** miałem 8 lat.	I used to like going cycling when I was 8 (years old).

We can also start time clauses with **gdy**, which in everyday spoken language is often replaced by **jak**.

Gdy byłam mała, często chodziłam do kina.	When I was small, I often used to go to the cinema.
Ania zadzwoniła, **gdy** byłem w łazience.	Ania phoned when I was in the bathroom.
Zjem obiad, **jak** skończę czytać gazetę.	I'll have lunch, when I've finished reading the paper.

Place clauses are introduced with **gdzie**.

Tam, **gdzie** mieszkałam, był piękny las.	Where I used to live, there was a beautiful forest.
W tym pubie, **gdzie** byliśmy wczoraj, spotkałam Agatę.	I met Agata in that pub where we were yesterday.
Bardzo lubiłam ten dom, **gdzie** mieszkaliśmy na urlopie.	I really liked that house where we stayed on holiday.

ROZMAWIAMY

TALKING ABOUT PAST EVENTS

BEGINNING A STORY

Pewnego razu...	once
Kiedyś...	at one time/sometime ago
Kiedy miałam 5 (pięć) lat,...	when I was 5 (years old)...
10 (dziesięć) lat temu...	10 years ago
Gdy byłem/łam dzieckiem,...	when I was a child

LINKING ACTIONS

Najpierw..., potem...	first... then...
Nagle zobaczyłem/łam	suddenly I saw
Wtedy...	then
Więc...	so

When talking about the past we usually use the past tense. But as in English, the present tense is sometimes used to give dramatic effect. This is especially used with anecdotes and jokes e.g.:
„Wiesz, byłem wczoraj u fryzjera i spotkałem Adama. **Mówię mu** „dzień dobry", a on **pyta**, dlaczego myślę, że taki dobry i **zaczyna** opowiadać..."

ĆWICZENIA

1 Suggest to a friend doing something together in your free time, e.g.:
Może **poczytamy?**

a) Może (grać) .... w tenisa dziś po południu?
Może (tańczyć) .... jutro wieczorem?
Może (pływać) .... dziś po południu?

b) Może chcesz (czytać) ....?

Może chcesz (oglądać) .... telewizję?

Może chcesz teraz (pisać) ....?

2

Write the verb **umieć** in the appropriate form.

1. – Czy (ty) .... pływać? – Nie, (ja) nie .... pływać.
2. – Czy (wy) .... grać w brydża? – Nie, (my) nie ...., ale gramy w pokera.
3. – Czy Piotr .... grać na gitarze? – Tak, on .... grać na gitarze.
4. – Czy twoje dzieci .... już czytać? – Tak, one .... już czytać.

3

Choose a suitable verb: **umieć, znać** or **móc** and use it in the appropriate form.

1. Michał jest idealnym kandydatem na męża – .... gotować, ... sprzątać mieszkanie, ... trzy języki obce, uwielbia teatr, lubi sport. Dlaczego nie .... znaleźć sobie żony?
2. Ania nie jest idealną kandydatką na żonę – nie .... gotować, nie .... sprzątać, ale .... grać na pianinie, ... cztery języki obce .... rozmawiać swobodnie z Francuzami, z Anglikami, z Rosjanami i z Włochami.

4

Put the words in brackets into the locative plural, e.g.: Marzę o **dalekich podróżach**.

1. Ania i Janek dyskutowali o (nowe propozycje) .... pracy.
2. W sobotę byłem na (urodziny) .... Agaty.
3. Czy możemy porozmawiać o (wasze plany) .... na następny rok?

4. Wczoraj w pubie najpierw rozmawialiśmy o (dobre samochody) ...., a potem o (nasze koleżanki) .... z pracy.
5. W (duże firmy) .... zawsze możesz zmienić stanowisko.
6. Czy byłaś na (imieniny) .... Agnieszki?
7. Dzieci są na (wakacje) ....

5 Answer the questions, e.g.: O czym myślisz? **O dobrej kolacji.**

1. O czym myślisz? O kim myślisz? ....
2. O czym marzysz? O kim marzysz? ....
3. O czym rozmawialiście? O kim rozmawialiście? ....

6 Complete the sentences with: **kiedy, gdy, jak, gdzie**.

1. W restauracji, ... jedliśmy obiad, wszyscy kelnerzy mieli białe garnitury.
2. .... miałem/łam 10 lat, mieszkaliśmy na wsi u dziadków.
3. Zadzwoń do mnie, ... skończysz pracę.
4. Tam, ... mamy swój dom, jest bardzo piękny stary las.

7 Complete the sentences, using your imagination e.g.: Kiedy miałem/miałam 18 lat, **często chodziłem/am na dyskotekę.**

1. Kiedy byłem mały/byłam mała,...
2. Gdy byłem/byłam dzieckiem,...
3. Kiedy miałem/miałam 18 lat,..
4. Tam, gdzie mieszkaliśmy 10 lat temu, ...
5. Tam, gdzie pracowałem/pracowałam, ...

Complete the story using appropriate link words: **nagle, więc, pewnego dnia, kiedyś, kiedy, najpierw, potem, na koniec**.

8

(1) .... miałam 8 lat, pojechałam z rodzicami na wakacje do Hiszpanii. (2) .... poszliśmy do restauracji na kolację. Był tam zespół, który grał flamenco. (3) .... kobieta, która siedział obok nas, zaczęła tańczyć. (4) ....tańczyła zupełnie sama na środku sali, a (5) .... zaczęli tańczyć również inni goście. Mój tata nie lubi tańczyć, ale (6) .... zobaczył, że mama wstała od stołu, on wstał także. To było fantastyczne – cała sala tańczyła.

28. KOMPROMIS

Waldek:	Wiesz, trzeba w końcu naprawić ten kran. Podaj mi klucze i młotek.
Alice:	Mam tylko takie klucze.
Waldek:	Ten będzie pasował. Potrzymaj to, proszę. (*po chwili*) No i gotowe.
Alice:	Nie wiedziałam, że jesteś złotą rączką.
Waldek:	Ja mam dużo innych zalet. Jestem spokojny, zrównoważony, dojrzały emocjonalnie, mam poczucie humoru, no i umiem naprawiać krany.
Alice:	I umiesz się zareklamować.
Waldek:	Wiesz co? Mam pomysł. Zamieszkajmy razem, co ty na to? Ja będę naprawiał krany i...
Alice:	A ja będę gotowała i sprzątała, czy tak? Nie podoba mi się ten układ. Ty będziesz to robił raz na pół roku, a ja codziennie.
Waldek:	Spróbujmy znaleźć kompromis. Ja będę gotował w weekendy, a ty w tygodniu.
Alice:	To jest pięć do dwóch, nie zgadzam się.
Waldek:	No to na przykład 2 razy jemy na mieście, 2 razy gotuję ja, 2 ty i raz wspólnie.
Alice:	To brzmi lepiej. Ale wiesz, czy to warto zmieniać wszystko? Ja niedługo wyjeżdżam do Paryża, to nie ma sensu.
Waldek:	Dla ciebie to nie ma sensu? Przecież liczy się każdy dzień.
Alice:	Wiesz co? Zobaczymy, jak ta współpraca nam wychodzi w praktyce. Ugotujmy coś razem na kolację. Na przykład risotto z groszkiem po wenecku. Chciałam to dzisiaj zrobić.
Waldek:	A jak to się robi? Tak samo jak risotto po mediolańsku?
Alice:	Nie, trochę inaczej: smaży się boczek z cebu-

28. A COMPROMISE

Waldek:	You know, it's really time we mended this tap. Give me the spanners and the hammer.
Alice:	I've only got these spanners.
Waldek:	This one will fit. Hold this please. (*a bit later*) That's it done, then.
Alice:	I didn't know that you were a handyman.
Waldek:	I've got lots of good points. I'm calm, even-tempered, emotionally mature, I've got a sense of humour and I know how to mend taps.
Alice:	And you know how to advertise yourself.
Waldek:	You know what? I've got an idea. Let's live together, what do you think? I'll mend the taps and…
Alice:	And I'll do the cooking and the cleaning, is that it? That arrangement doesn't appeal to me at all. You'll be doing it once every six months and me every day.
Waldek:	Let's try to find a compromise. I'll cook at the weekends, and you cook during the week.
Alice:	That's 5 to 2, I don't agree.
Waldek:	Well, for example, twice a week we eat in town, twice a week I cook, twice you cook and once we cook together.
Alice:	That sounds better. But look, is it worth changing everything? I'm going off to Paris soon, it doesn't make sense.
Waldek:	It doesn't make sense to you? Every day counts, doesn't it?
Alice:	Look! We'll see how we work together in practice. Let's cook something together for supper. Risotto with peas, Venetian style, for example. I was wanting to make it today.
Waldek:	And how do you make it? Just the same as "Risotto alla Milanese"?
Alice:	No, a bit differently. You fry some streaky bacon

	łą, dodaje się groszek, zalewa wszystko gorącym rosołem.
Waldek:	Ale ryż gotuje się osobno?
Alice:	Nie, ryż gotuje się razem z boczkiem i groszkiem. O, tu masz przepis. Przeczytaj, a ja sprawdzę, czy mam wszystko.
Waldek:	300 gram ryżu, 350 gram zielonego groszku (najlepiej młodego), mała cebula, 50 gram masła, 50 gram boczku, litr rosołu, 1 łyżka pokrojonej natki, 2 łyżki startego parmezanu.
Alice:	Tak, mam wszystko oprócz świeżej natki. Musi być suszona. (Czy) Wolisz pokroić cebulę, czy zająć się boczkiem?
Waldek:	Wolę zająć się boczkiem, mięso to moja specjalność.
Alice:	Dodaj trochę pieprzu i zamieszaj to.
Waldek:	Może włączymy jakąś płytę?
Alice:	Wybierz coś.
Waldek:	Proponuję Verdiego, będzie pasował do risotta po wenecku.
Alice:	Może być Verdi.
Waldek:	Masz dziwny odtwarzacz. Jak się go włącza?
Alice:	Naciskasz czarny guzik po lewej stronie, wkładasz płytę i naciskasz „start".

Pół godziny później

Alice:	I co? (Czy) smakuje ci?
Waldek:	Tak, bardzo.
Alice:	Jak sądzisz? Chyba nam się udało to wspólne gotowanie?
Waldek:	Udało się. I myślę, że jeszcze niejedno nam się razem w życiu uda...

and onions, add the peas, and pour hot stock over everything.

Waldek: But do you cook the rice separately?

Alice: No, you cook it together with the streaky bacon and the peas. Oh! here's the recipe. You read it out and I'll check if I've got everything.

Waldek: 300 grams of rice, 350 grams of green peas (preferably young), a small onion, 50 grams of butter, 50 grams of streaky bacon, a litre of stock, a tablespoon of chopped parsley, 2 tablespoons of grated Parmesan.

Alice: Yes, I've got everything except fresh parsley. It'll have to be dried. Would you prefer to chop the onions or deal with the bacon?

Waldek: I'd prefer to deal with the bacon, meat is my speciality.

Alice: Add a bit of pepper, and stir.

Waldek: Can we put on a CD?

Alice: Choose something.

Waldek: I suggest Verdi, it'll be just right for "Risotto alla Veneziana".

Alice: Verdi will be fine.

Waldek: What a strange CD player you've got. How do you turn it on?

Alice: You press the black button on the left hand side, put in the CD and press "Start".

Half an hour later

Alice: Do you like it?

Waldek: Yes, very much.

Alice: What do you think? Do you think we succeeded in cooking together?

Waldek: Yes, we did. And I don't think that's the only thing in life we'd succeed together in.

Przepis na risotto po wenecku:
Składniki:
300 g ryżu, 350 g młodego zielonego groszku, mała cebula, 50 g masła, 50 g boczku, litr rosołu, 1 łyżka pokrojonej zielonej pietruszki, 2 łyżki startego parmezanu
Przygotowanie – 15 minut
Gotowanie – 40 minut
Pokroić drobno cebulę i boczek, na rozgrzanej patelni roztopić połowę porcji masła, dodać boczek i cebulę, krótko podsmażyć. Dodać groszek, zalać gorącym rosołem (125 ml) i gotować wszystko przez 10 minut. Następnie dodać ryż i ciągle mieszając, gotować na małym ogniu. Co pewien czas dolewać do ryżu rosół (po jednej łyżce wazowej), a gdy już odparuje, zdjąć patelnię z ognia. Dodać pozostałe masło, parmezan i natkę. Przez parę minut potrzymać pod przykryciem.
Smacznego!

Recipe for "Risotto alla Veneziana".
Ingredients:
300g rice, 350g new green peas, small onion, 50g butter, 50g streaky bacon, 1 litre stock, 1 tablespoon chopped parsley, 2 tablespoons grated Parmesan.
Preparation time – 15 minutes
Cooking time – 40 minutes
Finely chop the onion and the streaky bacon. Melt half the butter in a hot frying-pan and add the onion and bacon, frying lightly for a short period. Add the peas and 125ml of hot stock, and cook everything for 10 minutes. Next add the rice and simmer on a low heat, stirring continually. Add a ladleful of stock regularly to the rice, until it has all soaked in or evaporated. Remove the frying-pan from the flame and add the remaining butter, the grated Parmesan and the chopped parsley. Cover and leave for a couple of minutes before serving.
Smacznego! (bon appetit!)

SŁOWNICTWO

boczek *m* streaky bacon
brzmieć *imperf* to sound
to brzmi lepiej that sounds better
czosnek *m* garlic
ząbek czosnku clove of garlic
dodawać *imperf* **(dodaję, dodajesz), dodać** *perf* **(dodam, dodasz)** + *acc* + **do** + *gen* to add
dojrzały, -a, -e *adj* mature
dolewać *imperf* **(dolewam, dolewasz), dolać** *perf* **(doleję, dolejesz)** + *acc* + **do** + *gen* to pour (into)
drobno *adv* finely, in small pieces
groszek *m* (*gen* **groszku**) peas
guzik *m* button (on a CD player etc.)
humor *m* humour
poczucie humoru sense of humour
inaczej *adv* differently
kawałek *m* (*gen* **kawałka**) bit, piece
klucz *m* key, *here* spanner

kompromis *m* compromise
kran *m* tap (U.S. faucet)
kroić *imperf* **(kroję, kroisz), pokroić** *perf* **(pokroję, pokroisz)** + *acc* to cut, to slice, *here* to carve the meat
kromka *f* slice (of bread)
liczyć się *imperf* **(liczę się, liczysz się)** to count, matter
liczy się każdy dzień every day counts
litr *m* (*gen* **litra**) litre
łyżka *f* tablespoon
mieszać *imperf* **(mieszam, mieszasz), zamieszać** *perf* **(zamieszam, zamieszasz)** + *acc* to stir
młotek *m* (*gen* **młotka**) hammer
naciskać *imperf* **(naciskam, naciskasz), nacisnąć** *perf* **(nacisnę, naciśniesz)** + *acc* to press
naprawiać *imperf* **(naprawiam, naprawiasz), naprawić** *perf* **(naprawię, naprawisz)** + *acc* to repair, mend
natka *f* parsley (the green part)
odtwarzacz *m* (*gen* **odtwarzacza**) player (cassette, CD, video)
oprócz apart from, aside from, beside(s)
osobno *adv* separately
parmezan *m* Parmesan
pasować *imperf* + **do** + *gen* to fit, match, go with
patelnia *f* frying pan
plasterek *m* (*gen* **plasterka**) slice
podawać *imperf* **(podaję, podajesz), podać** *perf* **(podam, podasz)** + *acc* + *dat* to pass, give, serve
podsmażać *imperf* **(podsmażam, podsmażasz), podsmażyć** *perf* **(podsmażę, podsmażysz)** + *acc* to fry lightly
pokroić see **kroić**
pokrojony, -a, -e *adj* sliced, cut
pozostały, -a, -e *adj* remaining, left (over)
praktyka *f* practice
w praktyce in practice
przepis *m* recipe
rączka *f* (*diminutive* of **ręka**) hand
reklamować *imperf* **(reklamuję, reklamujesz), zareklamować** *perf* **(zareklamuję, zareklamujesz)** + *acc* to advertise
risotto *n* risotto
rosół *m* (*gen* **rosołu**) stock, consommé, broth
rozgrzany, -a, -e *adj* heated
roztapiać *imperf* **(roztapiam, roztapiasz), roztopić** *perf* **(roztopię, roztopisz)** + *acc* to melt
słoik *m* (*gen* **słoika**) jar
smaczny, -a, -e *adj* tasty
smacznego! bon appetit!
smakować *imperf* + *dat* to taste
smakuje ci risotto? do you like the risotto?
smażyć *imperf* **(smażę, smażysz), usmażyć** *perf* **(usmażę, usmażysz)** + *acc* to fry

specjalność *f* speciality
spokojny, -a, -e *adj* calm
sprawdzać *imperf* **(sprawdzam, sprawdzasz), sprawdzić** *perf* **(sprawdzę, sprawdzisz)** + *acc* to check
starty, -a, -e *adj* grated
strona *f* side
po lewej stronie on the left (hand) side
suszony, -a, -e *adj* dried, dessicated
szczypta *f* pinch
świeży, -a, -e *adj* fresh
tak samo *adv* (just) the same
udać się *perf* to be a success
udało nam się to wspólne gotowanie we succeeded in cooking together
układ *m* arrangement
warto it's worth
wkładać *imperf* **(wkładam, wkładasz), włożyć** *perf* **(włożę, włożysz)** + *acc* to insert, put in
włączać *imperf* **(włączam, włączasz), włączyć** *perf* **(włączę, włączysz)** + *acc* to turn on, switch on
wspólnie *adv* together, jointly
współpraca *f* cooperation
wychodzić *imperf here* to work (out)
zajmować się *imperf* **(zajmuję się, zajmujesz się), zająć się** *perf* **(zajmę się, zajmiesz się)** + *instr* to deal with
zamieszać see **mieszać**
zaleta *f* advantage
zalewać *imperf* **(zalewam, zalewasz), zalać** *perf* **(zaleję, zalejesz)** + *acc*; + *instr* to pour
zareklamować see **reklamować**
zgadzać się *imperf* **(zgadzam się, zgadzasz się), zgodzić się** *perf* **(zgodzę się, zgodzisz się)** + **z** + *instr*; + **na** + *acc* to agree
złota rączka *f* handyman
złoty, -a, -e *adj* gold
zrównoważony, -a, -e *adj* (well-)balanced
zioła *f* herbs

GOTOWANIE cooking

gotować *imperf* **(gotuję, gotujesz), ugotować** *perf* **(ugotuję, ugotujesz)** + *acc* to cook, boil
gotować na parze, ugotować na parze to steam
smażyć *imperf* **(smażę, smażysz), usmażyć** *perf* **(usmażę, usmażysz)** + *acc* to fry
dusić *imperf* **(duszę, dusisz), udusić** *perf* **(uduszę, udusisz)** + *acc* to stew
piec *imperf* **(piekę, pieczesz), upiec** *perf* **(upiekę, upieczesz)** + *acc* to bake, roast

GRAMATYKA

JA BĘDĘ NAPRAWIAŁ KRANY – the compound future tense (2)

In lesson 26 we saw how to make the compound future tense with imperfective verbs: **będzie + infinitive**

Na urlopie **będę czytać** książki.

But this tense can also be formed in a slightly different way. Instead of the infinitive, the 3rd person of the past tense is used, agreeing with the subject in number and gender.

Będę naprawiać krany.	or:	**Będę naprawiał** krany.
Będę gotować.	or:	**Będę gotowała**.
Czy **będziesz grać** w tenisa?	or:	Czy **będziesz grał** w tenisa?
Czy **będziesz czytać**?	or:	Czy **będziesz czytała**?
Adam **będzie dzwonić** do klientów.	or:	Adam **będzie dzwonił** do klientów.
Ewa **będzie pisać** e-maile.	or:	Ewa **będzie pisała** e-maile.
Jutro **będziemy pływać** kajakiem.	or:	Jutro **będziemy pływali** kajakiem.
Jutro **będziemy robić** zakupy.	or:	Jutro **będziemy robiły** zakupy.
Czy dzisiaj **będziecie pisać** raporty?	or:	Czy dzisiaj **będziecie pisali** raporty?
Czy dzisiaj **będziecie robić** zakupy?	or:	Czy dzisiaj **będziecie robiły** zakupy?
Piotr i Paweł **będą czytać** gazety.	or:	Piotr i Paweł **będą czytali** gazety.
Monika i Ania **będą pływać**.	or:	Monika i Ania **będą pływały**.

Summary: The compound future tense is made with:

1. The future tense of **być** in the appropriate person, with the **infinitive** of the main verb (**będę czytać**), or:
2. The future tense of **być** in the appropriate person with the main verb in the **3rd person** form of the past tense (**będę czytał**).

Note that these two forms are interchangable. The first is easier to use, but you will probably hear the second more.

NIEDŁUGO WYJEŻDŻAM
– the verbs **wyjeżdżać, przyjeżdżać**

Verbs of motion created with the prefix **wy-** describe movement "out" or to the outside.
wychodzić means to leave or go out of a room or a building.
wyjeżdżać means leave or go out of, a town, a country, or a car park.

Remember that verbs based on chodzić are used when we are going on foot and verbs based on jeździć when using some method of transport, like a car for example.

Verbs of motion with the prefix **przy-** describe movement towards a place, either mentioned or thought about as being "here".

przychodzić means to come from somewhere on foot.

Listonosz przychodzi codziennie rano.	The postman comes every morning.

przyjeżdżać means to come using some sort of transport.

Mama Waldka często przyjeżdża do Warszawy.	Waldek's mother often comes to Warsaw.

Here are these verbs with their perfective equivalents:

imperfective	**perfective**
wychodzić	wyjść
wyjeżdżać	wyjechać
przychodzić	przyjść
przyjeżdżać	przyjechać

WARTO... – it's worth...

When talking about the present, after **warto** the verb always appears in the infinitive.

Czy **warto pojechać** do Wieliczki?	Is it worth going to Wieliczka?
Nie **warto kupować** tej gazety, nie jest obiektywna.	It's not worth buying this newspaper, it's not very objective.

For the past we use the following construction: **warto było/było warto**.
Warto było tam jechać.
Nie **było warto** tego kupować.

JAK TO SIĘ ROBI? – saying how to do something

There are several ways of doing this:

1. With the impersonal form of the verb, using the 3rd person singular of the present tense and the pronoun **się**:
   robi się, dodaje się etc.
2. By using the 2nd person singular of the present tense:
   robisz, dodajesz
3. By using an imperative:
   zrób, dodaj, weź
4. In recipes and cookery books the infinitive is often used:
   obrać ziemniaki, **dodać** cebulę, **zamieszać**.

KILO CUKRU – talking about quantities

When talking about measures, portions and parts of things, where in English we would use "of", the noun representing the thing or substance being "measured", always appears in the genitive:

kilogram (kilo) cukr**u**	a kilo of sugar
filiżanka kaw**y**	a cup of coffee
metr jedwabi**u**	a metre of silk
kromka chleb**a**	a slice of bread
plasterek szynk**i**	a slice of ham
kawałek ser**a**	a piece of cheese
róg dom**u**	the corner of the house
brzeg obrus**a**	the edge of the tablecloth

INACZEJ, INNY – TAK SAMO, TAKI SAM – summary

Expressing difference
Inny, which you met in lesson 3, is used with nouns:
Ta kurtka jest **inna** – czarna i krótka..
Mój telefon jest **inny** niż twój.

With verbs we use **inaczej** (invariable):
Risotto po wenecku robi się **inaczej** niż po mediolańsku.

Expressing similarity
With nouns we use: **taki sam/taka sama/takie samo**.

Mój portfel jest **taki sam** jak twój.
Moja torebka jest **taka sama** jak Magdy.

With verbs we use **tak samo** (invariable):
Zupę grzybową gotuje się **tak samo** jak zupę pieczarkową.

ROZMAWIAMY

INSTRUCTIONS AND GIVING ADVICE

– Jak się robi omlet? – Bierzesz 2 jajka, dodajesz łyżkę mleka...
– Czy wiesz, jak się gotuje bigos? – Tak, wiem. Gotuje się kapustę i osobno mięso, potem...
– Czy możesz mi pokazać, jak się wysyła faks? – Włóż tu list, naciśnij ten guzik...
– Jak się otwiera ten garaż? – Trzeba nacisnąć ten guzik.

ĆWICZENIA

1

Answer the questions:

1. – Czy warto zwiedzić Wieliczkę? – Tak, ...
2. – I co? Czy warto było tu przyjechać? – Tak, ... Nie, ...
3. – Czy warto obejrzeć najnowszy film Petera Weira? – Tak, ...
4. – Czy warto było zainwestować w ten interes? – Nie, ...
5. – Czy warto zamieszkać razem? – Tak, ...

Make up 3 similar questions.

6. – ....?

7. – ....?

8. – ....?

2

Use the verbs in brackets in the compound future e.g.: (czytać) Dzisiaj wieczorem (ja) **będę czytała** ksiażki.

1. (robić) –Aniu, co .... w piątek wieczorem? – (ja) .... zakupy.
2. (robić, grać w tenisa, pływać) – Marku, co (ty) .... na urlopie? – (ja) .... i ....
3. (czytać, słuchać) Ewa w weekend .... gazety i .... muzyki.
4. (pisać, dzwonić) Marek w poniedziałek rano .... listy i .... do klientów.
5. (robić, mieć) – Co (wy) .... w sobotę wieczorem? – (My) .... gości.
6. (robić, pisać) – Co Marek i Darek .... w piątek po południu? – Oni .... raporty.
7. (robić, czytać) – Co Beata i Patrycja .... w weekend? – (One) ....

3

Put the verbs in brackets into the appropriate forms (of the present tense or future) (wyjeżdżać) Ja **wyjeżdżam** jutro. (wyjechać) Adam niedługo **wyjedzie** na urlop.

1. – Kiedy (ty) (wyjeżdżać).......................................? – (Ja) .... w piątek.
2. – Czy (ty) (wyjechać) .... ze mną do Madrytu? – Nie, (ja) nie .... z tobą. Mam tutaj swoją pracę, nie mogę jej zostawić.

3. – (Ja) teraz (wychodzić) .... – Dokąd? – Do kiosku po gazetę.
4. (Ja) jestem jeszcze chory, nie (wyjść) .... dzisiaj z domu.
5. – Kiedy (przyjeżdżać) .... twoja mama? – Mama .... jutro.
6. – Aniu, kiedy (ty) w końcu (przyjechać) .... do nas, do Warszawy? – Nie wiem jeszcze, może (ja) .... w maju.
7. – Kiedy (ty) w końcu (przyjść) .... do mnie? Tak dawno u mnie nie byłaś? – (Ja) .... w sobotę.
8. Dlaczego twój mąż nigdy nie (przychodzić) .... z tobą do nas?

Tell these people how to do it, e.g.: Jak się gotuje bigos? – **Gotujesz kapustę/gotuje się kapustę...**

4

1. – Jak się wysyła faks? – (otwierać, naciskać, wkładać)

....

2. – Jak się robi naleśniki? – (brać, dodawać, mieszać)

....

3. – Jak się robi ksero? – (otwierać, wkładać, naciskać)

....

Use a suitable noun in the genitive: szynka, sos, woda, wino, ser, e.g.: Kilogram **cukru**.

5

1. łyżka ....
2. szklanka ....
3. kawałek ....
4. plasterek ....
5. litr ....

6

Put the words in brackets into the genitive, e.g.: Poproszę łyżeczkę (miód) **miodu**.

1. Dodaj do sosu łyżkę (sok) .... z cytryny.
2. Trzeba kupić 2 litry (mleko) ...., kilogram (cukier) .... i 2 paczki (makaron) ....
3. Potrzebny mi do ciasta słoik (dżem śliwkowy) ....
4. Poproszę 25 dkg* (ser żółty) ....
5. Najpierw smażysz 20 dkg (boczek) ...., dodajesz szczyptę (sól) .... i (pieprz) .... do smaku, potem dodajesz jajka.

* Polish people often use the measurement **deko** (10 grams) when buying for example cold meats. Instead of asking for 100 grams they ask for 10 deko (dkg).

7

Put the words in brackets into the genitive, e.g.: Oprócz (Marek) **Marka** nikt nie mówił po hiszpańsku.

1. Na urodzinach u Moniki byli wszyscy oprócz (Agata i Wojtek) ....
2. Oprócz (ja) .... wszyscy mówili po francusku.
3. Mam wszystko, co jest potrzebne do pizzy, oprócz (szynka) ....
4. Na spotkaniu z panią prezes byli wszyscy oprócz (ty) ....

8

Use the correct pronoun:

inaczej/inny, -a, -e

1. My żyjemy dzisiaj .... niż żyli nasi rodzice.
2. Nasza lodówka jest .... niż wasza.
3. – Jak się pisze „żyrafa"? Czy tak? – Nie, ...
4. Mój telefon komórkowy jest .... niż ten.

tak samo/ taki sam/taka sama

5. Ciasto na pierogi robi się .... jak ciasto na kluski.
6. Nasza kanapa jest .... jak wasza.
7. Dlaczego ty piszesz .... jak ja?

National holidays and feast-days

Looking at the Polish calendar you will notice that national holidays fall into two categories: secular and religious. The most important secular holidays are:
11 November – the Day of Independence. This celebrates the regaining of her independence by Poland in 1918, after a long period of foreign rule.
1 May – Labour Day
3 May – the anniversary of the historic and liberal Constitution passed by the Polish Parliament on 3 May 1791. (People often take the 2nd May off as well, this is known as taking the long weekend).
Religious holidays: Christmas, Easter and All Saints Day (November).
15 August – The Feast of the Assumption.
In June – Corpus Christi.
Christmas, Easter and All Saints are all very important festivals for Poles. Polish families celebrate customs connected with these feast days regardless of whether they are religious or not. For Polish families the most important part of Christmas is the Wigilia (supper, held on Christmas Eve). This traditionally starts with the sighting of the first star when Poles share a traditional bread wafer called an "opłatek" and exchange characteristic greetings.
At the table you will find traditional dishes and you will notice that one place setting has been left free, in case of any unexpected guest who might knock on the door, because on this evening, no-one should be alone.
On Easter Saturday Poles take a basket with eggs, bread and salt to the church to be blessed. These are eaten for a special breakfast the next morning, Easter Sunday.
On the 1st November Polish people traditionally visit the graves of their close family, even if they are situated far from where they now live. By the graves they place special candles (called "znicze") and flowers. Foreigners shouldn't feel shy about visiting cemeteries at this time, at dusk it is a magical and moving sight.

KLUCZ DO ĆWICZEŃ

Lekcja 1

1. rodzaj męski: bilet, pub, szef, teatr
rodzaj żeński: lampa, koleżanka, szkoła, restauracja, opera
rodzaj nijaki: spotkanie, wino, piwo, biuro, kino
2. 1. Co to jest? 2. Kto to jest? 3. Kto to jest? 4. Co to jest? 5. Kto to jest?
3. 1. drogi 2. dobry 3. dobry
4. 1. Tak, to jest pub. Nie, to nie jest pub 2. Tak, to jest kalendarz. Nie, to nie jest kalendarz 3. Tak, to jest kino. Nie, to nie jest kino 4. Tak, to jest tani notes. Nie, to nie jest tani notes 5. Tak, to jest drogi koniak. Nie, to nie jest drogi koniak
5. 1. Czy to jest szkoła? 2. Czy to jest kalendarz? 3. Czy to jest teatr? 4. Czy to jest opera 5. Czy to jest notes?
6. 1. Ile kosztuje bilet? 2. Ile kosztuje notes? 3. Ile kosztuje kalendarz? 4. Ile kosztuje piwo?
7. 1. Dziękuję, dobrze 2. W porządku 3. Świetnie 4. Fatalnie 5. Tak sobie
8. 1. Do widzenia 2. Dzień dobry. 3. Na razie/cześć 4. Cześć/do zobaczenia/na razie 5. Do zobaczenia/cześć/do jutra 6. Dobry wieczór. 7. Do jutra/do zobaczenia 8. Dobranoc

Lekcja 2

1. 1. jestem 2. jest 3. jesteś 4. jesteście
2. 1. mówisz 2. mówię 3. mówi 4. mówią 5. mówimy 6. mówicie
3. 1. Francuzką, Amerykanką 2. Polakiem, Polką 3. Anglikiem, Anglikiem, Angielką 4. Niemcem, Niemcem 5. Rosjaninem, Rosjanką 6. Chińczykiem, Japończykiem
4. 1. on 2. ona 3. one 4. oni 5. ty, ja 6. wy, my
5. 1. po polsku 2. po francusku 3. po angielsku 4. po niemiecku
6. 1. Czy pani mówi po polsku? 2. Czy pan jest Anglikiem? 3. Czy pani jest Angielką? 4. Czy pan mówi po francusku? 5. Czy pan jest Niemcem? 6. Czy pani jest Amerykanką?
7. 1. Czy mówisz po francusku? 2. Czy pan mówi po angielsku? 3. Czy pani mówi po hiszpańsku? 4. Czy mówisz po niemiecku?

8. 1. Dobrze, dziękuję, a u ciebie? 2. Świetnie, a u ciebie? 3. Dziękuję, dobrze, a u pani? 4. Dziękuję dobrze, a u pana?

9. 1. To jest Maciek, a to jest Beata 2. To jest pani Anna Tomasik, a to jest pani Monika Wypych 3. To jest pan Jan Kołecki, a to jest pani Maria Safian 4. To jest Ryszard, a to jest Edyta

Lekcja 3

1. 1. mam, masz 2. ma, mamy 3. macie 4. mają

2. 1. ładny, ładna, ładne 2. sympatyczna, sympatyczne, sympatyczny 3. droga, drogi, drogie 4. tanie, tania, tani 5. dobry, dobra, dobre

3. 1. Tak, to jest mój parasol. 2. Nie, to nie jest moja znajoma 3. Tak, to jest moje piwo 4. Nie, to nie jest moja torebka 5. Tak, to jest moja teczka

4. 1. jego 2. jej 3. jego 4. jego 5. jej

5. 1. czyj 2. czyja 3. czyje 4. czyj

6. 1. ta 2. ten 3. to 4. ta, ta 5. ten, ten

7. 1. a 2. i 3. ale 4. a 5. a

8. 1. bardzo 2. trochę 3. trochę

Lekcja 4

1. 1. mieszkam, mieszka 2. mieszkasz 3. mieszkamy, mieszkają 4. mieszkacie 5. robisz, robię 6. robi 7. robicie, robimy 8. robią 9. robią

2. 1. wie 2. wiesz 3. wiem 4. wiecie 5. wiedzą 6. wiemy 7. wiedzą, wiedzą

3. 1. gdzie 2. gdzie 3. gdzie 4. gdzie

4. 1. Czy masz/ma pan/ma pani ochotę na kawę? 2. Nie ma za co/proszę 3. Przepraszam, gdzie jest bank? Poczta? 4. Przepraszam.

Lekcja 5

1. 1. lubisz, lubię 2. lubicie, lubimy 3. lubi 4. lubią

2. 1. zna, znam 2. znasz, znam 3. znacie, znamy 4. znają

3. 1. pracujesz, studiujesz 2. pracuję 3. pracujesz 4. pracuję 5. pracuje, studiuje 6. studiuje 7. studiuje 8. studiuje 9. studiują 10. studiujemy 11. studiujecie, studiujecie

4. 1. kawę, sok 2. Adama, Ewę 3. restaurację 4. pub 5. piwo 6. Marka, Edytę 7. piwo, wino

5. 1. inżynierem, aktorką 2. nauczycielką, kelnerem 3. ekonomistą, księgową 4. architektem, architektem
6. 1. też lubię 2. też zna 3. też pracuje 4. też mówię po hiszpańsku
7. 1. Czy to jest wino, czy piwo? 2. Czy ty pracujesz, czy studiujesz? 3. Czy to jest Michał, czy Jacek? 4. Czy to jest twój kolega, czy twój chłopak?
8. 1. i, w 2. i, i 3. w, i
9. 1. jaki 2. jaka 3. jaka 4. jakie
10. 1. wiesz 2. znasz 3. zna 4. zna, wie 5. wiesz, wiem

Lekcja 6

1. 1. pytam 2. pytasz 3. pytacie 4. pytamy 5. zamawia 6. zamawiasz, zamawiam 7. zamawiacie, zamawiamy 8. zamawiają
2. 1. szczupła 2. wysoki 3. niska, tęga 4. przystojny 5. wysoka
3. 1. nowego 2. czarną 3. nową 4. nowego 5. duże
4. 1. tę wysoką 2. tego wysokiego 3. naszą nową 4. mojego starszego 5. twojego nowego
6. 1. historią, polityką, socjologią 2. sportem 3. sztuką, socjologią, ekologią 4. muzyką, teatrem
7. 1. Agata/ona ma 25 lat 2. Mój szef/on ma 30 lat 3. Moja dziewczyna/ona ma 22 lata 4. Mam 36 lat 5. Mam 16 lat 6. Mam 44 lata
8. Jak nazywa się twój szef? Ile lat ma twój szef?/Jak on się nazywa? Ile on ma lat?
9. 1. Mam na imię...
2. Mój chłopak/moja dziewczyna ma na imię...
3. Mój profesor/moja pani profesor nazywa się...
4. Mój szef/moja szefowa nazywa się...
10. Nazywam się...
Jestem...-em/-ą
Mam ... lat/lata
Mieszkam w.../Mój adres: ulica...
Mój numer telefonu:..

Lekcja 7

1. 1. muszę 2. musisz 3. muszą 4. musimy 5. musicie 6. musi 7. jem, jesz 8. je 9. jedzą, jemy 10. pijesz, piję 11. pijecie, pijemy

2. 1. czyta, pisze, sprząta, gotuje 2. czytam, oglądam, gotuję 3. czytacie, czytamy 4. oglądacie, oglądamy, czytamy 5. oglądają, czytają

4. 1. dobrze 2. dużo 3. świetnie 4. mało

5. 1. nie ma 2. są 3. nie ma 4. jest 5. nie ma, są

6. 1. listy 2. książki 3. paszporty 4. mieszkania 5. biura 6. gazety 7. parkingi

7. 1. dobre 2. drogie 3. miłe 4. nowe 5. pomarańczowe

8. 1. Tamten jest mały 2. Tamto jest niedobre/złe 3. Tamta jest twoja 4. Tamte są drogie 5. Tamte są duże 6. Tamte są nieciekawe

9. 1. sam 2. samo 3. sam, sam 4. sama 5. samo

10. 1. dwa, dwie 2. dwie, dwa 3. dwie, dwie 4. dwa 5. dwie 6. dwa

11. 1. 2 złote 2. 5 złotych 10 groszy 3. 3 złote 30 groszy 4. 14 złotych 25 groszy 5. 28 złotych

Lekcja 8

1. 1. widzisz 2. widzisz, widzę 3. widzicie, widzimy 4. widzą 5. żyje, żyje 6. żyją

2. 1. możesz 2. mogę 3. może, mogę 4. możemy, możecie 5. mogą

3. a) 1. była, był 2. byłem 3. byłam 4. byłeś 5. byłaś 6. byliśmy 7. byłyśmy 8. byli 9. były b) 1. był 2. była 3. było 4. była 5. było 6. był

4. 1. młodsza or starsza or ładniejsza 2. większy or mniejszy or starszy or nowszy 3. tańsze or lepsze 4. młodszy or starszy or przystojniejszy 5. młodsza or starsza or ładniejsza 6. większe or mniejsze or ładniejsze

5. 1. Tak, to jest nasz syn 2. Nie, to nie jest nasza córka 3. Tak, to jest ich ojciec 4. Tak, to jest nasz dom 5. Tak, to jest nasza mama 6. Nie, to nie jest ich babcia 7. Nie, to nie jest nasza rodzina 8. Tak, to jest nasz samochód 9. Tak, to jest nasze dziecko.

7. 1. w piątek 2. w środę 3. w sobotę 4. we wtorek 5. w poniedziałek 6. w czwartek 7. w niedzielę

Lekcja 9

1. 1. dzwoni 2. kończysz, kończę, czekam 3. czekasz, czekam 4. kończycie, kończymy, kończymy 5. kończą, czekają

2. 1. idę 2. idziecie 3. idziemy 4. idą 5. idziesz 6. idę 7. idzie

4. 1. operę, operę, teatr 2. balet, taniec nowoczesny, balet 3. teatr, kino, teatr
5. 1. jest siódma 2. jest dziewiąta pięć 3.jest jedenasta 4. jest dwunasta piętnaście 5. jest ósma
6. 1) 1 2) 4.05 3) 6 4) 9 5) 7.20 6) 10 7) 5 8) 2.30 9) 8 10) 11 11) 3.10 12) 12.30

Lekcja 10

1. 1. rozmawia 2. rozmawiasz, rozmawiam 3. rozmawiacie, rozmawiamy 4. rozmawiają 5. zgadzasz się, zgadzam się 6. zgadzacie się, zgadzamy się, zgadzają się 7. zgadza się
2. 1. chciałbyś, chciałbym, chciałby 2. chciałabym, chciałabyś, chciałaby 3. chcielibyśmy, chcielibyście, chcielibyśmy, chcieliby 4. chciałybyśmy, chciałybyście, chciałybyśmy, chciałyby
3. 1. będę 2. będziesz, będę, będzie 3. będziecie, będziemy, będą
4. 1. medycynę 2. ekonomię, socjologię 3. informatykę, zarządzanie 4. prawo
6. 1. koleżanką 2. Michałem i Markiem 3. Dorotą 4. dyrektorem
7. 1. nowym 2. nową 3. moim 4. twoim 5. moją 6. naszą
8. 1. ma 2. chce 3. lubi 4. mówi 5. zna
9. 1. w przyszłym tygodniu 2. w przyszłym miesiącu 3. w przyszłym roku 4. w przyszłym tygodniu

Lekcja 11

1. 1. zaczynacie, zaczynamy 2. zaczynasz, zaczynam 3. zaczyna, zaczynam 4. zaczynają
2. 1. chodzicie, chodzimy 2. chodzisz, chodzi, chodzić, chodzę 3. chodzą
3. 1. kurczaka, kaczkę 2. zupę pomidorową 3. zupę cebulową, befsztyk 4. łososia, solę
5. 1. na 2. dla, dla, dla 3. na 4. na
6. 1. soku 2. kawy 3. piwa 4. historią 5. Adama 6. Ewy 7. mieszkania
7. 1. czasu, domu, samochodu 2. Agaty, Beaty, Magdy 3. Agnieszki, Moniki, Dominiki 4. Kasi, Basi, Ani 5. Adama, Piotra, Krzysztofa 6. Czarka, Marka, Darka 7. łososia, pstrąga, kurczaka
8. 1. sklepu 2. apteki 3. teatru 4. kina 5. opery 6. galerii
9. 1. pomidorowej 2. białego 3. czerwonego 4. cebulowej 5. japońskiej, francuskiej

11. 1. ryżem, owocami, frytkami, sałatą 2. warzywami, ziemniakami, pomidorami 3. makaronem, kapustą, grzybami

Lekcja 12

1. 1. czytać, przeczytać 2. zadzwonić, dzwonić 3. zamawiać, zamówić 4. pisać, napisać 5. poczekać, czekać 6. płacić, zapłacić
2. 1. zadzwonić 2. zapłacić 3. zaczekać 4. napisać 5. zrobić 6. zamówić 7. przeczytać
3. 1. często, dziś 2. w sobotę, rzadko 3. po południu, rzadko 4. często, jutro 5. dziś, zwykle 6, zwykle, w weekend 7. dziś, rzadko
4. 1. Agaty 2. mamy 3. syna 4. żony
5. 1. cię, ciebie 2. go, niego 3. jej, niej 4. mnie, mnie 5. go, niego 6. nas, nas 7. was, was 8. ich, nich
7. 1. powiedzieć or przekazać 2. pomyłka 3. zostawić 4. mówi 5. zadzwonić 6. rozmawiać, poczekać

Lekcja 13

1. 1. o osiemnastej dziesięć/dziesięć po szóstej 2. o dwudziestej piętnaście/piętnaście po ósmej 3. o ósmej czterdzieści pięć/za piętnaście dziewiąta 4. o dwunastej trzydzieści/o wpół do pierwszej 5. o jedenastej pięćdziesiąt pięć/za pięć dwunasta 6. o dziewiętnastej dwadzieścia/dwadzieścia po siódmej 7. o dziewiętnastej trzydzieści/o wpół do ósmej 8. o czternastej dwadzieścia pięć/dwadzieścia pięć po drugiej
2. a) jechać: 1. jedziesz 2. jedziecie, jedziemy 3. jedzie, jedzie 4. jadę, jadą b) lecieć: 1. lecisz, lecę 2. lecicie, lecimy 3. leci 4. lecą
3. 1. ze mną 2. z nim 3. z nią 4. z tobą 5. z nami, z wami 6. z nimi
4. 1. Poznania, Gdańska 2. Warszawy 3. Londynu 4. Moskwy 5. Paryża, Rzymu 6. Nowego Jorku, Amsterdamu
5. 1. czasu 2. pracy 3. wody, kawy
6. 1. co 2. czego 3. co 4. kogo
8. 1. tramwajem 2. taksówką 3. autobusem 4. pociągiem 5. samochodem
9. 1. w przyszły piątek 2. w przyszłą środę 3. w przyszłą sobotę 4. w przyszły wtorek 5. w przyszłą niedzielę 6. w przyszłym tygodniu 7. w przyszłym miesiącu
10. 1. Lublin jest na południe od Warszawy 2. Gdańsk jest na północ od Warszawy 3. Poznań jest na zachód od Warszawy 4. Białystok jest na wschód od Warszawy
11. 1. w, na, w 2. nad 3. w, na, do 4. na 5. na, do 6. na, do

Lekcja 14

1. 1. zaczynamy 2. zaczyna się 3. kończy się albo zaczyna się 4. zaczynamy albo kończymy 5. zmieniam 6. zmienia się

2. 1. piąty maja 2. siódmy lipca 3. jedenasty listopada 4. szósty czerwca 5. czwarty kwietnia 6. trzeci marca

3. 1. Jest czwarty maja – Jadę ... czwartego maja 2. Jest osiemnasty kwietnia – Idę ... osiemnastego kwietnia 3. Jest dwudziesty drugi lipca – „Tosca" jest dwudziestego drugiego lipca 4. Jest dwudziesty piąty sierpnia – Zaczynam ... dwudziestego piątego sierpnia 5. Od dwudziestego drugiego lipca do dwudziestego szóstego lipca 6. Od dwudziestego szóstego sierpnia do dwudziestego dziewiątego sierpnia

4. 1. marca 2. lutego 3. sierpnia 4. września

6. 1. jesień, jesienią 2. wiosną, wiosna 3. zimą, zima 4. lato, latem

7. 1. panią, mnie 2. pana, mnie 3. was, nas 4. cię

8. 1. duże pokoje, dużą widną kuchnię, dużą łazienkę 2. duże mieszkanie, salon, sypialnie, pokój dziecinny, kuchnię, łazienki

Lekcja 15

1. 1. przyjeżdża 2. odjeżdża/odjedzie 3. odjeżdża/odjedzie 4. stoi

2. 1. bierzesz, biorę, bierze 2. bierzecie, bierzemy, biorą, bierzemy

3. 1. Tak, będę/Nie, nie będzie mnie 2. Tak, byłam/Nie, nie było mnie 3. Tak, był/Nie, nie było go 4. Tak, będzie/Nie, nie będzie go 5. Tak, jest/Nie, nie ma jej 6. Tak, była/Nie, nie było jej 7. Tak, będziemy/Nie, nie będzie nas 8. Tak, będą/Nie, nie będzie ich

4. 1. do, po 2. do, po, dla 3. po, do 4. do, po, na, po 5. z, przez

5. 1. mój, mój, swój 2. twój, mój, swojego 3. jej, swoją, jej 4. jego, jego, swoją 5. nasz, swojego, nasz 6. wasz, nasz, swoim 7. ich, ich , swój

6. 1. wolniej 2. szybciej 3. lepiej 4. mniej 5. więcej 6. gorzej

7. 1. taka sama 2. taki sam 3. takie samo

Lekcja 16

1. 1. zamknąć albo otworzyć 2. działa, działa 3. zamknąć albo otworzyć 4. wybierasz

2. 1. Nie ma w domu owoców, nie ma warzyw 2. Nie mam ziemniaków 3. Nie lubię bananów 4. Nie ma ręczników 5. Nie ma foteli 6. Tu nie ma krzeseł 7. Nie mam płyt CD

3. 1. biletów 2. kaw, soków, piw 3. szaf, krzeseł, stołów, biurek, komputerów 4. owoców, bananów, jabłek 5. osób 6. jogurtów, jajek, bułek
4. 1. dobrych 2. nowych, nowych, nowych 3. drogich 4. moich 5. tych nowych
5. 1. rynku 2. szpitala 3. Placu Nowego 4. sklepu muzycznego 5. centrum, teatru
6. 1. jakiś 2. jakieś, jakąś 3. jakiś 4. jakiś 5. jakaś
7. 1. ani, ale 2. ani, ani 3. ale 4. ani, ani

Lekcja 17

1. 1. pokazać 2. obejrzeć 3. obejrzeć 4. pokazać
2. 1. Beaty 2. Michała 3. mojej babci 4. Marka 5. twojej mamy 6. mojej koleżanki
3. 1. telefonu 2. Warszawy 3. samochodów 4. naszej firmy 5. naszych artykułów 6. artykułów kosmetycznych 7. naszego biura
4. 1. Boznańskiej 2. Bacha 3. Chopina, Schuberta 4. Gawlińskiego, Steczkowskiej 5. Stinga 6. Horowitza
5. 1. z osiemnastego wieku 2. z dwunastego wieku 3. z dwudziestego wieku 4. z trzynastego wieku 5. z dziewiętnastego wieku
6. 1. panu 2. ci 3. mu 4. pani 5. mi 6. jej 7. wam 8. im 9. nam
8. 1. malarz 2. pisarz 3. reporter 4. reżyser 5. poeta 6. kompozytor
10. 1. Adama Nowaka, Monikę Nowak 2. Basię Jaworską, Darka Jaworskiego 3. Maćkiem Dąbrowskim, Beatą Dąbrowską 4. Michałem Kubiakiem, Kasią Kubiak.

Lekcja 18

1. masculine: 1. pracowałem 2. pracowałeś 3. pracował 4. mieszkałeś 5. mieszkałem 6. mieszkał 7. ożenił się 8. ożeniłeś się 9. ożeniłem się 10. urodziłeś się 11. urodziłem się 12. urodził się
feminine: 1. pracowałaś 2. pracowałam 3. pracowała 4. mieszkałaś 5. mieszkałam 6. mieszkała 7. wyszłaś za mąż 8. wyszłam za mąż 9. wyszła za mąż 10. urodziłaś się 11. urodziłam się 12. urodziła się
neuter: 1. urodziło się 2. mieszkało 3. pracowało

2. 1. chciałem, miałem, musiałem, wiedziałem 2. miał, chciał, musiał, chciała, musiała, miała

3. 1. pracowałem/łam w... 2. mieszkał w... 3. studiowała... 4. miał... 5. był...

4. 1. w zeszłym tygodniu 2. w zeszły piątek 3. w zeszłą środę 4. w zeszłym miesiącu 5. w zeszłym roku

6. a) 1. pracy 2. hotelu 3. lekcji 4. mnie

7. 1. twojego brata 2. Piotra 3. twojej siostry 4. Magdy

Lekcja 19

1. 1. robiliście, pisaliśmy, czytaliśmy 2. mieszkali, mieszkali 3. mieszkali, mieszkaliśmy 4. robiłyście, robiłyśmy, sprzątałyśmy, oglądałyśmy, rozmawiałyśmy 5. studiowały, studiowały

2. 1. Alice i Waldek/oni zwiedzili Wawel, byli na wystawie w Muzeum, spacerowali po Rynku i po Kazimierzu, pili dobre wino i jedli pyszne dania 2. (Oni) mieszkali w hotelu „Gala"

3. 1. chcieliśmy, musieliśmy, mieliśmy 2. chciałyśmy, musiałyśmy, miałyśmy

4. 1. pubie, kinie 2. operze, teatrze 3. restauracji, kolacji, 4. spotkaniu 5. salonie 6. kuchni

5. 1. dobrym 2. dobrej, japońskiej 3. moim 4. twoim

6. 1. dobrym filmie 2. nowym projekcie 3. prezencie 4. naszym spotkaniu

7. 1. tym razem, następnym razem 2. ostatnim razem

Lekcja 20

1. 1. czytałem, przeczytałem 2. napisałam, pisałam 3. robił, zrobił 4. wysyłała, wysłała 5. wracali, wrócili

2. 1. Zwykle, dziś 2. Często, wczoraj 3. Wczoraj, zwykle 4. Codziennie, dziś 5. Często, dziś

3. 1. mogłam 2. mogłem 3. mógł 4. mogła 5. mogłaś 6. mogłeś 7. mogliśmy 8. mogliście 9. mogli 10. mogłyśmy 11. mogłyście

5. 1. że 2. czy, czy 3. że 4. czy, że, że 5. czy, czy 6. czy

6. 1. Piotr zapytał, czy Ewa ma czas jutro rano.
Ewa odpowiedziała, że tak.
Piotr powiedział, że jutro jest fajny koncert i zapytał, czy Ewa/ona chce iść.
Ewa powiedziała, że chętnie.
2. Michał zapytał, czy Kasia lubi muzykę klasyczną.

Kasia odpowiedziała, że raczej nie.
Michał zapytał, czy (ona) ma płyty Milesa Davisa.
Kasia odpowiedziała, że tak.
3. Basia zapytała, czy Marcin może wezwać policję.
Marcin odpowiedział, że tak.

7. 1. bankomat, bankomat 2. wpłacić, numer konta 3. wypłacić 4. przelać

Lekcja 21

1. 1. zadzwonię 2. kupię 3. zrobię 4. pojadę 5. zapłacę 6. posprzątam 7. przeczytam
2. 1. zrobię 2. zapłaci 3. pojedziemy 4. przeczyta 5. pójdzie 6. napiszą 7. zadzwoni 8. porozmawia 9. wróci 10. zamówi
3. a) 1. kolacji 2. śniadaniu 3. spotkaniu 4. obiedzie 5. konferencji b) 1. na parterze 2. na widowni 3. na scenie 4. na balkonie
4. 1. Aniu 2. mamo 3. Beato 4. panie prezesie 5. pani prezes 6. pani Krysiu 7. panie Marku.
5. a) 1. która 2. który 3. które 4. które b) 1. który 2. która 3. która 4. który
6. 1. tego reżysera 2. tej śpiewaczki 3. tej aktorki 4. tego śpiewaka
7. 1. czegoś 2. kogoś 3. z kimś 4. coś
8. 1. siedemnastego czerwca 2. ósmego września 3. dwudziestego drugiego stycznia 4. dwudziestego piątego lutego

Lekcja 22

1. 1. przeczytaj 2. napisz 3. podaj 4. potrzymaj 5. weź 6. zrób
2. 1. napisz 2. pisz 3. przeczytaj 4. czytaj 5. dzwoń 6. zadzwoń 7. wracaj 8. wróć
3. 1. Niech pan zadzwoni jutro po południu 2. Niech pan przeczyta ten artykuł 3. Niech pan idzie już do domu 4. Niech pani przymierzy tę sukienkę 5. Niech pani zobaczy tę bluzkę
4. 1. większa 2. mniejszy 3. krótsza 4. dłuższa
5. 1. sobie 2. siebie 3. sobie 4. sobie 5. sobą
6. 1. gotówką 2. drobne 3. resztę 4. czekiem 5. kartą
7. 1. w lipcu, we wrześniu 2. w listopadzie 3. w grudniu 4. w sierpniu, w maju 5. w styczniu 6. w marcu 7. w lutym 8. w kwietniu 9. w czerwcu 10. w październiku
8. A. kupić B. rozmiar A. przymierzyć B. gotówką A. kartą

Lekcja 23

1. 1. potrzebuje 2. uczę się 3. szukam 4. życzę 5. potrzebujemy
2. masculine sg: 1. mógłbyś, mógłbym 2. mógłby
   feminine sg: 3. mogłabyś, mogłabym 4. mogłaby
   virile pl: 5. moglibyście, moglibyśmy 6. mogliby
   non-virile pl: 7. mogłybyście, mogłybyśmy 8. mogłyby
3. 1. mojej żonie 2. Agnieszce 3. swojemu synowi, swojej córce 4. Piotrowi 5. Monice 6. szefowi 7. Ani 8. Michałowi
4. 1. od siódmej do osiemnastej 2. od jedenastej do dwudziestej czwartej 3. od ósmej do dwudziestej 4. od dwunastej do dwudziestej drugiej 5. od dziewiątej do dziewiętnastej
6. 1. urlopu 2. muzyki klasycznej 3. radia 4. paszportu 5. języka francuskiego
7. 1.potrzebuję urlopu 2. potrzebny mi jest numer 3. potrzebny mi jest nowy sweter 4. potrzebuję twojej miłości 5. potrzebuję czasu 6. potrzebny mi jest ostatni raport
8. 1.wszędzie 2. zawsze 3. wszyscy 4. wszystko 5. każdy
9. 1. sam, sam, sam, sam 2. sama, sama, sama, sama 3. samo, samo, samo

Lekcja 24

1. 1. oglądanie 2. chodzenie 3. pisaniem 4. zrobienia 5. załatwienia 6. przygotowanie 7. strzyżenie, farbowanie
2. 1. pływanie 2. z pisaniem 3. coś do zrobienia 4. coś do załatwienia
3. 1. dobrego fryzjera 2. dobrą kosmetyczkę 3. dobrego dentystę, dobrego dentystę 4. dobrego prawnika
4. 1. do, u 2. na, u 3. u 4. do, na, u
5. 1. na, do 2. na, do 3. na, do
6. 1. z klientem 2. z Piotrem 3. z fryzjerem 4. z dyrektorem 5. z koleżanką

Lekcja 25

1. singular: 1. poszedłeś 2. poszedłem 3. poszedł 4. poszłaś 5. poszłam 6. poszła
   plural: 7. poszliśmy 8. poszliście 9. poszli 10. poszłyśmy 11. poszłyście 12. poszły

3. Possible answers: 1. Powinnaś iść na urlop 2. Powinieneś pójść do lekarza 3. Powinnaś z nim porozmawiać 4. Powinieneś mniej palić 5. Powinniście go naprawić/kupić nowy samochód
4. 1. co dwanaście godzin 2. rano i wieczorem. 3. wieczorem
5. 1. raz w miesiącu 2. trzy razy w tygodniu 3. dwa razy w miesiącu 4. raz w tygodniu 5. raz w miesiącu
6. 1. dobrego dentystę 2. dobrego ginekologa 3. dobrego okulistę 4. anginę, grypę 5. zawał
7. 1. Nowaka 2. Jaworskiego 3. Kunickiej. 4. Kubiak.
8. W rejestracji: A. zapisać się
U lekarza: A. dolega, B. bolą A. zbadać, rozebrać się, oddychać, nie oddychać, ubrać

Lekcja 26

1. 1. będziesz robić 2. będziecie robić 3. będą robić 4. będę grać 5. będziesz grać 6. będzie grać 7. będziemy oglądać 8. będziecie oglądać 9. będą czytać 10. będzie słuchać 11. będziecie słuchać 12. będę pisać 13. będziecie mieć
3. 1. Warszawę, Poznań 2. drogą 3. autostradą, drogą 4. ulicą
4. 1. Polacy 2. Włosi 3. profesorowie 4. studenci 5. aktorzy 6. koledzy 7. lekarze 8. pisarze 9. synowie
5. 1. wysocy Polacy 2. młodzi Szwedzi 3. bogaci studenci 4. dobrzy aktorzy 5. tędzy koledzy 6. sympatyczni kuzyni
6. 1. wszystkie 2. wszyscy 3. wszyscy 4. wszystkie 5. wszystkie
7. 1. Possible answers nad morze 2. w górach 3. do Zakopanego 4. do Grecji
8. 1. Tak, tutaj wolno parkować/Nie, tutaj nie wolno parkować 2. Tak, tu można palić./Nie, tu nie można palić 3. Tak, tu można zatrzymać się/Nie, tu nie można zatrzymać się 4. Tak, tu wolno spacerować/Nie, tu nie wolno spacerować
9. 1. Szczecinem 2. Łodzią, Żyrardowem 3. Olsztynem 4. Koninem

Lekcja 27

1. a) pogramy, potańczymy, popływamy b) poczytać, pooglądać, popisać
2. 1. umiesz, umiem 2. umiecie, umiemy 3. umie, umie 4. umieją, umieją
3. 1. umie, umie, zna, może 2. umie, umie, umie, zna, może

4. 1. nowych propozycjach 2. urodzinach 3. waszych planach 4. dobrych samochodach, naszych koleżankach 5. dużych firmach 6. imieninach 7. wakacjach
6. 1. gdzie 2. kiedy 3. gdy 4 gdzie
8. 1.kiedy 2. pewnego dnia/kiedyś 3. nagle 4. najpierw 5. potem 6. kiedy

Lekcja 28

1. 1. Tak, warto zwiedzić Wieliczkę/warto ją zwiedzić. 2. Tak, warto było tu przyjechać. Nie, nie warto było tu przyjechać 3. Tak, warto obejrzeć najnowszy film Petera Weira/jego najnowszy film 4. Nie, warto było w niego zainwestować/zainwestować w ten interes. 5. Tak, warto zamieszkać razem
2. 1. będziesz robiła, będę robiła 2. będziesz robił, będę grał, będę pływał 3. będzie czytała, będzie słuchała 4. będzie pisał, będzie dzwonił 5. będziecie robili, będziemy mieli 6. będą robili, będą pisali 7. będą robiły, będą czytały
3. 1. wyjeżdżasz, wyjeżdżam 2. wyjedziesz, wyjadę 3. wychodzę 4. wyjdę 5. przyjeżdża, przyjeżdża 6. przyjedziesz, przyjadę 7. przyjdziesz, przyjdę 7. przychodzi
5. 1. łyżka sosu 2. szklanka wina 3. kawałek sera 4. plasterek szynki 5. litr wody
6. 1. soku 2. mleka, cukru, makaronu 3. dżemu śliwkowego 4. sera żółtego 5. boczku, soli, pieprzu
7. 1. Agaty, Wojtka 2. mnie 3. szynki 4. ciebie
8. 1. inaczej 2. inna 3. inaczej 4. inny 5. tak samo 6. taka sama 7. tak samo

SŁOWNICZEK

a and
adres *m* address
aha oh! (I see)
aktor *m* actor
aktorka *f* actress
album *m* album (e.g. photo album)
ale but
aleja *f* avenue
Amerykanin *m* American (man)
Amerykanka *f* American (woman)
ananas *m* pineapple
angielski, -a, e *adj* English
angina *f* strep throat
Anglik *m* Englishman
antybiotyk *m* antibiotic
antyczny, -a, -e *adj* antique, ancient
antyk *m* (*pl* **antyki**) antique, antiquity
aparat fotograficzny *m* camera
apartament *m* suite
apteka *f* chemist
arbuz *m* watermelon
architekt *m*, *f* architect
aria *f* aria
artykuł *m* article
aspiryna *f* aspirin
asystent *m* (personal) assistant (*m*)
asystentka *f* (personal) assistant (*f*)
atmosfera *f* atmosphere
atrakcyjny, -a, -e *adj* attractive
autentyczny, -a, -e *adj* authentic
awizo *n* advice note (eg. of undelivered letter)

B

baba *f* simple old woman
babcia *f* grandmother
bać się *imperf* (**boję się, boisz się**) + *gen* to be afraid
badać *imperf* (**badam, badasz**) + *acc* to examine, look into
balejaż *m* highlights, streaks
balet *m* ballet
balkon *m* balcony
bałagan *m* mess
banan *m* banana
bank *m* bank
bankomat *m* cash dispenser
baranina *f* mutton
bardzo *adv* very
barok *m* Baroque
barokowy, -a, -e *adj* Baroque
barszcz biały *m* white broth
barszcz czerwony *m* beetroot soup
barszcz *m* type of soup
basen *m* swimming pool
benzyna *f* petrol
bezpiecznie *adv* safely
bezpieczny, -a, -e *adj* safe
beżowy, -a, -e *adj* beige
biały, -a, -e *adj* white
biblioteczka *f* bookcase
biec *imperf* (**biegnę, biegniesz**) to run
biedny, -a, -e *adj* poor
bielizna *f* underwear

bigos *m* traditional Polish dish with sauerkraut and meat
bilet *m* ticket
biologia *f* biology
biurko *n* desk
biuro *n* office
blisko *adv* near
blokować *imperf* (**blokuję, blokujesz**) to block, cancel
blondyn *m* fair-haired man
blondynka *f* fair-haired woman
bluzka *f* blouse
boczek *m* streaky bacon
bogaty, -a, -e *adj* rich
boleć *imperf* to hurt, ache
Bóg *m* (*gen* **Boga**) God
brać *imperf* (**biorę, bierzesz**) + *acc* to take
brat *m* brother
brązowy, -a, -e *adj* brown
broda *f* beard
brunet *m* dark-haired man
brunetka *f* dark- haired woman
brydż *m* bridge
brzeg *m* shore, bank (of a river)
brzmieć *imperf* to sound
brzoskwinia *f* peach
brzuch *m* stomach
brzydki, -a, -e *adj* ugly
budynek *m* building
burza *f* thunder, storm
but *m* (*pl* **buty**) shoe, boot
być (jestem, jesteś) to be

C

cały, -a, -e *adj* whole
cebula *f* onion
chcieć (chcę, chcesz) *imperf* to want
chemia *f* chemistry
chętnie *adv* with pleasure
Chiny *pl* China
chiński, -a, -e *adj* Chinese
chirurg *m* surgeon
chleb *m* bread
chłopak *m* boy
chodzić *imperf* **(chodzę, chodzisz)** to go
choreograf *m* choreographer
choreografia *f* choreography
choroba *f* illness, disease
chory, -a, -e *adj* ill, sick
chór *m* chorus, choir
chwileczkę (just) a moment
chyba probably
ciastko *n* small cake, piece of cake
ciasto *n* cake
ciągle still
ciekawość *f* curiosity
ciekawy, -a, -e *adj* interesting
cielęcina *f* veal
ciemnozielony, -a, -e *adj* dark green
ciepło *adv* warm, warmly
cieszyć się *imperf* **(cieszę się, cieszysz się)** to be pleased/ /delighted
ciocia *f* aunt
cmentarz *m* cemetery
co ci jest? what's the matter, what's up with you?
co miesiąc every month
co what
codziennie *adv* every day, daily
coś do picia something to drink
coś something
córka *f* daughter
cudowny, -a, -e *adj* wonderful, miraculous
cudzoziemiec *m* foreigner (*m*)

cudzoziemka *f* foreigner (*f*)
cukier *m* sugar
cytryna *f* lemon
czarny, -a, -e *adj* black
czas *m* time
czasami *adv* sometimes
Czechy *f* Czech Republic
czekać *imperf* **(czekam, czekasz)** + **na** + *acc* to wait (for)
czekolada *f* chocolate
czemu nie why not
czereśnie *pl* cherries
czerwony, -a, -e *adj* red
czeski, -a, -e *adj* Czech
cześć hello, goodbye
często *adv* often
czosnek *m* garlic
czteropokojowy, -a, -e *adj* four room (e.g. flat)
czuć *imperf* **(czuję, czujesz)** + *acc* to feel
czuły, -a, -e *adj* tender
czy *introduces a question*
czyj, czyja, czyje whose
czynny, -a, -e *adj* open (shops, etc.)
czytać *imperf* **(czytam, czytasz)** + *acc* to read

D

daleko *adv* far
danie *n* course, dish
dawny, -a, -e *adj* former
debet *m* debit
decyzja *f* decision
denerwować się *imperf* **(denerwuję się, denerwujesz się)** to annoy, irritate
dentysta *m* dentist (m)
dentystka *f* dentist (f)
dermatolog *m* dermatologist
deser *m* dessert
deszcz *m* rain
dla for
dlaczego why
dłoń *f* hand, palm
długi, -a, -e *adj* long
długo *adv* long
długopis *m* biro
doba *f* 24 hour period, day
dobry, -a, -e *adj* good
dobrze *adv* well
doczekać się *perf* **(doczekam się, doczekasz się)** + *gen* wait until
dodać *perf* **(dodam, dodasz)** + *acc* + **do** + *gen* to add
dodawać *imperf* **(dodaję, dodajesz)** + *acc* + **do** + *gen* to add
dojrzały, -a, -e *adj* mature, ripe
dokąd where (to)
dokładnie *adv* exactly, precisely
dokument *m* (identification) document
dolać *perf* **(doleję, dolejesz)** + *acc* + **do** + *gen* to pour (into)
dolegać *imperf* to bother, traub
dolewać *imperf* **(dolewam, dolewasz)** + *acc* + **do** + *gen* to pour (into)
domofon *m* entryphone
dostać *perf*. **(dostanę, dostaniesz)** + *acc* + **od** + *gen* to get, to receive
dostawać *imperf* **(dostaję, dostajesz)** + *acc* + **od** + *gen* to receive, to get
dość quite
dotąd to here

dowcip *m* joke
dowód osobisty *m* personal identity document
dres *m* track suit, shell suit
drink *m* (*acc, gen* **drinka**) cocktail, mixed drink
drobne *pl* (*gen* **drobnych**) small change
drobno *adv* finely, in small pieces
droga *f* road, way
drogi *adj* expensive, dear
drób *m* poultry
dusić *imperf* **(duszę, dusisz)** + *acc* to stew
dużo *adv* a lot of, much, many
duży, -a, -e *adj* big
dworzec autobusowy *m* bus station
dworzec kolejowy *m* railway station
dwuosobowy, -a, -e *adj* two person (e.g. flat)
dyktafon *m* dictaphone
dyrektor *m* director
dyskoteka *f* disco
dziadek *m* grandfather
dziadkowie *pl* grandparents
dział *m* department, branch, section
działać *imperf* to work, act
dzieciństwo *n* childhood
dzielnica *f* district, quarter
dziennikarka *f* journalist (f)
dziennikarstwo *n* journalism
dziennikarz *m* journalist (m)
dziewczyna *f* girl
dzięki thanks
dziękuję thank you
dzisiejszy, -a, -e *adj* today's
dziś, dzisiaj *m* today
dziwny, -a, -e *adj* strange
dzwonek *m* bell
dzwonić *imperf* **(dzwonię, dzwonisz)** **+do** + *gen* to call, phone, ring
dżinsy *pl* (*gen* **dżinsów**) jeans, denims

E

ekologia *f* ecology
ekonomia *f* economics
ekonomista *m* economist (m)
ekonomistka *f* economist (f)
ekspres *m* express (train)
elegancki, -a, -e *adj* elegant

F

facet *m* guy
fajny, -a, -e *adj* great
farba *f* tint, colour
farbować *imperf* **(farbuję, farbujesz)** + *acc* to colour
farbowanie *n* colouring
farmacja *f* pharmacy
fasola *f* beans
festiwal *m* festival
filharmonia *f* concert hall
filiżanka *f* cup, cupful
film *m* film
filologia angielska (anglistyka) *f* English studies (language and literature)
filologia polska (polonistyka) *f* Polish studies (language and literature)
filologia romańska (romanistyka) *f* French studies (language and literature)
firma *f* company

fizyka *f* physics
fotel *m* armchair
Francja *f* France
francuski, -a, e *adj* French
Francuzka *f* French woman
frytki *pl* French fries, chips
fryzjer *m* hairdresser (m)
fryzjerka *f* hairdresser (f)
fryzura *f* hairstyle, haircut

G

gadać *imperf* **(gadam, gadasz)** + **z** + *instr*; + **o** + *loc* to talk, chat
galeria *f* gallery
gardło *n* throat
garnitur *m* suit
gaz *m* gas
gazeta *f* newspaper
gdzie where
gdzieś somewhere
genialny, -a, -e *adj* brilliant, extremely clever
geografia *f* geography
ginekolog *m* gynaecologist
głęboko *adv* deeply
głodny, -a, -e *adj* hungry
głos *m* voice
głośnik *m* loudspeaker
głowa *f* head
główny, -a, -e *adj* main, head
głupi, -a, -e *adj* stupid
godzina *f* hour, time
golenie *n* shaving
golf *m* turtle-necked sweater
golf *m* golf
golić *imperf* **(golę, golisz)** + *acc* to shave
gorączka *f* (high) temperature, fever
gość *m* guest
gotować *imperf* **(gotuję, gotujesz)** + *acc* to cook, boil
gotowy, -a, -e *adj* ready, finished
gotówka *f* cash
gotycki, -a, -e *adj* Gothic
gotyk *m* Gothic
góra *f* (*pl* **góry**) mountain
gracz *m* player
grać (gram, grasz) +w + *acc*; + **na** + *loc* to play
gratulować *imperf* **(gratuluję, gratulujesz)** + *dat* + *gen* congratulate
groch *m* peas
groszek *m* (*gen* **groszku**) peas
gruszka *f* pear
grypa *f* flu
grzyby *pl* mushrooms
grzywka *f* fringe
guzik *m* button (on a CD player etc.)
gwiazda *f* star

H

hamować *imperf* **(hamuję, hamujesz)** to brake
hamulce *pl* brakes
herbata *f* tea
hipermarket *m* hypermarket
historia *f* history
Hiszpania *f* Spain
hiszpański, -a, -e *adj* Spanish
hobby *n* hobby, pastime
hokej *m* hockey
humor *m* humour, mood

I

i and

ile how much/how many

imieniny *pl* (*gen* **imienin**) nameday

imię *n* first name

inaczej *adv* differently

indyk *m* turkey

informacja *f* information

informatyk *m, f* computer scientist

informatyka *f* computer science

inny, -a, -e different

instruktor *m* instructor (m)

instruktorka *f* instructor (f)

intensywny, -a, -e *adj* intense, intensive

interesować się *imperf* **(interesuję się, interesujesz się)** + *instr* to be interested in

internista *m* general practitioner

iść *imperf* **(idę, idziesz)** to go (on foot)

J

jabłko *n* apple

jacht *m* yacht

jagnięcina *f* lamb

jajko *n* egg

jak how

jaki, jaka, jakie what kind of

jakieś some, about

jakiś, jakaś, jakieś a, some

jakość *f* quality

Japonia *f* Japan

japoński, -a, e *adj* Japanese

jasne! of course, clearly

jasny, -a, -e *adj* clear, bright, pale, light

jazz *m* jazz

jazzowy *adj* jazz

jechać *imperf* **(jadę, jedziesz)** to go (using some means of transport)

jednak however, but

jednoosobowy, -a, -e *adj* single (e.g. room)

jednostka *f* unit, individual

jedwab *m* (*gen* **jedwabiu**) silk

jesień *f* autumn

jeszcze still, yet

jeść (jem, jesz) + *acc* to eat

jeśli if

jezioro *n* lake

jeździć *imperf* **(jeżdżę, jeździsz)** to go (using some means of transport)

język *m* tongue

jogurt *m* yoghurt

już now, already

K

kaczka *f* duck

kajak *m* kayak

kalafior *m* cauliflower

kalendarz *m* calendar

kalkulator *m* calculator

kanapa *f* couch, sofa

kanapka *f* sandwich

kapok *m* life jacket

kapusta *f* cabbage

karta kredytowa *f* credit card

karta telefoniczna *f* telephone card

karta win wine list

kartka *f* postcard

kaszel *m* (*gen* **kaszlu**) cough

katar *m* catarrh, runny nose

katedra *f* cathedral

kawa *f* coffee
kawałek *m* (*gen* **kawałka**) bit, piece
kawiarnia *f* café
każdy each (*here*-everyone)
kelner *m* waiter
kelnerka *f* waitress
kiedyś sometime, once
kieliszek *m* (*gen* **kieliszka**) (wine) glass
kiełbasa *f* sausage
kierowca *m* driver
kilka a few, some, several
kilogram *m* kilogram
kino *n* cinema
kiosk *m* kiosk
klasa *f* class
klasycystyczny, -a, -e *adj* Classic(al)
klasycyzm *m* Classicism
klucz *m* (*pl* **klucze**) key, spanner
knajpa *f* informal word for an eating and/or drinking place
kobieco *adv* feminine
kobieta *f* woman
kochać *imperf* **(kocham, kochasz)** + *acc* to love
kochanie *n* darling
kochany, -a, -e *adj* dear
kolacja *f* supper, dinner (evening meal)
kolega *m* friend (m)
kolejka *f* queue
kolejowy, -a, -e *adj* railway *adj*
koleżanka *f* friend (f)
koło by, next to
komórka *f* mobile
kompromis *m* compromise
koncert *m* concert
konferencja *f* conference
koniak *m* brandy, cognac
koniec *m* end
koniecznie *adv* necessarily
kontakt *m* contact
konto *n* account
kontrola *f* check-up
koń *m* horse
kończyć *imperf* **(kończę, kończysz)** + *acc* to finish, end
koperta *f* envelope
kopytka *pl* small potato dumplings
korek *m* traffic-jam
kort *m* court
kostium *m* suit (skirt and jacket)
kosz *m* basket, bin
koszula *f* shirt
koszykówka *f* basketball
kościół *m* church
kot *m* cat
kotlet schabowy *m* pork cutlet in breadcrumbs
kradzież *f* theft, robbery
kraj *m* country
kran *m* tap (*US* faucet)
kraść *imperf* **(kradnę, kradniesz)** + *acc* + *dat* to steal
krawat *m* tie
kredyt *m* credit
kręcić *imperf* **(kręcę, kręcisz)** + *acc* to turn
kroić *imperf* **(kroję, kroisz)** + *acc* to cut, to slice, (to carve the meat)
kromka *f* slice (of bread)
krótki, -a, -e *adj* short
kryminał *m* crime novel
krzesło *n* chair
książeczka czekowa *f* cheque book

książka *f* book
księgowa *f* accountant (f)
księgowy *m* accountant (m)
kto who
ktoś somebody
którędy which way
który, -a, -e? which
kubek *m* (*gen* **kubka**) mug
kuchenka mikrofalowa *f* microwave oven
kuchnia *f* kitchen, cooking, food
kuchnia gazowa *f* gas cooker
kufel *m* (*gen* **kufla**) beer glass (pint)
kupić *perf* **(kupię, kupisz)** + *acc* to buy
kupować *imperf* **(kupuję, kupujesz)** + *acc* to buy
kurczak *m* chicken
kurier *m* courier
kurtka *f* short coat
kurtyna *f* curtain
kwiecień *m* (*gen* **kwietnia**) April
kwit *m* receipt, ticket

L

lampa *f* lamp
laryngolog *m* throat specialist
las *m* forest
lato *n* summer
ledwie barely, hardly
lekarka *f* doctor (*f*)
lekarz *m* doctor (*m*)
lekarz rodzinny *m* family doctor
lekceważyć *imperf* **(lekceważę, lekceważysz)** + *acc* to scorn, disregard
lekki, -a, -e *adj* light
lepiej *adv* better
leżeć *imperf* **(leżę, leżysz)** to lie (down)
liczyć się *imperf* **(liczę się, liczysz się)** to count, matter
list *m* letter
list polecony *m* registered letter
literatura *f* literature
literować *imperf* **(literuję, literujesz)** + *acc* to spell
litewski, -a, -e *adj* Lithuanian
litr *m* (*gen* **litra**) litre
Litwa *f* Lithuania
lodówka *f* fridge
lokal *m* type of restaurant
loża *f* box (in a theatre)
lubić *imperf* **(lubię, lubisz)** + *acc* to like
ludzie *pl* (*gen* **ludzi**) people

Ł

ładniejszy, -a, -e *adj* prettier, nicer
ładny, -a, -e *adj* pretty, nice
łatwy *adj* easy
łazienka *f* bathroom
łosoś *m* salmon
łódka *f* boat
łóżko *n* bed
łysy *adj* bald
łyżeczka *f* teaspoon, teaspoonful
łyżka *f* spoon, spoonful

M

magnetofon *m* tape recorder
makaron *m* pasta (used generally for all types)
malarka *f* painter (f)
malarstwo *n* painting

malarz *m* painter (m)
maliny *pl* raspberries
mały, -a, -e *adj* small
małżeństwo *n* married couple
mama *f* mum
mandarynka *f* mandarine
marchewka *f* carrot
marketing *m* marketing
martwić się *imperf* **(martwię się, martwisz się)** + *instr* to worry
marynarka *f* jacket
masło *n* butter
matematyka *f* mathematics
matka *f* mother
mąż *m* husband
mechanik *m* mechanic
mecz *m* match
medycyna *f* medicine
męski, -a, -e *adj* manly, masculine
miasto *n* town, city
mieć *imperf* **(mam, masz)** + *acc* to have
miejsce *n* place, seat
mieszać *imperf* **(mieszam, mieszasz)** + *acc* to live to stir
mieszkanie *n* flat
międzynarodowy, -a, -e *adj* international
mięsień *m,* (*pl* **mięśnie**) muscle
mięso *n* meat
miłość *f* (*gen* **miłości**) love
miły, -a, -e *adj* nice, pleasant
ministerstwo *n* ministry
minuta *f* minute
miseczka *f* small bowl
miska *f* bowl
miś *m* bear
miś pluszowy teddy bear
mleko *n* milk
młodszy, -a, -e *adj* younger
młody, -a, -e *adj* young
młotek *m* (*gen* **młotka**) hammer
mniejsza z tym anyway, never mind that (*when changing the subject*)
moda *f* fashion
morze *n* sea
może być it can be
może maybe, perhaps
mój, moja, moje my
mówić *imperf* **(mówię, mówisz)** + **o** + *loc* to say, tell to speak
musieć *imperf* **(muszę, musisz)** to have to
muzeum *n* museum
muzyk *m* musician
muzyka *f* music
mycie *n* wash, washing
myć *imperf* **(myję, myjesz)** + *acc* to wash
mysz *f* mouse
myśleć *imperf* **(myślę, myślisz)** + **o** + *loc* to think

N

na pewno *adv* certainly
na razie see you later
naciskać *imperf* **(naciskam, naciskasz)** + *acc* to press
nad above, by
nadzieja *f* hope
najbardziej *adv* (the) most
należy you should
napić się *perf* + *gen* to have a drink

napisać *perf* **(napiszę, napiszesz)** + *acc* to write
naprawdę really
naprawiać *imperf* **(naprawiam, naprawiasz)** + *acc* to repair, mend
naprawić *perf* **(naprawię, naprawisz)** + *acc* to repair, mend
nareszcie *adv* at last, finally
narodowość *f* nationality
narodowy, -a, -e *adj* national
narzekać *imperf* **(narzekam, narzekasz)** + **na** + *acc* to complain
następny, -a, -e *adj* next
nasz, -a, -e our
natka *f* parsley (the green part)
nauczyciel *m* teacher (m)
nauczycielka *f* teacher (f)
nauczyć się *perf* **(nauczę się, nauczysz się)** + *gen* to learn
nauka *f* (*pl* **nauki**) science
nauki polityczne *pl* political sciences
nauki społeczne *pl* social sciences
nawet even
nazwisko *n* surname
nazywać się *imperf* **(nazywam się, nazywasz się)** to be called
negocjować *imperf* **(negocjuję, nogocjujesz)** + *acc* + **z** + *instr* to negociate
nerki *pl* kidneys
nic nothing
nie no, not
nie ma za co not at all, you're welcome
niebezpiecznie *adv* dangerously
niebezpieczny, -a, -e *adj* dangerous
niebieski, -a, -e *adj* blue
niedługo *adv* soon
Niemcy *pl* Germany
niemiecki, -a, -e *adj* German
niemożliwy, -a, -e *adj* impossible
nieostrożnie *adv* carelessly
niepalący non-smokers
niespodzianka *f* surprise
niestety unfortunately
nieważne it's not important
nieważny, -a, -e *adj* unimportant
niezły, -a, -e *adj* not bad
niezupełnie *adv* not exactly
niezwykły, -a, -e *adj* unusual
nieźle *adv* not bad
nigdzie nowhere
niski, -a, -e *adj* low, short
niż than
noc *f* night
noga *f* leg
normalny, -a, -e *adj* normal
nos *m* nose
notes *m* notebook
nowy, -a, -e *adj* new
nóż *m* (*gen* **noża**) knife
numer konta *m* account number
numer number
numerek *m* numbered ticket or disc (e.g. in a cloackroom)

O

o about, concerning
O! Oh!

obciąć *perf* **(obetnę, obetniesz)** + *acc* to cut, clip
obcinać *imperf* **(obcinam, obcinasz)** + *acc* to cut, clip
obcinanie *n* cut, cutting
obecnie *adv* currently, at present
obejrzeć *perf* **(obejrzę, obejrzysz)** + *acc* to look at, watch
obiad *m* lunch, dinner (midday meal)
obok next to
obraz *m* painting, picture
obsługa *f* service
obywatelstwo *n* citizenship, nationality (on a document)
ocean *m* ocean
ochota *f* fancy
oczy *pl* eyes
oczywiście of course
od from, since
od...do... from…to…
odbierać *imperf* **(odbieram, odbierasz)** + *acc* to pick up, get
oddać *perf* **(oddam, oddasz)**+ *acc* + *dat* to give (back), return
oddawać *imperf* **(oddaję, oddajesz)** + *acc* + *dat* to give (back), return
oddychać *imperf* **(oddycham, oddychasz)** to breathe
odebrać *perf* **(odbiorę, odbierzesz)** + *acc* to pick up, get
odetchnąć *perf* **(odetchnę, odetchniesz)** to breathe
odjazd *m* departure
odjechać *perf* **(odjadę, odjedziesz)** to leave, depart (on wheels)
odjeżdżać *imperf* **(odjeżdżam, odjeżdżasz)** to leave, depart (on wheels)
odkurzacz *m* vacuum-cleaner
odlatywać *imperf* **(odlatuję odlatujesz)** to leave, depart (by air)
odlecieć *perf* **(odlecę, odlecisz)** to leave, depart (by air)
odnajdować *imperf* **(odnajduję, odnajdujesz)** + *acc* to find
odnaleźć *perf* **(odnajdę, odnajdziesz)** + *acc* to find
odpłynąć *perf* **(odpłynę, odpłyniesz)** to leave, depart (by water)
odpływać *imperf* **(odpływam, odpływasz)** to leave, depart (by water)
odpocząć *perf* **(odpocznę, odpoczniesz)** to rest, have a rest
odpoczywać *imperf* **(odpoczywam, odpoczywasz)** to rest, have a rest
odpowiadać *imperf* **(odpowiadam, odpowiadasz)** + **na** + *acc* + *dat* to answer, reply
odpowiedzialny, -a, -e *adj* responsible
odpowiedzieć *perf* **(odpowiem, odpowiesz)** + **na** + *acc* + *dat* to answer, reply
odpowiedź *f* (*gen* **odpowiedzi**) answer, reply
odtwarzacz CD *m* CD player

odtwarzacz *m* (*gen* **odtwarzacza**) player (cassette, CD, video)
odwaga *f* courage
odważny, -a, -e *adj* brave, courageous
odwiedzać *imperf* **(odwiedzam, odwiedzasz)** + *acc* to visit
odwiedzić *perf* **(odwiedzę, odwiedzisz)** + acc to visit (people)
odwiedziny *pl* visit
odżywka *f* conditioner
oferta *f* offer
oglądać *imperf* **(oglądam, oglądasz)** to watch, to look at
ogolić *perf* **(ogolę, ogolisz)** + *acc* to shave
ogórek *m* cucumber
ogród *m* garden
ojciec *m* father
okazja *f* chance, opportunity
okienko *n* window, counter
okno *n* window
oko *n* (*pl* **oczy**) eye
okolica *f* (*pl* **okolice**) area, region
okulary *pl* glasses, spectacles
okulista *m* eye specialist
ołówek *m* pencil
ołtarz *m* altar
opera *f* opera (house)
opisać *perf* **(opiszę, opiszesz)** + *acc* to describe
opisywać *imperf* **(opisuję, opisujesz)** + *acc* to describe
opowiadać *imperf* **(opowiadam, opowiadasz)** + *acc* + *dat* to tell, to talk (about)
opowiedzieć *perf* **(opowiem, opowiesz)** + *acc* + *dat* to tell, to talk (about)
oprócz apart from, aside from, beside(s)
organizować *imperf* **(organizuję, organizujesz)** + *acc* to organize
orkiestra *f* orchestra
oryginał *m* original
oskrzela *pl* bronchial tubes
osoba *f* person
osobno *adv* separately
osobny, -a, -e *adj* separate
ostatnio *adv* recently, lately
ostrożnie *adv* carefully
ostrzyć *perf* **(ostrzygę, ostrzyżesz)** + *acc* to cut (sb's) hair
otwarty, -a, -e *adj* open
otwierać *imperf* **(otwieram, otwierasz)** + *acc* to open
otworzyć *perf* **(otworzę, otworzysz)** + *acc* to open
owszem naturally, yes
ożenić się *perf* **(ożenię się, ożenisz się)** + **z** + *instr* to get married (*for a man*)

P

paczka *f* parcel, package
pada deszcz it's raining
pada śnieg it's snowing
padać to fall
pakować się *imperf* **(pakuję się, pakujesz się)** to pack
palący smokers
palić *imperf* **(palę, palisz)** + *acc* to smoke

pamiętać *imperf* **(pamiętam, pamiętasz)** + *acc* + o + *loc* to remember
pan *m* you (formal); *with names* – Mr.
pani *f* you (formal); *with names* – Miss, Mrs, Ms
państwo you (formal *pl*); *with names* – Mr. and Mrs
parasol *m* umbrella (large)
parasolka *f* umbrella (small)
parmezan *m* Parmesan
parówki *pl* frankfurter sausages
parter *m* stalls (in a theatre) ground floor
partia *f* part, role
pasek *m* strap, stripe
pasemka *pl* highlights, streaks
pasjonujący, -a, -e *adj* fascinating
pasować *imperf* **(pasuję, pasujesz)** + **do** + *gen* to fit, match, go with
paszport *m* passport
patelnia *f* frying pan
patrzeć *imperf* **(patrzę, patrzysz)** + **na** + *acc* to look
pech *m* bad luck
pechowy, -a, -e *adj* unlucky
pełny, -a, -e *adj* full
pensjonat *m* guest-house, boarding house
peron *m* platform
perspektywa *f* (*pl* **perspektywy**) perspective
pewny, -a, -e *adj* certain, sure
pęknąć *perf* burst, to crack, rip
piasek *m* sand
piątek *m* Friday
pić *imperf* **(piję, pijesz)** + acc to drink
piec *imperf* **(piekę, pieczesz)** + *acc* to bake, roast
pieczeń cielęca *f* roast veal
pieczeń jagnięca *f* roast lamb
pieczeń wieprzowa *f* roast pork
pieczeń wołowa *f* roast beef
pieczony, -a, -e *adj* roast, baked
pieniądze *pl* money
pierogi *pl* small hollow dumplings
pies *m* dog
pieśń *f* song (classical)
pietruszka *f* parsley root
piękny, -a, -e *adj* beautiful
piętro *n* floor
pilaw *m* pilau
pilny, -a, -e *adj* urgent
pilot *m* navigator
piłka nożna *f* football
piosenka *f* song (popular)
pisać *imperf* **(piszę, piszesz)** + *acc* to write
pisarka *f* writer (f)
pisarz *m* writer (m)
piwo *n* beer
plac *m* place, square
plan *m*, (*pl* **plany**) plan
planowy *adj* scheduled, planned
plasterek *m* (*gen* **plasterka**) slice
plaża *f* beach
plecy *pl* back
płacić *imperf* **(płacę, płacisz)** + **za** + *acc* to pay

płaszcz *m* (*gen* **płaszcza**) (over)coat
płatny, -a, -e *adj* paid
płuca *pl* lungs
płyta *f* record, CD, disc
pływać *imperf* **(pływam, pływasz)** to swim
pobiec *perf* **(pobiegnę, pobiegniesz)** to run
pobyt *m* (*loc* **o pobycie**) stay
pochodzenie *n* origin, descent
pochodzić *imperf* **(pochodzę, pochodzisz)** to come from, derive from, date from
pociąg ekspresowy express train
pociąg *m* train
poczta *f* post office
poczuć *perf* **(poczuję, poczujesz)** + *acc* to feel
podać *perf* **(podam, podasz)** + *acc* + *dat* to pass, give, serve
podawać *imperf* **(podaję, podajesz)** + *acc* + *dat* to pass, give, serve
podchodzić *imperf* **(podchodzę, podchodzisz)** to approach, come up
podejść *perf* **(podejdę, podejdziesz)** to approach, come up
poderwać *perf* **(poderwę, poderwiesz)** + *acc* to pick up
podkoszulek *m* (*gen* **podkoszulka**) vest, undershirt
podobać się *imperf* **(podobam się, podobasz się)** + *dat* to like, to be pleasing to
podobny, -a, -e *adj* similar
podpis *m* signature
podpisać *perf* **(podpiszę, podpiszesz)** + *acc* to sign
podpisywać *imperf* **(podpisuję, podpisujesz)** + *acc* to sign
podrywać *imperf* **(podrywam, podrywasz)** + *acc* to pick up
podsmażać *imperf* **(podsmażam, podsmażasz)** + *acc* to fry lightly
podsmażyć *perf* **(podsmażę, podsmażysz)** + *acc* to fry lightly
pogadać *perf* **(pogadam, pogadasz)** + **z** + *instr*; + **o** + *loc* to talk, chat
pogoda *f* weather
pokazać *perf* **(pokażę, pokażesz)** + *acc* + *dat* to show
pokazywać *imperf* **(pokazuję, pokazujesz)** + *acc* + *dat* to show
poker *m* poker
pokochać *perf* **(pokocham, pokochasz)** + *acc* to love
pokój *m* (*pl* **pokoje**) room
pokroić *perf* **(pokroję, pokroisz)** + *acc* to cut, to slice, (to carve the meat)
pokrojony, -a, -e *adj* sliced, cut
polecać *imperf* **(polecam, polecasz)** + *dat* + *acc* to recommend
policja *f* police
policjant *m* policeman
policjantka *f* policewoman
polityka *f* politics
Polska *f* Poland
polski, -a, -e *adj* Polish
połączenie *n* connection

połowa *f* middle, half
południe *n* south
południe *n* midday, noon
południowy, -a, -e *adj* southern
pomagać *imperf* **(pomagam, pomagasz)** + *dat* + **w** + *loc* to help
pomarańcza *f* orange
pomarańczowy, -a, -e *adj* orange
pomidor *m* tomato
pomieszkać *perf* **(pomieszkam, pomieszkasz)** to live (temporarily)
pomnik *m* monument
pomóc *perf* **(pomogę, pomożesz)** + *dat* + **w** + *loc* to help
pomyłka *f* mistake, wrong number
pomysł *m* idea
poproszę please, I'd like
poprowadzić *perf* **(poprowadzę, poprowadzisz)** + *acc* to drive, lead
por *m* leek
portfel *m* wallet
porzeczki *pl* currants
posłuchać *perf* **(posłucham, posłuchasz)** + *gen* to listen (to)
pospieszyć *perf* **(pospieszę się, pospieszysz się)** to rush, be in a hurry
postawić *perf* **(postawię, postawisz)** + *acc* to put, place, stand (a drink, etc.)
poszukać *perf* **(poszukam, poszukasz)** + *gen* to look for
potrzebny, -a, -e *adj* necessary, needed
potrzebować *imperf* **(potrzebuję, potrzebujesz)** + *gen* to need
potrzymać *perf* **(potrzymam, potrzymasz)** + *acc* to hold
poważny, -a, -e *adj* serious
powiedzieć *perf* **(powiem, powiesz)** + **o** + *loc* to say, tell
powinien he should
powodzenia! good luck! (*lit.* success!)
powód *m* reason, cause
powtórzyć *perf* **(powtórzę, powtórzysz)** + *acc* to repeat
poza tym besides
poziom *m* level, standard
pozostały, -a, -e *adj* remaining, left (over)
pożyczać *imperf* **(pożyczam, pożyczasz)** + *acc* + *dat;*+ **od** + *gen* to lend, borrow
pożyczyć *perf* **(pożyczę, pożyczysz)** + *acc* + *dat;*+ **od** + *gen* to lend, borrow
pójść *perf* **(pójdę, pójdziesz)** to go (on foot)
pół half
półka *f* shelf
półmisek *m* (*gen* **półmiska**) oval shaped dish
północ *f* north
północny, -a, -e *adj* northern
późno *adv* late
prababcia *f* great-grandmother
praca work, job
pracować *imperf* **(pracuję, pracujesz)** to work
pracowity, -a, -e *adj* hard-working
pracownik *m* employee, worker

pradziadek *m* great-grandfather
praktyczny, -a, -e *adj* practical
praktyka *f* practice
pralka *f* washing machine
pralnia *f* laundry (the place)
pranie *n* laundry, washing
prawda *f* truth, true
prawdę mówiąc to tell the truth
prawdziwy, -a, -e *adj* real, genuine
prawniczka *f* lawyer (f)
prawnik *m* lawyer (m)
prawnuczka *f* great-granddaughter
prawnuk *m* great-grandson
prawo jazdy *n* driving licence
prawo *n* law
prąd *m* electricity
prezent *m* present
prezes *m* president, managing diector
procent *m* percent
projekt *m* project
proponować *imperf* **(proponuję, proponujesz)** + *acc* + *dat* to propose, suggest
propozycja *f* suggestion, proposition
prosto *adv* straight on
proszę please
protokół *m* report
prowadzić *imperf* **(prowadzę, prowadzisz)** + *acc* to drive, lead
próbować *imperf* **(próbuję, próbujesz)** to try
prywatnie *adv* privately
przed before, in front of
przede wszystkim above all
przedpokój *m* hall
przedstawienie *n* show
przedtem *adv* previously, before (that)
przekazać *perf* **(przekażę, przekażesz)** + *acc* + *dat* to pass on, hand over
przekazywać *imperf* **(przekazuję, przekazujesz)** + *acc* + *dat* to pass on, hand over
przelać *perf* **(przeleję, przelejesz)** + *acc* to transfer (money)
przelew *m* transfer
przelewać *imperf* **(przelewam, przelewasz)** + *acc* to transfer (money)
przeliterować *perf* **(przeliteruję, przeliterujesz)** + *acc* to spell
przepis *m* recipe
przepraszam excuse me
przesadzać *imperf* **(przesadzam, przesadzasz)** to exaggerate
przesadzić *perf*. **(przesadzę, przesadzisz)** to exaggerate
przestać *perf* **(przestanę, przestaniesz)** to stop
przestawać *imperf* **(przestaję, przestajesz)** to stop
przez by, for, via
przeziębienie *n* cold
przód *m* front
przy by, at
przychodnia *f* medical centre, clinic
przychodzić *imperf* **(przychodzę, przychodzisz)** to come, arrive (on foot)

przyglądać się *imperf* **(przyglądam się, przyglądasz się)** + *dat* to observe, watch
przygotować *perf* **(przygotuję, przygotujesz)** + *acc* to prepare
przygotowywać *imperf* **(przygotowuję, przygotowujesz)** + *acc* to prepare
przyjaciel *m* (good) friend, boyfriend
przyjaciółka *f* (good) friend, girlfriend
przyjąć *perf* **(przyjmę, przyjmiesz)** + *acc* to accept, admit, receive
przyjechać *perf* **(przyjadę, przyjedziesz)** to arrive, come (on wheels)
przyjemny, -a, -e *adj* pleasant
przyjeżdżać *imperf* **(przyjeżdżam, przyjeżdżasz)** to arrive, come (on wheels)
przyjęcie *n* party, reception
przyjmować *imperf* **(przyjmuję, przyjmujesz)** + *acc* to accept, admit, receive
przyjrzeć się *perf* **(przyjrzę się, przyjrzysz się)** + *dat* to observe, watch
przyjść *perf* **(przyjdę, przyjdziesz)** to come, arrive (on foot)
przykład *m* example
przykro mi I'm sorry
przylatywać *imperf* **(przylatuję, przylatujesz)** to arrive, come (by air)
przylecieć *perf* **(przylecę, przylecisz)** to arrive, come (by air)
przymierzać *imperf* **(przymierzam, przymierzasz)** + *acc* to try on
przymierzalnia *f* fitting room
przymierzyć *perf* **(przymierzę, przymierzysz)** + *acc* to try on
przynajmniej at least
przypłynąć *perf* **(przypłynę, przypłyniesz)** to arrive, come (by water)
przypływać *imperf* **(przypływam, przypływasz)** to arrive, come (by water)
przystawka *f* starter, hors d'oeuvre
przystojny, -a, -e *adj* handsome, good-looking
przyszły, -a, -e *adj* future, next
przytulny, -a, -e *adj* cosy
pstrąg *m* trout
psychiatra *m* psychiatrist
pub *m* pub
pusty, -a, -e *adj* empty
pyszny, -a, -e *adj* delicious, scrumptious
pytać *imperf* **(pytam, pytasz)** + *acc* + **o** + *acc* to ask

R

rachunek *m* bill, check (US)
racja *f* right, reason
raczej rather
rada *f* (piece of) advice
radio *n* radio
radość *f* (*gen* **radości**) happiness, joy
radzić sobie *imperf* **(radzę sobie, radzisz sobie)** + z + *instr* to look after oneself

rajstopy *pl* tights, pantihose
rak *m* cancer
rano *adv* in the morning
raport *m* report
raz *m* time
razem together
rączka *f* diminutive of **ręka** – hand
realizm *m* realism
regał *m* bookshelf
reklamować *imperf* **(reklamuję, reklamujesz)** + *acc* to advertise
rekrutacja *f* recruitment
reporter *m* reporter
restauracja *f* restaurant
reszta *f* change, rest
rezerwacja *f* reservation
reżyser filmowy *m* film director
reżyser *m* director
reżyser teatralny *m* theatrical director
reżyseria *f* direction
ręcznik *m* towel
ręka *f* (*pl* **ręce**) arm, hand
risotto *n* risotto
robić *imperf* **(robię, robisz)** + *acc* do, make
rodzeństwo *n* brothers and sisters
rodzice *pl* parents
rodzić się *imperf* **(rodzę się, rodzisz się)** to be born
romański, -a, -e *adj* Romanesque
Rosja *f* Russia
rosół *m* (*gen* **rosołu**) stock, consomme, broth
rosyjski, -a, -e *adj* Russian
rozbierać się *imperf* **(rozbieram się, rozbierasz się)** to get undressed
rozczarowany, -a, -e *adj* disappointed
rozebrać się *perf* **(rozbiorę się, rozbierzesz się)** to get undressed
rozgrzany, -a, -e *adj* heated
rozmawiać *imperf* **(rozmawiam, rozmawiasz)** + **z** + *instr* + **o** + *loc* speak, talk
rozmiar *m* size
rozmowa *f* conversation
roztapiać *imperf* **(roztapiam, roztapiasz)** + *acc* to melt
roztargniony, -a, -e *adj* absent-minded
roztopić *perf* **(roztopię, roztopisz)** + *acc* to melt
róg *m* corner
różowy, -a, -e *adj* pink
ruch uliczny traffic
rum *m* rum
rura *f* pipe
ruszać *imperf* **(ruszam, ruszasz)** to start
ruszyć *perf* **(ruszę, ruszysz)** to start
ryba *f* fish
rynek *m* marketplace, market
ryż *m* rice
rzadko *adv* rarely
rząd *m* row, line
rzeźba *f* sculpture

S

sad *m* orchard
sala *f* room
salon *m* living room

sam, sama, samo alone, by oneself
samochód *m* car
samodzielny, -a, -e *adj* independent, self-reliant
scena *f* scene, stage
scenografia *f* stage design
schab *m* pork loin
sens *m* sense
ser *m* cheese
serce *n* heart
siadać *imperf* **(siadam, siadasz)** to sit down
siatkówka *f* volleyball
siebie see **się**
siedzieć (siedzę, siedzisz) *imperf* to sit
się oneself
silnik *m* engine, motor
silny, -a, -e *adj* strong
siłownia *f* fitness club
siostra *f* sister
skarpeta *f* (*pl* **skarpety**) sock
sklep *m* shop
skończyć *perf* **(skończę, skończysz)** + *acc* to finish, end
skóra *f* leather, skin
skręcać *imperf* **(skręcam, skręcasz)** to turn
skręcić *perf* **(skręcę, skręcisz)** to turn
słaby, -a, -e *adj* weak, poor
słodycze *pl* sweets, biscuits, cakes, etc.
słoik *m* (*gen* **słoika**) jar
słonecznie *adv* sunny
Słowacja *f* Slovakia
słowacki, -a, -e *adj* Slovak
słuchać *imperf* **(słucham, słuchasz)** + *gen* to listen (to)
słucham? sorry?
słynny, -a, -e *adj* famous
smacznego! bon appetit!
smaczny, -a, -e *adj* tasty
smakować *imperf* + *dat* to taste
smażyć *imperf* **(smażę, smażysz)** + *acc* to fry
smutny, -a, -e *adj* sad
sobie see **się**
socjologia *f* sociology
sok *m* juice
sola *f* sole
solista *m* soloist (m)
solistka *f* soloist (f)
spacer *m* (*loc* **na spacerze**) walk
spać *imperf* **(śpię, śpisz)** to sleep
spakować się *perf* **(spakuję się, spakujesz się)** to pack
specjalność *f* speciality
spektakl *m* show
spędzać *imperf* **(spędzam, spędzasz)** + *acc* to spend (*for time only*)
spieszyć się *imperf* **(spieszę się, spieszysz się)** to rush, be in a hurry
spodnie *pl* (*gen* **spodni**) trousers (*US* pants)
spodobać się *perf* **(spodobam się, spodobasz się)** + *dat* to like (to be pleasing to)
spokojny, -a, -e *adj* calm
spokój *m* calmness, quiet
sport *m* sport
spotkać się *perf* **(spotkam się, spotkasz się)** + *instr* to meet
spotkanie *n* meeting

spotykać się *imperf* **(spotykam się, spotykasz się)** + **z** + *instr* to meet
spódnica *f* skirt
sprawa *f* business, affair (*pl* things)
sprawdzać *imperf* **(sprawdzam, sprawdzasz)** + *acc* to check
sprawdzić *perf* **(sprawdzę, sprawdzisz)** + *acc* to check
spróbować *perf* **(spróbuję, spróbujesz)** to try
sprzątać *imperf* **(sprzątam, sprzątasz)** + *acc* to do the cleaning
stacja benzynowa *f* petrol/gas station
stać *imperf* **(stoję, stoisz)** to stand
stać się to happen, get, become
stadion *m* stadium
stan cywilny *m* marital status
stanowisko *n* position, post, stand, bay (at the bus station)
Stany Zjednoczone United States
starszy, -a, -e *adj* older
starty, -a, -e *adj* grated
stary, -a, -e *adj* old
stawiać *imperf* **(stawiam, stawiasz)** + *acc* to put, place, stand (a drink, etc.)
staż *m* training course
stolik *m* table (in a restaurant)
stomatolog/dentysta *m* dentist
stopa *f* foot
stopień *m* (*pl* **stopnie**) degree
stół *m* (*gen* **stołu**) table
strata *f* waste
strona *f* side
strzyc *imperf* **(strzygę, strzyżesz)** + *acc* to cut (sb's) hair
strzyżenie *n* hair-cutting
studiować *imperf* **(studiuję, studiujesz)** + *acc* to study
stypendium *n* scholarship
sukienka *f* dress
suszony, -a, -e *adj* dried, dessicated
sweter *m* (*gen* **swetra**) sweater, jumper
swobodnie *adv* fluently
swój, swoja, swoje one's, my, your, his, her, our, their
syn *m* son
sypialnia *f* bedroom
systematyczność *f* regularity, method
systematyczny, -a, -e *adj* systematic, methodical
szachy *pl* chess
szafa *f* wardrobe
szafka *f* **(kuchenna)** (kitchen) cupboard
szampan *m* sparkling wine, champagne
szampon *m* shampoo
szansa *f* chance, opportunity
szary, -a, -e *adj* grey
szatnia *f* cloakroom
szatniarz *m* cloakroom-attendant
szatyn *m* man with chestnut hair
szatynka *f* woman with chestnut hair
szczęście *n* (good) luck, happiness
szczęśliwy, -a, -e *adj* happy, lucky

szczupły, -a, -e *adj* slim
szczypta *f* pinch
szef *m* boss
szklanka *f* glass, cupful
szkoła *f* school
szpital *m* hospital
sztućce *pl* cutlery
sztuka *f* art
szukać *imperf* **(szukam, szukasz)** + *gen* to look for
szyja *f* neck
szynka *f* ham

Ś
ślad *m* trace
śledź *m* herring
śliczny, -a, -e *adj* lovely, pretty, sweet
śliwka *f* plum
śniadanie *n* breakfast
śnieg *m* snow
śpiewaczka *f* singer (f)
śpiewać *imperf* **(śpiewam, śpiewasz)** + *acc* to sing
śpiewak *m* singer (m)
środek *m* centre, middle
świat *m* world
świetnie *adv* excellently
świetny, -a, -e *adj* excellent
świeży, -a, -e *adj* fresh

T
tajemniczy, -a, -e *adj* mysterious
tak samo *adv* (just) the same
tak yes
taki sam, taka sama, takie samo (just) the same
taki sobie, taka sobie, takie sobie so-so
taki, taka, takie so, such
taksówka *f* taxi
także also, as well, too
talerz głęboki deep plate
talerz *m* (*gen* **talerza**) plate
talerz płytki shallow plate
talerzyk *m* (*gen* **talerzyka**) saucer, small plate
tam there
tani *adj* cheap
tata *m* dad
tańczyć *imperf* **(tańczę, tańczysz)** + *acc;* + **z** + *instr* to dance
teatr *m* theatre
teczka *f* briefcase, folder
telefon komórkowy *m* mobile phone
telefon *m* telephone
telewizja *f* television
telewizja satelitarna *f* satellite television
telewizor *m* television
temat *m* subject, topic, theme
temperatura *f* temperature
temu ago
ten sam, ta sama, to samo the same
ten, ta, to this
tenis *m* tennis
teraz now
też also, too
tędy this way
tęgi, -a, -e *adj* fat
to it, this
toast *m* toast (with drinks)
tor *m* track
torebka *f* bag, handbag
trochę a little, a bit
trudny *adj* difficult

truskawki *pl* strawberries
trwała *f* perm
trzeba it's necessary, you need
trzymać *imperf* **(trzymam, trzymasz)** + *acc* to hold
tu here
tuńczyk *m* tuna
tutaj here
twarz *f* (*gen* **twarzy**) face
twój, twoja, twoje your, yours
ty you (sg.)
tyle so much/many
tylko just, only
tył *m* back
tysiąc (*pl* **tysiące**) thousand

U
ubierać się *imperf* **(ubieram się, ubierasz się)** to get dressed
ubrać się *perf* **(ubiorę się, ubierzesz się)** to get dressed
ucho *n* (*pl* **uszy**) ear
uciec *perf* **(ucieknę, uciekniesz)** to run away
uciekać *imperf* **(uciekam, uciekasz)** to run away
ucieszyć się *perf* **(ucieszę się, ucieszysz się)** to be pleased/ /delighted
uczyć się *imperf* **(uczę się, uczysz się)** + *gen* to learn
udać się *perf* to be a success
udusić *perf* **(uduszę, udusisz)** + *acc* to stew
udziec barani *m* leg of mutton
ufarbować *perf* **(ufarbuję, ufarbujesz)** + *acc* to colour
ugotować *perf* **(ugotuję, ugotujesz)** + *acc* to cook, boil
układ *m* arrangement
ukochany, -a, -e *adj* beloved
Ukraina *f* Ukraine
ukraiński, -a, -e *adj* Ukrainian
ukraść *perf* **(ukradnę, ukradniesz)** + *acc* + *dat* to steal
ulica *f* street
ulubiony, -a, -e *adj* favourite
umawiać się *imperf* **(umawiam się, umawiasz się)** + **z** + *instr* to make an appointment
umieć *imperf* **(umiem, umiesz)** to know how to, be able to, can
umierać *imperf* **(umieram, umierasz)** + **na** + *acc* to die
umówić się *perf* **(umówię się, umówisz się)** + **z** + *instr* to make an appointment
umówiony, -a, -e *adj* booked (i.e. having an appointment)
umrzeć *perf* **(umrę, umrzesz)** + **na** + *acc* to die
umyć *perf* **(umyję, umyjesz)** + *acc* to wash
uogólniać *imperf* **(uogólniam, uogólniasz)** + *acc* to generalise
uogólnić *perf* **(uogólnię, uogólnisz)** + *acc* to generalise
upiec *perf* **(upiekę, upieczesz)** + *acc* to bake, roast
urodzić się *perf* **(urodzę się, urodzisz się)** to be born
urodziny *pl* birthday
usiąść *perf* **(usiądę, usiądziesz)** to sit down
usmażyć *perf* **(usmażę, usmażysz)** + *acc* to fry

usta *pl* mouth
uwielbiać *imperf* **(uwielbiam, uwielbiasz)** to adore
uwierzyć *perf* **(uwierzę, uwierzysz)** + *dat*; + **w** + *acc* to believe
użyć *perf* **(użyję, użyjesz)** + *gen* to use
używać *imperf* **(używam, używasz)** + *gen* to use

W
w lewo to the left
w prawo to the right
w in
walizka *f* suitcase
wapno *n* calcium
wariat *m* madman, lunatic
warsztat *m* workshop (e.g. music workshop)
warto it's worth
warunek *m* (*pl* **warunki**) condition
warzywa *pl* vegetables
wasz, -a, -e your
ważny, -a, -e *adj* important
wąsy *pl* moustache
wątroba *f* liver
wcale nie not at all
wcześniej *adv* earlier
wersja *f* version
wędliny *pl* cured and smoked meat products
wiadomość *f* news
wiatr *m* wind
widelec *m* (*gen* **widelca**) fork
wideo *n* video
widny, -a, -e *adj* light
widoczny, -a, -e *adj* visible
widok *m* view
widownia *f* audience, auditorium
widzieć *imperf* **(widzę, widzisz)** + *acc* to see
wieczór *m* evening
wiedzieć *imperf* **(wiem, wiesz)** to know
wiek *m* age
wiele a lot of, many, much
Wielka Brytania *f* Great Britain
wieprzowina *f* pork
wierzyć *imperf* **(wierzę, wierzysz)** + *dat*; + **w** + *acc* to believe
wieszak *m* coat hanger
wieś *f* (*gen* **wsi**) village, country
wieża hi-fi *f* hi-fi unit (*lit.* – tower)
więc so, therefore
większość *f* majority
większy, -a, -e *adj* bigger
Wiking *m* Viking
winda *f* lift
wino *n* wine
winogrona *pl* grapes
wiosna *f* spring
wiśnie *pl* cherries (bitter)
wkładać *imperf* **(wkładam, wkładasz)** + *acc* to insert, put in
właściciel *m* owner
właśnie just
włączać *imperf* **(włączam, włączasz)** + *acc* to turn on, switch on
włączyć *perf* **(włączę, włączysz)** + *acc* to turn on, switch on
Włochy *f* Italy
włoski, -a, -e *adj* Italian

włosy *pl* hair
włożyć *perf* **(włożę, włożysz)** + *acc* to insert, put in
wnuczka *f* granddaughter
wnuk *m* grandson
woda *f* water
woda mineralna *f* mineral water
woleć *imperf* **(wolę, wolisz)** + *acc* to prefer
wolno, nie wolno it is allowed, it is not allowed
wolny, -a, -e *adj* free, unoccupied
wołowina *f* beef
wódka *f* vodka
wpłacać *imperf* **(wpłacam, wpłacasz)** + *acc* to pay in
wpłacić *perf* **(wpłacę, wpłacisz)** + *acc* to pay in
wracać *imperf* **(wracam, wracasz)** to return, come back
wrak *m* wreck
wrócić *perf* **(wrócę, wrócisz)** to return, come back
wschodni, -a, -e *adj* eastern
wschód *m* east
wspaniały, -a, -e *adj* wonderful, splendid, magnificent
wspominać *imperf* **(wspominam, wspominasz)** + *acc* recall, remember
wspólnie *adv* together, jointly
współpraca *f* cooperation
wszędzie everywhere
wszyscy everybody
wszystkie all
wszystko jedno it's all the same, I don't mind
wszystko everything
wtedy then
wujek *m* uncle
wybierać *imperf* **(wybieram, wybierasz)** + *acc* to choose
wybór *m* choice
wybrać *perf* **(wybiorę, wybierzesz)** + *acc* to choose
wychodzić *imperf* **(wychodzę, wychodzisz)** to go out, leave, work out
wychodzić za mąż *imperf* **(wychodzę, wychodzisz)** to get married (*for a woman*)
wydawać się *imperf* to seem, appear
wydział *m* department, faculty
wyglądać *imperf* **(wyglądam, wyglądasz)** to look (interesting, smart etc.)
wygodny, -a, -e *adj* comfortable, convenient
wyjątkowo *adv* exceptionally
wyjątkowy, -a, -e *adj* exceptional, unusual, special
wyjechać *perf* **(wyjadę, wyjedziesz)** to leave, to go away
wyjeżdżać *imperf* **(wyjeżdżam, wyjeżdżasz)** to leave, go away
wyjść *perf* **(wyjdę, wyjdziesz)** to go out, leave
wyjść za mąż *perf* **(wyjdę, wyjdziesz)** to get married (*for a woman*)
wykluczone out of the question
wyłączać *imperf* **(wyłączam, wyłączasz)** + *acc* to disconnect
wyłączyć *perf* **(wyłączę, wyłączysz)** + *acc* to disconnect
wynająć *perf* **(wynajmę, wynajmiesz)** + *acc* to rent, hire

wynajmować *imperf* **(wynajmuję, wynajmujesz)** + *acc* to rent, hire
wynegocjować *perf* **(wynegocjuję, wynegocjujesz)** + *acc* + z + *instr* to negociate
wypożyczać *imperf* **(wypożyczam, wypożyczasz)** + *acc* to rent, hire
wypożyczyć *perf* **(wypożyczę, wypożyczysz)** + *acc* to rent, hire
wyprzedzać *imperf* **(wyprzedzam, wyprzedzasz)** + *acc* to pass, overtake
wyprzedzić *perf* **(wyprzedzę, wyprzedzisz)** + *acc* to pass, overtake
wysłać *perf* **(wyślę, wyślesz)** + *acc* + *dat* to send
wysoki, -a, -e *adj* tall, high
wyspa *f* island
wystarczać *imperf* **(wystarczam, wystarczasz)** to be enough
wystarczyć *perf* **(wystarczę, wystarczysz)** to be enough
wystawa *f* exhibition, show
wysyłać *imperf* **(wysyłam, wysyłasz)** + *acc* + *dat* to send
wziąć *perf* **(wezmę, weźmiesz)** + *acc* to take

Z

z with, from
za in (*when talking about time*)
zabawka *f* toy
zablokować *perf* **(zablokuję, zablokujesz)** to block, cancel
zachodni, -a, -e *adj* western
zachód *m* west
zacząć *perf* **(zacznę, zaczniesz)** + *acc* to begin, start
zaczynać *imperf* **(zaczynam, zaczynasz)** + *acc* to begin, start
zadowolony, -a, -e *adj* satisfied, contented, happy
zadzwonić *perf* **(zadzwonię, zadzwonisz)** + **do** + *gen* to call, phone, ring
zahamować *perf* **(zahamuję, zahamujesz)** to brake
zając *m* hare
zająć się *perf* **(zajmę się, zajmiesz się)** + *instr* to deal with
zajęty, -a, -e *adj* busy, occupied
zajmować się *imperf* **(zajmuję się, zajmujesz się)** + *instr* to deal with
zakupy *pl* shopping
zalać *perf* **(zaleję, zalejesz)** + *acc*; + *instr* to pour
zaleta *f* advantage
zalewać *imperf* **(zalewam, zalewasz)** + *acc*; + *instr* to pour
zależeć *imperf* **(zależę, zależysz)** + **od** + *gen* to depend
załatwiać *imperf* **(załatwiam, załatwiasz)** + *acc* to deal with (one's business etc.), to do, take care of
załatwić *perf* **(załatwię, załatwisz)** + *acc* to do, take care of
założyć *perf* **(założę, założysz)** + *acc* establish, found
zamawiać *imperf* **(zamawiam, zamawiasz)** + *acc* to order (e.g. a taxi, a pizza)

zamiar *m* intention
zamieszać *perf* **(zamieszam, zamieszasz)** + *acc* to stir
zamknąć *perf* **(zamknę, zamkniesz)** + *acc* to close, shut
zamknięty, -a, -e *adj* closed
zamykać *imperf* **(zamykam, zamykasz)** + *acc* to close, shut
zapalenie oskrzeli *n* bronchitis
zapalenie płuc *n* pneumonia
zapamiętać *perf* **(zapamiętam, zapamiętasz)** + *acc* + **o** + *loc* to remember
zapisać się *perf* **(zapiszę, zapiszesz)** + *acc* + **do** + *gen* to make an appointment (with)
zapisywać się *imperf* **(zapisuję, zapisujesz)** + *acc* + **do** + *gen* to make an appointment (with)
zapominać *imperf* **(zapominam, zapominasz)** + *gen*; + **o** + *loc* to forget
zapomnieć *perf* **(zapomnę, zapomnisz)** + *gen*; + **o** + *loc* to forget
zapraszać *imperf* **(zapraszam, zapraszasz)** + *acc* to invite
zaproponować *perf* **(zaproponuję, zaproponujesz)** + *acc* + *dat* to propose, suggest
zaprosić *perf* **(zaproszę, zaprosisz)** + *acc* + **na** + *acc* to invite
zapytać *perf* **(zapytam, zapytasz)** + *acc* + **o** + *acc* to ask
zarabiać *imperf* **(zarabiam, zarabiasz)** + *acc* to earn
zaraz just a moment
zareklamować *perf* **(zareklamuję, zareklamujesz)** + *acc* to advertise
zarządzanie *n* management
zaskoczony, -a, -e *adj* surprised
zastanawiać się *imperf* **(zastanawiam się, zastanawiasz się)** + **nad** + *instr* to think (it over)
zastanowić się *perf* **(zastanowię się, zastanowisz się)** + **nad** + *instr* to think (it over)
zaśpiewać *perf* **(zaśpiewam, zaśpiewasz)** + *acc* to sing
zatańczyć *perf* **(zatańczę, zatańczysz)** + *acc;* + **z** + *instr* to dance
zatrzymać się *perf* **(zatrzymam się, zatrzymasz się)** to stop
zatrzymywać się *imperf* **(zatrzymuję się, zatrzymujesz się)** to stop
zauważać *imperf* **(zauważam, zauważasz)** + *acc* to notice, observe
zauważyć *perf* **(zauważę, zauważysz)** + *acc* to notice, observe
zawał *m* (heart) attack
zawsze *adv* always
zażartować *perf* **(zażartuję, zażartujesz)** to joke
ząb *m* (*pl* **zęby**) tooth, teeth
zbadać *perf* **(zbadam, zbadasz)** + *acc* to examine, look into
zbyt too **zbyt dużo** too much
zdecydowany, -a, -e *adj* decisive, determined

zdenerwować się *perf* **(zdenerwuję się, zdenerwujesz się)** to annoy, irritate
zdjęcie *n* photograph
zdrowie *n* health
zdrowy, -a, -e *adj* healthy
zepsuć się *perf* to break down
zepsuty, -a, -e *adj* broken
zespół *m* (*pl* **zespoły**) group, band
zeszły, -a, -e *adj* last
zgadzać się *imperf* **(zgadzam się, zgadzasz się)** + **na** + *acc*; + **z** + *instr* to agree
zgłaszać *imperf* **(zgłaszam, zgłaszasz)** + *acc* to report, submit
zgłosić *perf* **(zgłoszę, zgłosisz)** + *acc* to report, submit
zgodzić się *perf* **(zgodzę się, zgodzisz się)** + **z** + *instr*; + **na** + *acc* to agree
zielony, -a, -e *adj* green
ziemniaki *pl* potatoes
zima *f* winter
zimno *adv* cold
zioła *f* herbs
zlekceważyć *perf* **(zlekceważę, zlekceważysz)** + *acc* to scorn, disregard
złota rączka *f* handyman
złoty zloty
złoty, -a, -e *adj* gold
zły, -a, -e *adj* bad
zmartwić się *perf* **(zmartwię się, zmartwisz się)** + *instr* to worry
zmęczony, -a, -e *adj* tired
zmieniać *imperf* **(zmieniam, zmieniasz)** + *acc* to change
zmienić *perf* **(zmienię, zmienisz)** + *acc* to change
zmywarka *f* dishwasher
znaczek *m* (*gen* **znaczka**) stamp
znaczyć *imperf* **(znaczę, znaczysz)** to mean
znać *imperf* **(znam, znasz)** + *acc* to know
znajdować *imperf* **(znajduję, znajdujesz)** + *acc* to find
znajoma *f* aquaintance (f)
znajomy *m* aquaintance (m)
znaleźć *perf* **(znajdę, znajdziesz)** + *acc* to find
znany, -a, -e *adj* (well-)known, famous, familiar
znowu *adv* again
zobaczyć *perf* **(zobaczę, zobaczysz)** + *acc* to see
zorganizować *perf* **(zorganizuję, zorganizujesz)** + *acc* to organize
zostać *perf* **(zostanę, zostaniesz)** to stay, remain
zostawać *imperf* **(zostaję, zostajesz)** to stay, remain
zostawiać *imperf* **(zostawiam, zostawiasz)** + *acc* to leave (e.g. something)
zostawić *perf* **(zostawię, zostawisz)** + *acc* to leave (e.g. something)
zrównoważony, -a, -e *adj* (well-)balanced
zupa cebulowa *f* onion soup
zupa grzybowa *f* mushroom soup
zupa jarzynowa *f* vegetable soup

zupa kalafiorowa *f* cauliflower soup
zupa ogórkowa *f* pickled cucumber soup
zupa pieczarkowa *f* (field) mushroom soup
zupa pomidorowa *f* tomato soup
zupełnie *adv* completely, utterly
zwariowany, -a, -e *adj* mad, crazy (keen)
zwiedzać *imperf* **(zwiedzam, zwiedzasz)** + *acc* to visit (*for places*)
zwiedzić *perf* **(zwiedzę, zwiedzisz)** + *acc* to visit (*for places*)
zwykle *adv* usually

Ż
żakiet *m* jacket
żartować *imperf* **(żartuję, żartujesz)** + *gen* to joke
że that
żeby (in order) to
żenić się *imperf* **(żenię się, żenisz się)** + z + *instr* to get married (*for a man*)
żołądek *m* stomach
żona *f* wife
żółty, -a, -e *adj* yellow
żurek *m* soup made from fermented rye
życie *n* life
życzyć *imperf* **(życzę, życzysz)** + *gen* + *dat* to wish
żyć *imperf* **(żyję, żyjesz)** to live
żydowski, -a, -e *adj* Jewish